McGRAW-HILL

Spanish

saludos

Conrad J. Schmitt
Protase E. Woodford
Randall G. Marshall

GLENCOE

Macmillan/McGraw-Hill

New York, New York
Columbus, Ohio
Mission Hills, California
Peoria, Illinois

EDITOR • *Teresa Chimienti*
DESIGN SUPERVISOR • *James Darby*
PRODUCTION SUPERVISOR • *Salvador Gonzales*
ILLUSTRATORS • *Olivia Cole* • *Tom Eaton*
• *Conrad Hack* • *Laura Hartman*
• *Ray Skibinski* • *Joel Snyder*
• *Joe Veno*
PHOTO EDITOR • *Alan Forman*
PHOTO RESEARCH • *Ellen Horan*
LAYOUT AND DESIGN • *Function thru Form, Inc.*
COVER DESIGN • *Group Four, Inc.*

This book was set in 10/12 point Century Schoolbook
by Monotype Composition Co., Inc.

Color separation was done by Beaumont Graphics, Ltd.

Send all inquiries to:
GLENCOE
15319 Chatsworth Street
Mission Hills, CA 91345

ISBN 0-07-056265-2 (Student Text)
ISBN 0-07-056264-4 (Teacher's Annotated Edition)

10   94

acknowledgments

The authors wish to express their appreciation to the many foreign language teachers throughout the United States who have shared with us their thoughts and experiences. We express our particular gratitude to those teachers listed below who have carefully reviewed samples of the original manuscript and have willingly given of their time to offer their comments, suggestions, and recommendations. With the aid of the information supplied to us by these educators we have attempted to produce a text that is contemporary, communicative, authentic, and useful to a wide variety of students from all geographic areas.

Hampton P. Abney
Newark Academy
Livingston, New Jersey

Gloria B. Alarcón
Highland High School
Highland, Illinois

Rhonda Barnebee
Eastside High School
Taylors, South Carolina

Pat Bayot
Fairport Int. Magnet School
Dayton, Ohio

Mary W. Brown
Lake Taylor High School
Norfolk, Virginia

J. Patricio Concha
Overbrook High School
Philadelphia, Pennsylvania

Susan Creutz
Rancocas Valley High School
Mount Holly, New Jersey 08060

Leonora Damiano
Vailsburg High School
Newark, New Jersey

Robert D. Decker
Long Beach Unified School District
Long Beach, California

Emelda L. Estell
Bureau of Foreign Languages
Chicago, Illinois

Laura Garvey
Southern Senior High School
Harwood, Maryland

Frances H. Gordon
Falling Creek Middle School
Richmond, Virginia

Gail B. Heffner
Walnut Ridge High School
Columbus, Ohio

Mary M. Hellen
Carlisle Area School District
Carlisle, Pennsylvania

Carmen E. Iglesias
Belmont High School
Dayton, Ohio

Shirley Israel
Carman High School
Flint, Michigan

Susan C. Johnston
J. L. Mann High School
Greenville, South Carolina

Rock F. Kelly
Vista High School
Vista, California

Mary Ann Kosut
Providence Middle School
Richmond, Virginia

Virginia Luft
Orange High School
Cleveland, Ohio

Mary Jean Mohn
Gresham High School
Gresham, Oregon

Janice A. Nease
Sissonville High School
Charleston, West Virginia

John P. Nionakis
Hingham Public Schools
Hingham, Massachussets

John O'Donnell
W. E. Groves High School
Birmingham, Michigan

Eugene J. Paciarelli
Dulaney Senior High School
Timonium, Maryland

Calvin R. Rossi
Irvine High School
Irvine, California

Maria Sciancalepore
Essex Junction Educational Center
Essex Junction, Vermont

Daniel J. Sheridan
Swartz Creek High School
Swartz Creek, Michigan

Julia B. Suid
Woodward High School
Cincinnati, Ohio

Rebecca Stracener
Edison Public Schools
Edison, New Jersey

George Weinrauch
Morris Hill High School
Rockaway, New Jersey

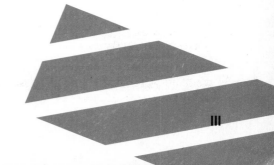

The authors would also like to thank the following persons and organizations for permission to include the following photographs:

2:(tl) Robert Frerck/Woodfin Camp; **2:**(tr) Peter Menzel; **2:**(b) F. Lisa Beede/DPI; **3:**(l) Lisa Limer; **3:**(r) Lisa Limer; **3:**(b) Peter Menzel; **4:** Chip and Rosa Maria Peterson; **5:** Bob Capece/MGH; **6:**(l) Bob Capece/MGH; **6:**(r) Bob Capece/MGH; **8:** Peter Menzel; **11:** Harry Gruyaert/Magnum; **12:** Peter Menzel; **13:**(l) Manuel Rodriguez; **13:**(m) Porterfield-Chickering/Photo Researchers; **14:**(l) Tom and Michelle Grimm/Intl. Stock Photo; **14:**(r) Peter Menzel; **15:**(tl) Catherine Ursillo/Photo Researchers; **15:**(tr) Alan Riding/Monkmeyer Press Photo; **15:**(bl) Len Speier; **15:**(br) Serraillier/Photo Researchers; **16 & 22:**(l) Owen Franken; **17 & 22:**(r) Beryl Goldberg; **21:** Cary Wolinsky/Stock Boston; **23:**(t) Len Speier; **23:**(b) Peter Menzel; **26:**(r), **31:**(r), **42:**(r): Bill Wrenn/Intl. Stock Photo; **26:**(l) & **42:**(l): Chip and Rosa Peterson; **29:**(t) Carl Frank/Photo Researchers; **29:**(b) Ken Lax; **31:**(l) Mark Mittelman/Taurus Photo; **32:** Terry McKoy/Taurus Photo; **33:** Chip and Rosa Peterson; **36:** Beryl Goldberg; **37:** Stan Pantovic/Photo Researchers; **40:**(t) Beryl Goldberg; **40:**(b) Chip and Rosa Peterson; **43:** Beryl Goldberg; **46:** Bob Capece/MGH; **49:** Porterfield/Chickering/Photo Researchers; **50:**(t) Peter Menzel; **50:**(b) Peter Menzel; **51:**(bl) Bob Capece; **51:**(br) Bob Capece; **56:** Beryl Goldberg; **58:** Peter Menzel; **61:**(l) Lisa Limer; **61:**(r) Chip and Rosa Peterson; **62:** Beryl Goldberg; **63:**(l) Dick Walker/Taurus Photos; **63:**(r) Ulf Sjostedt/FPG; **72:** Chip and Rosa Peterson; **75:**(l) Roger Clark/Photo Researchers; **75:**(r) Lisa Limer; **90:**(l) Bernard Pierre Wolff/Photo Researchers; **76:** Chip and Rosa Peterson; **90:**(m) Russ Kinne/Photo Researchers; **90:**(tr) Peter Menzel; **90:**(r) Cary Wolinski/Stock Boston; **91:** Chip and Rosa Peterson; **94:**(l) Bendick Associates/Monkmeyer Press Photos; **94:**(r) Lisa Limer; **95:** Nancy J. Pierce/Photo Researchers; **96:**(t) Peter Menzel; **96:**(b) F. Lisa Beebe/DPI; **99:** Peter Menzel; **103:**(t & b) Beryl Goldberg; **103:**(m) Beryl Goldberg; **104:**(l) Enrique Shore/Woodfin Camp & Assoc.; **104:**(r) Owen Franken/Stock Boston; **105:** White/Pite/Intl. Stock Photo; **107:**(t) Beryl Goldberg; **107:**(b) William A. Graham/Photo Researchers; **113:**(l) Chris Brolon/Stock Boston; **113:**(r) Kal Muller/Woodfin Camp and Assoc.; **114:**(m) Margaret Mc Carthy/Peter Arnold Inc.; **114–115:**(b) Robert Frerck/Woodfin Camp; **115:**(tl) Chris Brown/Stock Boston; **115:**(tr) Peter Menzel; **117:**(tl) Giles Peress/Magnum Photos; **117:**(tr) Giansanti/Sygma; **117:**(m) Chip and Rosa Peterson; **127:**(t) Robert Frerck/Woodfin Camp; **127:**(m) Stephanie Maze/Woodfin Camp; **128:** Scott Thode/Intl. Stock Photo; **140:**(tl) Anita Douthat/Photo Researchers; **140:**(tm) Lenore Weber/Taurus Photos; **140:**(tr) Peter Menzel; **140:**(bl) Beryl Goldberg; **140:**(bl) Beryl Goldberg; **140:**(bm) Peter Menzel; **140:**(br) Peter Menzel; **152:** F. Lisa Beebe/DPI; **154:** Beryl Goldberg; **155:** Beryl Goldberg; **160:** Peter Menzel; **161:** Tim Davis/Photo Researchers; **166:** Cary Wolinsky/Stock Boston; **168:** Diego Goldberg/Sygma; **169:**(t) Focus on Sports; **169:**(tr) Focus on Sports; **169:**(m) C.J. Collins/Photo Researchers; **176:** Tom and Michele Grimm/Intl. Stock Photo; **177:** Peter Menzel; **180:**(l) Ronny Jacques/Photo Researchers; **181:**(r) Robert Clark/Photo Researchers; **181:**(t) Robert Clark/Photo Researchers; **181:**(m) Jessica Anne Ehlers/Bruce Coleman Inc.; **181:**(b) Robert Clark/Photo Researchers; **181:**(b) Jessica Anne Ehlers/Bruce Coleman Inc.; **181:**(b) Slim Aarons/Photo Researchers; **185:** F. Lisa Beebe/DPI; **187:** Beryl Goldberg; **189:**(t) Peter Menzel **189:**(m) F. Lisa Beebe/DPI; **189:**(b) Beryl Goldberg; **190:**(t) F. Lisa Beebe/DPI; **190:**(b) Vance Henry/Taurus Photo; **191:** Giraudon/Art Resource; **200:**(l) Beryl Goldberg; **200:**(r) Beryl Goldberg; **204:**(l) Michael Salas/The Image Bank; **204:**(r) Frederick Ayer/Photo Researchers Inc.; **204–205:**(m) Josip Ciganovic/FPG; **205:**(r) Chip and Rosa Peterson; **218:** Susan McCartney/Photo Researchers Inc.; **220:** F. Lisa Beebe/DPI; **221:** F. Lisa Beebe/DPI; **223:** Peter Menzel; **223:** Peter Menzel; **228:** Diego Goldberg/Sygma; **236:** Faustino R./The Image Bank; **237:** Diego Goldberg/Sygma; **238:** Chip and Rosa Peterson; **247:** Victor Englebert/Photo Researchers; **248:** Lisa Limer; **249:**(tl) Lisa Limer; **249:**(tr) Lisa Limer; **249:**(bl) Lisa Limer; **249:**(bl) Lisa Limer; **250:**(l) Lisa Limer; **250:**(t) Rick Merron/Magnum; **250:**(r) Loren McIntyre/Woodfin Camp Inc.; **251:**(t) Alan Becker/Photo Researchers Inc.; **251:**(r) Rick Merron/Magnum; **251:**(l) Lisa Limer; **252:** Bob Davis/Woodfin Camp Inc.; **260:**(t) Peter Menzel; **260:**(b) Peter Menzel; **260:**(m) Sybil Shelton/Peter Arnold Inc.; **261:**(l) Jeff Larson/Photo Researchers; **261:**(r) Mathias Oppersdorff/Photo Researchers Inc.; **263:** Tom Hollyman/Photo Researchers Inc.; **266:** Chip and Rosa Peterson; **273:** Lucas Film Ltd. 1977 all rights reserved; **274:** Susan McCartney/Photo Researchers Inc.; **275:**(l) Beryl Goldberg; **276:** Lester Sloan/Woodfin

Preface

¡**Bienvenidos!** *Welcome!* You have selected one of the most interesting studies available anywhere in any school—a foreign language.

This will be a most unique study because it focuses not only on written language but also on spoken language. This is a communications course; therefore, *all* means of communication are a part of your study of Spanish. Even gestures and body language play a significant role.

The "mystery" of things foreign is about to be revealed to you. Foreign sounds, foreign symbols, foreign customs, and foreign life-styles are all a part of your foreign language experience. This experience can become one of the most exciting, appealing, and long-lasting of your life.

Spanish is the second language of the United States. It has become a part of our daily lives through place names **(Florida, Santa Fé)**, food names **(taco, tortilla)**, common expressions **(pronto, adiós)**, peoples' names **(Martínez, López)**, names of songs **(«Vaya con Dios», «Que será, será»)**, names of dances **(tango, rumba)**, and even names of animals **(armadillo)**, cars **(Córdoba)**, and clothing **(sombrero)**.

In addition to the many Spanish speakers who live within the United States, there are about 250,000,000 Spanish speakers throughout the world.

You have selected a language that reflects international importance and a varied cultural heritage which has united the old and the new worlds. It is a language that, in its vocabulary, reminds us of the many civilizations it has survived and which have enriched the idiom.

Many other reasons can be given for encouraging you to learn a foreign language, but the most important reason of all is that a foreign language can open doors for you that you didn't know existed. One of these could be a career using the language itself. The study of a foreign language may help you to enjoy life even more. You will gain a greater understanding of another culture; you will be able to communicate with the people coming from this culture; and you will be able to read the many newspapers, magazines, and books written in the language. Many new facets will be added to your life which would not have been available to you before.

¡Saludos! *Greetings!* Welcome to a new study, a new language, a new life-style!

Carry with you our hopes for your complete success in this endeavor and experience which could change your outlook on life from this moment on.

Conrad J. Schmitt

Mr. Schmitt was Editor-in-Chief of Foreign Language, ESL, and bilingual publishing with McGraw-Hill Book Company. Prior to joining McGraw-Hill, Mr. Schmitt taught languages at all levels of instruction, from elementary school through college. He has taught Spanish at Montclair State College, Upper Montclair, New Jersey; French at Upsala College, East Orange, New Jersey; and Methods of Teaching a Foreign Language at the Graduate School of Education, Rutgers University, New Brunswick, New Jersey. He also served as Coordinator of Foreign Languages for the Hackensack, New Jersey, Public Schools. Mr. Schmitt is the author of *Schaum's Outline of Spanish Grammar, Schaum's Outline of Spanish Vocabulary, Español: Comencemos, Español: Sigamos,* and the *Let's Speak Spanish* and *A Cada Paso* series. He is also coauthor of *Español: A Descubrirlo, Español: A Sentirlo, La Fuente Hispana, Le Français: Commençons, Le Français: Continuons, McGraw-Hill French Rencontres* and *McGraw-Hill French Connaissances,* and *Schaum's Outline of Italian Grammar.* Mr. Schmitt has traveled extensively throughout Spain, México, the Caribbean, Central America, and South America.

Protase E. Woodford

Mr. Woodford is Director of the Foreign Language Department, Test Development, Schools and Higher Education Programs Division with Educational Testing Service, Princeton, New Jersey. He has taught Spanish at all academic levels. He has also served as department chairperson in New Jersey high schools and has worked extensively with Latin American and Asian ministries of education in the areas of tests and measurements and has served as a consultant to numerous state and federal government agencies. He has taught Spanish at Newark State College, Union, New Jersey, and methods at the University of Texas. Mr. Woodford has traveled extensively throughout Spain, the Caribbean, Central America, South America, Europe, and Asia. He is coauthor of *Español: A Descubrirlo, Español: A Sentirlo, Español: Lengua y Letras, La Fuente Hispana,* and *Bridges to English.* He is also the author of *Spanish Language, Hispanic Culture.*

Randall G. Marshall

Mr. Marshall is Editor-in-Chief of Foreign Language Publishing with the Webster Division, McGraw-Hill Book Company and is an experienced foreign language instructor at all academic levels. He was formerly Consultant in Modern Foreign Languages with the New Jersey State Department of Education. Mr. Marshall has served as methods and demonstration teacher at Iona College, New Rochelle, New York; at Rutgers University; and at the University of Colorado. He has traveled extensively throughout Spain, Mexico, the Caribbean, and South America. He is coauthor of *Español: A Descubrirlo, Español: A Sentirlo,* and *La Fuente Hispana.*

Contents

Lección 1   ¿Quién es?

Lección 2   ¿Cómo eres tú?

Lección **17**   En la playa

Lección **18**   En el cine

Lección **19**   Mi carro (coche)

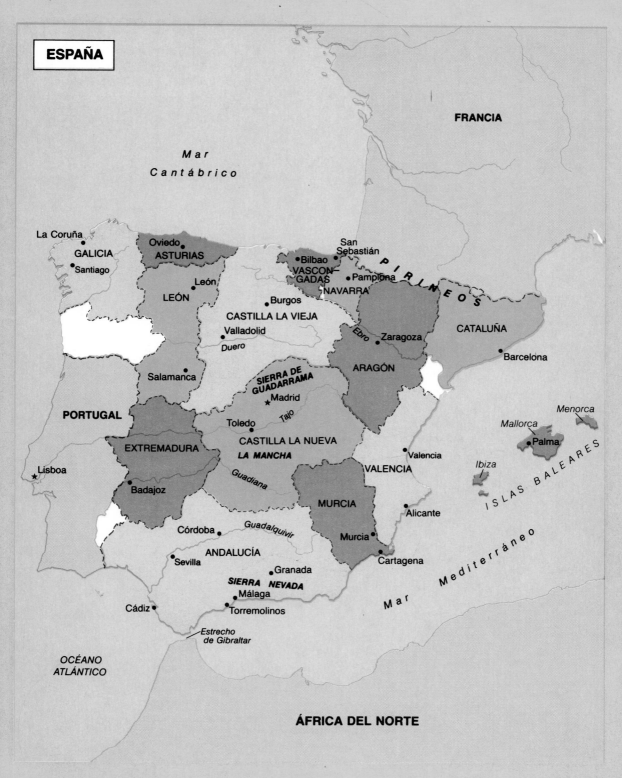

ESPAÑA

FRANCIA

Mar
Cantábrico

La Coruña
GALICIA
• Santiago

Oviedo•
ASTURIAS

San
Sebastián
•Bilbao
VASCON-
GADAS
• Pamplona
NAVARRA

P I R I N E O S

• León
LEÓN

• Burgos
CASTILLA LA VIEJA
• Valladolid
Duero

Ebro
• Zaragoza
ARAGÓN

CATALUÑA

• Barcelona

Salamanca •

SIERRA DE
GUADARRAMA
★ Madrid

Tajo

Menorca
Mallorca
• Palma
Ibiza
ISLAS BALEARES

PORTUGAL

Toledo •
CASTILLA LA NUEVA

EXTREMADURA
LA MANCHA

• Valencia
VALENCIA

Lisboa
★

Guadiana

Badajoz •

MURCIA

• Alicante

Córdoba •
Guadalquivir

Murcia •
Cartagena •

ANDALUCÍA

Sevilla •

• Granada
SIERRA NEVADA
• Málaga

Mar Mediterráneo

Cádiz •
Torremolinos •

Estrecho
de Gibraltar

OCÉANO
ATLÁNTICO

ÁFRICA DEL NORTE

XVII

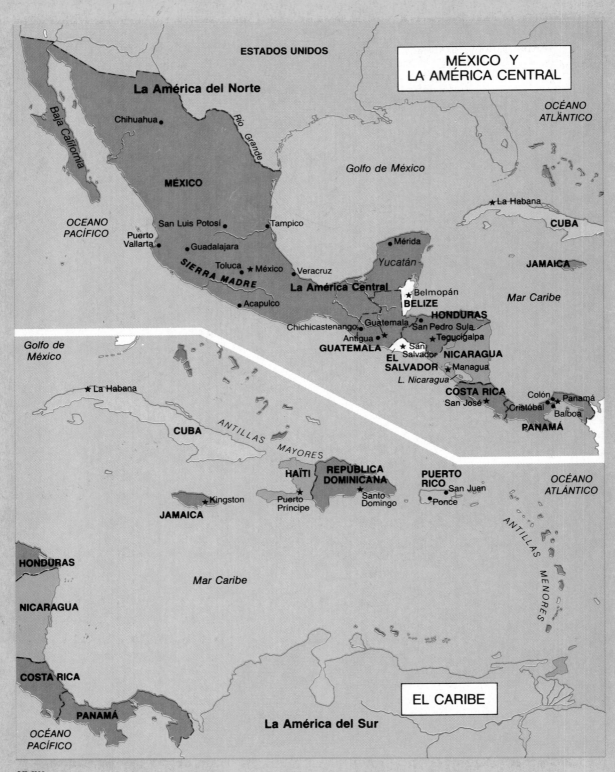

MÉXICO Y
LA AMÉRICA CENTRAL

ESTADOS UNIDOS

OCÉANO ATLÁNTICO

La América del Norte

Baja California

Chihuahua

Río Grande

Golfo de México

MÉXICO

OCÉANO PACÍFICO

San Luis Potosí
Tampico

★ La Habana

CUBA

Puerto Vallarta
Guadalajara
Mérida

JAMAICA

SIERRA MADRE
Toluca ★ México
Veracruz
Yucatán

La América Central

Mar Caribe

Acapulco

Belmopán
★ BELIZE
Chichicastenango
Guatemala
San Pedro Sula
HONDURAS
Antigua ★ ★
Tegucigalpa
GUATEMALA
San Salvador
NICARAGUA
EL SALVADOR
★ Managua
L. Nicaragua
COSTA RICA
Colón ★ Panamá
San José
Cristóbal
Balboa
PANAMÁ

Golfo de México

★ La Habana

CUBA

ANTILLAS MAYORES

HAÏTI
REPÚBLICA DOMINICANA
PUERTO RICO
San Juan
OCÉANO ATLÁNTICO

Puerto Príncipe
Santo Domingo
Ponce

Kingston

JAMAICA

ANTILLAS MENORES

HONDURAS

Mar Caribe

NICARAGUA

COSTA RICA

PANAMÁ

OCÉANO PACÍFICO

EL CARIBE

La América del Sur

XVIII

La América
Central

Mar Caribe

Barranquilla

Maracaibo

★ Caracas

VENEZUELA

Medellín

Orinoco

Magdalena

Cali

★ Bogotá

COLOMBIA

GUAYANAS

★ Quito

ECUADOR

Guayaquil

Iquitos

Manaus

Amazonas

Belém

Fortaleza

Amazonas

CORDILLERA DE LOS ANDES

PERÚ

Tapajós

Madeira

SELVAS

Xingú

Recife

Marañón

Ucayali

Callao

★ Lima

BRASIL

São Francisco

Salvador

Cuzco

MATO GROSSO

★ La Paz

L. Titicaca

BOLIVIA

Sucré

★ Brasilia

**OCÉANO
PACÍFICO**

Paraguay

GRAN CHACO

PARAGUAY

Paraná

São Paulo

Río de Janeiro

Asunción
★

Tucumán

CORDILLERA DE LOS ANDES

Córdoba

Uruguay

Pôrto Alegre

**OCÉANO
ATLÁNTICO**

Valparaíso

Rosario

Viña del Mar

URUGUAY

Santiago ★

P A M P A S

Buenos
Aires

★ Montevideo

CHILE

Río de la Plata

ARGENTINA

CORDILLERA DE LOS ANDES

Valdivia

San Carlos
de Bariloche

Puerto Montt

LA AMÉRICA DEL SUR

Islas Malvinas

*Tierra
del Fuego*

Lección

PRELIMINAR A Los saludos

Actividad 1

Say *hi* in Spanish to your friends seated near you. Use their Spanish names when you address them.

Hola, Sara.

Hola, Pablo.

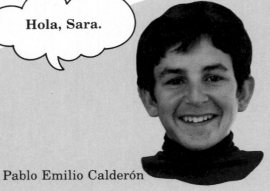

Pablo Emilio Calderón

Sara María Morales

Hola, Carlos.
Hola, Anita.
¿Qué tal?
Muy bien. ¿Y tú?
Así, así.

2

Actividad 2

Say *hi* in Spanish to a friend in your class. Use his/her Spanish name.

Actividad 3

Ask several friends in your class how things are going. Have each friend answer you.

Actividad 4

Get together with a friend and make up a conversation. Say *hi* to each other, ask how things are going, and respond to one another on whether things are going well or so-so.

Nota

In Spanish-speaking countries, people tend to be more formal than in the United States. Among friends, the informal greeting **Hola** is used frequently. However, when young people greet adults, they would use **Buenos días** in the morning, **Buenas tardes** in the afternoon, and **Buenas noches** in the evening. They would also use the person's title—**señor, señora,** or **señorita.** The title is used with or without the person's family name.

Actividad 5

Say *hello* to each of your teachers using his/her name and the appropriate greeting for the time of day—morning, afternoon, or evening.

Actividad 6

Which greeting is being used in each photograph: **Hola** or **Buenos días**?

Lección PRELIMINAR B Las despedidas

Hola, Paco.
Hola, Tadeo. ¿Qué tal, hombre?
Muy bien, ¿y tú?
Muy bien.
Adiós, amigo.
Adiós. Hasta luego.

Nota

In English we use several expressions when we take leave of a person. We may use the more formal *Good-bye* or we may say things such as *So long!* or *I'll be seeing you.* These same types of options exist in Spanish.

Formal
¡Adiós!
Informal
¡Hasta luego!
¡Hasta la vista!
¡Hasta pronto!

Actividad 1

Say *hi* in Spanish to several of your friends.

 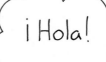

Actividad 2

Ask a friend in class how things are going. Have him/her answer you.

Actividad 3

Say *good-bye* in Spanish to a friend.

Actividad 4

Say *so long* to a friend. Note that as the two girls on the right say *good-bye*, the movement of the hand is toward them. Why? As many Spanish speakers, particularly in Spain, say *good-bye*, their gesture indicates that they want their friends to return.

Actividad 5

Look at the photograph. Notice the hand gesture. Do you think the people are saying **Buenos días** or **Adiós?**

LECCIÓN C LOS NÚMEROS

PRELIMINAR C

1	uno	11	once	21	veintiuno
2	dos	12	doce	22	veintidós
3	tres	13	trece	23	veintitrés
4	cuatro	14	catorce	24	veinticuatro
5	cinco	15	quince	25	veinticinco
6	seis	16	dieciséis	26	veintiséis
7	siete	17	diecisiete	27	veintisiete
8	ocho	18	dieciocho	28	veintiocho
9	nueve	19	diecinueve	29	veintinueve
10	diez	20	veinte	30	treinta

31	treinta y uno	32	treinta y dos
40	cuarenta	80	ochenta
50	cincuenta	90	noventa
60	sesenta	100	ciento
70	setenta		
102	ciento dos	103	ciento tres

Nota

Note that the numbers 16 through 29 are usually written in Spanish as one word. Beginning with **treinta,** they are written as two words and separated by **y.**

Actividad 1   ¿Cuál es el número en español?

Say each number in Spanish; then write each number.

15	76	82
21	37	12
115	73	66

Actividad 2

Here's a batch of test papers. Say what grades the students received in Spanish.

When giving a telephone number, Spanish speakers will frequently break the number as follows.

734-25-60   **siete, tres, cuatro; veinticinco, sesenta**

Actividad 3

Give your telephone number in Spanish.

Actividad 4

Here are some numbers from the **Guía telefónica de San Juan.** Give the numbers in dark type.

```
· DE LALAMA, P. —Pelicano, 35 .......    471 4963
· LAMA, A. —Pº Gral M Campos, 13 .....    446 9875
· DE LAMA, F.
    Nicaragua (Alfonso XIII), 23 ........    741 5688
RODRIGUEZ DE LAMA, F.
    Nicaragua (Alfonso XIII), 25 ........    741 5689
RODRIGUEZ DE LAMA, F. —Mercería
    Cde Peñalver, 43 ................    402 3379
RODRIGUEZ LAMA, R.
    Av. M. de Lemos, 143 ............    739 1646
RODRIGUEZ DE LAMA, S. —V. Vega, 10 ..    222 7060
" LAMA, V. —Pozohalcón, 15 .........    785 9249
" LAMA, V. —Pensión E. San Miguel, 17 ..    248 5158
" LAMAS, F. —Arzobispo Morcillo, s/n ..    733 6892
" LAMAS, F. —Arzobispo Morcillo, 1 ....    215 6101
" LAMAS, F. —Los Yebenes, Bl. 4 .......    717 1234
" LAMAS, M. —A. Nervo, 3 ............    251 3843
" LAMEIRO, J.
    Col. Cdad. Angeles, Bl. 247 .........    217 9123
RODRIGUEZ LAMEIRO, J. —Lavandería
    Donados, 1 ................    241 1115
RODRIGUEZ LAMELA, C. —Restaurante
    Ctra. Sto. Cristo, s/n ............    736 0946
RODRIGUEZ LAMELAS, N.
    Col. Cdad. Angeles, Bl. 49 .........    212 0696
```

200	**doscientos**	900	**novecientos**
300	**trescientos**	1000	**mil**
400	**cuatrocientos**	1985	**mil novecientos ochenta y cinco**
500	**quinientos**	1492	**mil cuatrocientos noventa y dos**
600	**seiscientos**	1808	**mil ochocientos ocho**
700	**setecientos**	1776	**mil setecientos setenta y seis**
800	**ochocientos**		

Actividad 5

Give the following years in Spanish:
- the year you were born.
- the year you started school.
- the year you will graduate from high school.

Actividad 6

Here are some bills in pesos. How much money is there?

D LA CORTESÍA

pRELIMINAR

Perdón, señor. Una limonada, por favor.
¿Una limonada? Sí, señorita.
¿Cuánto es, por favor?
Diez pesos.
Gracias, señorita.
De nada.

Nota

Expressions of politeness exist in all languages. In English some frequently used expressions are *please, thank you,* and *you're welcome.*

The Spanish equivalents for these expressions are:

por favor
gracias
de nada
no hay de qué

Actividad 1

Have a friend in your class hand you a piece of paper. Thank your friend and have him/her answer you.

Actividad 2

Order the following Mexican foods. Be sure to be polite and add **por favor** to your request.

un taco

una enchilada

una tostada

un burrito

Actividad 3   El menú en un restaurante

¿Cuánto es una enchilada?
¿Cuánto es una tostada?
¿Cuánto es un taco?
¿Cuánto es un burrito?

Menú

enchilada . . . . . 48 pesos
tostada . . . . . . 25 pesos
taco . . . . 59 pesos
burrito . . . . 22 pesos

Actividad 4

What do you say in Spanish when:

● you ask someone for something?
● someone gives you something?
● someone says *thank you*?

E LAS FECHAS

lunes martes miércoles jueves viernes sábado domingo

enero febrero marzo abril mayo diciembre

junio julio agosto septiembre octubre noviembre

el 25 de septiembre de 1984

el 10 de octubre de 1985

Hoy es martes, el veinticinco de septiembre de mil novecientos ochenta y cuatro.

Hoy es jueves, el diez de octubre de mil novecientos ochenta y cinco.

el 1 de mayo de 1986

Hoy es jueves, el primero de mayo de mil novecientos ochenta y seis.

Nota

Note that the numbers that we have already learned are called *cardinal numbers.* The cardinal numbers are used to give the day of the month. The only exception is the first of the month when the ordinal number is used.

el primero de enero
el primero de julio

Actividad 1 ¿Cuál es la fecha de hoy?

Give today's date in Spanish. Include the day, month, and year.

Actividad 2

See how much Spanish you can already read. Give the dates in Spanish of these famous events.

1. el descubrimiento de América   *(October 12, 1492)*
2. la independencia de México   *(September 16, 1821)*
3. la independencia de los Estados Unidos   *(July 4, 1776)*

Nota

In English we write the date on the top of a letter as follows: month, day, year.

> *September 25, 1986*

In Spanish the date would be written in this way: day, month, year.

> *el 25 de septiembre de 1986*

Very often in both Spanish and English only numbers are used to convey the date. September 25, 1986 would be 9/25/86. Note that in Spanish, however, the day comes before the month. **El 25 de septiembre de 1986** would be 25/9/86.

Actividad 3

Give the following dates in Spanish, according to the Spanish system.

1. *25/6/85*
2. *6/8/84*
3. *8/6/86*
4. *12/11/87*
5. *2/3/88*

Actividad 4

The seventh of July is the day of San Fermín. On this day in the town of Pamplona in northern Spain, there is much celebration. Bulls run through the streets to the bullring. During the festivities there is a song that people sing. Sing along with the cassette.

SAN FERMÍN

Uno de enero, dos de febrero,
Tres de marzo, cuatro de abril,
Cinco de mayo, seis de junio,
Siete de julio, ¡San Fermín!

11

F LA HORA

PRELIMINAR

Es la una.

Son las dos.

Son las cinco.

Es la una y diez.

Son las siete y cinco.

Son las seis menos diez.

Son las once y cuarto.

Son las nueve y media.

Son las diez menos cuarto.

Actividad 1 ¿Qué hora es?

Give the time in Spanish according to each clock illustrated below.

1.

2.

3.

4.

5.

6.

Son las seis de la mañana.   **Son las dos de la tarde.**   **Son las diez de la noche.**

Actividad 2

Los Ángeles	Chicago	Nueva York	San Juan	Madrid

Son las seis de la mañana en Los Ángeles.

- ¿Qué hora es en Chicago?
- ¿Qué hora es en Nueva York?
- ¿Qué hora es en San Juan?
- ¿Qué hora es en Madrid?

Nota

To express in Spanish at what time something is happening, the word **a** is used.

> **A la una**
> **A las dos**
> **A las tres y cuarto**
> **A las cinco y media**

Actividad 3

Read this busy school schedule of classes.

- ¿A qué hora es la clase de álgebra?
- ¿A qué hora es la clase de historia?
- ¿A qué hora es la clase de español?
- ¿A qué hora es la clase de biología?
- ¿A qué hora es la clase de educación física?
- ¿A qué hora es la clase de música?
- ¿A qué hora es la clase de inglés?

Hora	Horario de Clases	
	Asignatura	Profesor(a)
8:10 – 9:00	álgebra	
9:00 – 9:50	historia	
9:50 – 10:40	español	
10:40 – 11:30	biología	
11:30 – 12:20		
12:20 – 1:10	educación física	
1:10 – 2:00	música	
2:00 – 2:50	inglés	

G El tiempo

PRELIMINAR

En el verano:
Hace mucho calor.
Hace buen tiempo.
Hace sol.

En el invierno:
Hace frío.
Hace mal tiempo.
Hace viento.
Nieva.

En la primavera:
Hace buen tiempo.
No hace mucho calor.
No hace mucho frío.
Llueve a veces.

En el otoño:
Hace fresco.
Hay nubes.

Actividad 1

¿Qué tiempo hace hoy?

Actividad 2

Hoy es el veintiocho de diciembre.

¿Qué tiempo hace en Nueva York?

¿Qué tiempo hace en Buenos Aires, Argentina?

Actividad 3

Hoy es el cinco de julio.

¿Qué tiempo hace en Nueva York?

¿Qué tiempo hace en Buenos Aires?

Actividad 4

- ¿Qué tiempo hace en el verano?
- ¿Qué tiempo hace en el invierno?
- ¿Qué tiempo hace en la primavera?
- ¿Qué tiempo hace en el otoño?

- ¿Cuándo hace calor, en el verano o en el invierno?
- ¿Cuándo hace frío, en el invierno o en el verano?

Actividad 5

See how much you can already read in Spanish.

Cuando es el invierno en Nueva York, no es el invierno en Buenos Aires, Argentina. Es el verano en Buenos Aires. Cuando es el invierno en Buenos Aires, es el verano en Nueva York. Cuando hace frío en Nueva York, hace calor en Buenos Aires. Y cuando hace calor en Nueva York, hace frío en Buenos Aires.

Do you know why this is true?

1 ¿QUIÉN ES?

una muchacha   una alumna   un colegio

Es Lupita.
Lupita es una muchacha **mexicana**.
Ella es alumna.
Es alumna **en** un colegio mexicano.

¿Cómo es?

morena

rubia

tonta

lista

baja   alta

Ejercicio 1   Una muchacha mexicana
Contesten. *(Answer.)*

1. ¿Es mexicana Lupita?
2. ¿Es ella alumna?
3. ¿Es ella alumna en un colegio mexicano?

4. ¿Es baja o alta?
5. ¿Es morena o rubia?
6. ¿Es ella una muchacha lista o tonta?

Ejercicio 2   ¿Quién es mexicana?
Contesten con el nombre de la persona. *(Answer with the person's name.)*

1. ¿Quién es mexicana?
2. ¿Quién es alumna en un colegio mexicano?

3. ¿Quién es alta?
4. ¿Quién es rubia?
5. ¿Quién es lista?

un muchacho

un alumno

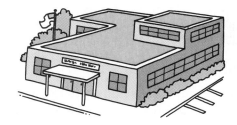

una escuela

Es Roberto.
Roberto **no** es mexicano.
Es un muchacho **americano.**
Él es alumno **también.**
Es alumno en una escuela **secundaria.**

¿Cómo es?

bajo

alto

moreno

rubio

tonto

listo

Ejercicio 3 Un muchacho americano
Contesten. *(Answer.)*

1. ¿Es Roberto un muchacho americano?
2. ¿Es él alumno?
3. ¿Es alumno en una escuela secundaria?
4. ¿Es Roberto alto o bajo?
5. ¿Es moreno o rubio?
6. ¿Es él listo o tonto?

Ejercicio 4 ¿Cómo es Roberto?
Contesten. *(Answer.)*

1. ¿Cómo es Roberto? ¿Es alto o bajo?
2. ¿Cómo es Roberto? ¿Es moreno o rubio?
3. ¿Cómo es Roberto? ¿Es listo o tonto?

Estructura

Los artículos definidos—*el, la*

The name of a person, place, or thing is called a *noun*. Every Spanish noun has a gender, either masculine or feminine. Almost all nouns that end in **-o** are masculine and almost all nouns that end in **-a** are feminine. A definite article (*the* in English) very often comes before a noun. Study the following examples:

masculine	*feminine*
e<u>l</u> muchach<u>o</u>	<u>la</u> muchach<u>a</u>
e<u>l</u> alumn<u>o</u>	<u>la</u> alumn<u>a</u>
e<u>l</u> colegi<u>o</u>	<u>la</u> escuel<u>a</u>

Note that the definite article **el** accompanies a masculine noun. The definite article **la** accompanies a feminine noun.

Ejercicio 1 El muchacho americano y la muchacha mexicana
Completen con *el* o *la*. *(Complete with **el** or **la**.)*

1. _____ muchacho es americano.
2. _____ muchacho no es mexicano.
3. _____ muchacho americano es Roberto.
4. _____ muchacha mexicana es Lupita.
5. _____ muchacho es moreno y _____ muchacha es rubia.
6. _____ muchacho es alumno en _____ escuela Thomas Jefferson.
7. _____ muchacha es alumna en _____ Colegio Hidalgo.
8. _____ alumno es listo.
9. _____ alumna también es muy lista.

Los artículos indefinidos—*un, una*

The word *a (an)* is called an *indefinite article* in English. In Spanish the indefinite article **una** accompanies a feminine noun and the indefinite article **un** accompanies a masculine noun. Observe the following:

Roberto es <u>un</u> muchach<u>o</u>.	*Robert is a boy.*
Lupita es <u>una</u> muchach<u>a</u>.	*Lupita is a girl.*

Ejercicio 2 Un muchacho y una muchacha
Completen con *un* o *una*. *(Complete with **un** or **una**.)*

1. Roberto es _____ muchacho.
2. Lupita es _____ muchacha.
3. Roberto es _____ muchacho americano y
   Lupita es _____ muchacha mexicana.
4. Roberto es _____ alumno muy listo.

5. Él es alumno en _____ escuela secundaria americana.
6. Lupita es _____ alumna muy lista también.
7. Ella es alumna en _____ colegio mexicano.

La concordancia de los adjetivos—formas singulares

A word that describes a noun is called an *adjective* in English. Study the following sentences. The underlined words are adjectives.

La muchacha es rubia.   **El muchacho es rubio.**
La alumna es lista.   **El alumno es listo.**

A Spanish adjective must agree with the noun it describes, or modifies.

Note that in Spanish many masculine adjectives end in **-o** and many feminine adjectives end in **-a.**

Ejercicio 3   Lupita y Roberto
Contesten. *(Answer.)*

1. ¿Es Lupita mexicana o americana?
2. Y Roberto, ¿es él americano o mexicano?
3. ¿Es Lupita baja o alta?
4. Y Roberto, ¿es alto o bajo?
5. ¿Es Lupita morena o rubia?
6. ¿Es Roberto moreno o rubio?
7. ¿Es Lupita alumna en un colegio mexicano o en una escuela secundaria americana?
8. ¿Es Roberto alumno en un colegio mexicano o en una escuela secundaria americana?

Ejercicio 4   ¿Cómo es Lupita? ¿Cómo es Roberto?
Completen. *(Complete.)*

1. Lupita es _____.   **mexicano**
2. Roberto es _____.   **americano**
3. Lupita es _____.   **listo**
4. Ella es _____.   **rubio**
5. Roberto también es _____.   **listo**
6. Él no es _____. Él es _____.   **rubio, moreno**
7. Lupita es _____ y Roberto también es _____.   **alto, alto**

Nota

Note that in Spanish we use an upside-down question mark at the beginning of a sentence to introduce a question in addition to the question mark at the end of the sentence.

¿Es él alto o bajo?   *Is he tall or short?*
¿Quién es mexicano?   *Who is Mexican?*

Pronunciación

La vocal *a*

When you speak Spanish, it is extremely important to pronounce the vowels very carefully. The vowel sounds in Spanish are very concise, short, and clear. Unlike English vowels, Spanish vowels do not change sounds. The *a* in English has several different pronunciations, but the **a** in Spanish has only one sound.

The vowel **a** is pronounced like *ah* in English. It is similar to the *a* in *father*, but it is somewhat clearer and more concise.

a
Ana
ama
ala
asa
así

Trabalenguas y dictado

La muchacha es mexicana.
Ella es alumna.
La alumna es alta y rubia.

Expresiones útiles

Very often when English speakers receive a piece of news that they would prefer not to hear, they sometimes say *Oh, gosh!* Spanish speakers will frequently say **¡Ay de mí!**

A commonly used English expression is *What luck!* In English the tone of the voice often indicates whether we mean good luck or bad luck. The same is true of the Spanish expression **¡Qué suerte!**

el novio   la novia

conversación

¿Quién es ella?

Manuel	¿Quién es la muchacha?
Julio	¿Quién? ¿La rubia?
Manuel	No, no. La rubia, no. La morena.
Julio	La morena. Es Isabel. ¡Pero, cuidado! Es la novia de Pablo.
Manuel	¡Ay de mí! ¡Qué suerte!

¿Quién es él?

Juana	¿Quién es el muchacho?
Conchita	¿Quién? ¿El moreno alto?
Juana	No, él no. El rubio.
Conchita	¡Ay! ¡El rubio!
Juana	Sí, él. ¿Quién es?
Conchita	Es Carlos. ¡Pero, cuidado! Es el novio de Lupita.
Juana	¡Ay de mí! ¡Qué suerte!

Lectura cultural

Lupita y Roberto

Lupita es una muchacha mexicana. Ella es alumna en el Colegio Hidalgo. Lupita es una muchacha muy lista. Ella es rubia y alta.

Roberto es un muchacho americano. Él es moreno. Él es muy alto. Él es alumno en una escuela secundaria americana.

Ejercicio   Escojan la respuesta apropiada.   *(Choose the correct answer.)*

1. Lupita es _____.
   a. una muchacha
   b. un muchacho
   c. americana

2. Ella es _____.
   a. rubia
   b. morena
   c. americana

3. Ella es alumna en _____.
   a. una escuela secundaria americana
   b. un colegio mexicano
   c. una escuela americana en México

4. Roberto es _____.
   a. mexicano
   b. bajo
   c. americano

5. Él es _____.
   a. rubio
   b. moreno
   c. bajo

6. Él es _____.
   a. bajo
   b. alumno
   c. rubio

Actividades

1 Here is Gloria Salinas. She is a Mexican student from Mexico City. Say all you can about her in Spanish.

2 Here is Peter Clark. He is an American student from Miami. Say all you can about him in Spanish.

3 Look again at the photograph of Gloria. Based on everything you know about her, complete this conversation.

¿Quién es la muchacha?

_____.

¿Es ella americana?

No, _____. Es _____.

¿Cómo es Gloria?

Ella _____.

¿Es ella alumna?

Sí, _____.

23

Revista

Es Enrique Torres.
Él es de Santo Domingo.
Es dominicano.
Es bastante guapo, ¿no?

Es Isabel Casas. Isabel es
cubana. Ella es alumna en
una escuela secundaria de
Miami. Ella es bonita, ¿no?

Es Dwight Sullivan. Dwight es americano. Él es alumno en una escuela secundaria de Atlanta. Dwight es un alumno muy listo, ¿no?

Es Maripaz García-Bravo. Maripaz es de España. Ella es alumna en un colegio de Madrid. ¿Es una alumna lista Maripaz?

Harriet Williams es una muchacha americana. Ella es alumna en una escuela secundaria de Nueva York. Ella es una alumna muy lista, ¿no?

25

2 ¿Cómo eres tú?

una amiga

un amigo

¡Hola, todos!
Yo soy Marisa Jiménez.
Soy **colombiana.**
Yo soy **de** Bogotá.
Yo soy una amiga de Elena Ochoa.

guapa

fea

divertida

aburrida

Nota

As you continue your study of Spanish, you will be amazed at how many Spanish words you already know or can guess the meanings of. Do you have any trouble understanding these words?

fantástico	inteligente
serio	interesante
sincero	popular

Words such as those above that look alike and mean the same thing in both languages are called *cognates.* Be very careful, however. Although they look alike and have the same meaning, they are pronounced very differently in each language.

There are also many words that really do not have a precise meaning when one attempts to translate them from one language into another. Such a word is **simpático(a).** This word has no translatable definition in English. It means *nice, pleasant, warm, friendly* all wrapped up in one word.

Ejercicio 1 Marisa Jiménez
Contesten. *(Answer.)*

1. ¿Es colombiana Marisa Jiménez?
2. ¿Es ella de Bogotá?
3. ¿Es ella una amiga de Elena Ochoa?
4. ¿Cómo es Elena?
5. ¿Es guapa también?
6. ¿Es ella una persona divertida?

Ejercicio 2 Soy yo.
Completen. *(Complete each sentence about yourself.)*

¡Hola, amigos!
Yo soy _____. *(name)*
Yo soy _____. *(nationality)*
Yo soy de _____. *(place)*
Yo soy _____. *(student)*

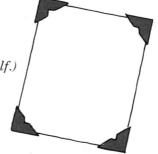

Ejercicio 3 ¿De dónde es?
Contesten. *(Answer.)*

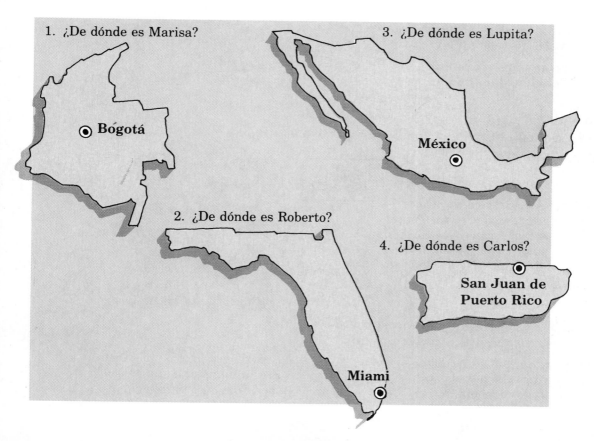

1. ¿De dónde es Marisa?

Bógotá

3. ¿De dónde es Lupita?

México

2. ¿De dónde es Roberto?

4. ¿De dónde es Carlos?

San Juan de
Puerto Rico

Miami

27

Estructura

El presente del verbo *ser*—formas singulares

The verb *to be* in Spanish is **ser**. Note the singular forms of the verb **ser**.

Infinitive	ser
yo	soy
tú	eres
él, ella	es

Note that the **yo** form is used when you talk about yourself—*I*. **Tú** is used to address a friend—*you*. The **él** or **ella** form is used when you talk about someone.

Since each form of the verb changes in Spanish, the subjects **yo, tú, él, ella** can be omitted. In English, however, the subject pronouns, *I, you, he, she* are always used. Note the following.

(Yo) Soy Juan.   **(Ella) Es Marisa.**

In order to make a sentence negative *(not)* in Spanish, you merely put the Spanish word **no** before the verb.

Yo soy americano(a).   **Marisa es rubia.**
No soy colombiano(a).   **No es morena.**

Ejercicio 1   ¿Quién eres?
Practiquen la conversación. *(Practice the conversation.)*

— ¿Quién eres?
— ¿Yo?
— Sí, tú.
— Yo soy Federico. Federico Darío.
— ¿Eres americano, Federico?
— No, no soy americano. Soy colombiano.
   Tú eres americano, ¿verdad?
— Sí, soy americano. Soy de Chicago.

Ejercicio 2   ¿Qué soy y cómo soy yo?
Contesten con *soy*. *(Answer with **soy**.)*

1. ¿Eres americano(a) o cubano(a)?
2. ¿Eres rubio(a) o moreno(a)?
3. ¿Eres alto(a) o bajo(a)?

4. ¿Eres divertido(a) o aburrido(a)?
5. ¿Eres alumno(a) en una escuela americana o en un colegio mexicano?

Ejercicio 3   Lo que no soy.
Contesten con *no soy*. *(Answer with* ***no soy.****)*

1. ¿Eres colombiano(a)?
2. ¿Eres de Bogotá?
3. ¿Eres alumno(a) en un colegio colombiano?
4. ¿Eres amigo(a) de Cervantes?

Ejercicio 4   ¡Hola, Enrique! ¿Eres . . . ?
Here is a photo of Enrique Figueroa. He is from Cali, Colombia. Ask him if he is:

1. colombiano   Enrique, ¿eres colombiano?
2. rubio
3. alumno
4. de Cali
5. listo

Ejercicio 5   ¡Hola, Isabel! ¿Eres . . . ?

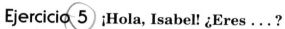

Here is a photograph of Isabel Salazar. She is from San Juan. Ask her if she is:

1. de Puerto Rico
2. alumna
3. lista
4. una amiga de Enrique Figueroa

Ejercicio 6   La amiga de Marisa
Completen con *ser*. *(Complete with* ***ser.****)*

1. Yo _____ Marisa Jiménez.
2. Yo _____ de Bogotá, Colombia.
3. ¿_____ tú colombiano(a)?
4. ¿No? ¿De dónde _____ tú?
5. Yo _____ amiga de Elena Ochoa.
6. Ella también _____ de Bogotá.
7. Ella _____ muy simpática.
8. Tú _____ simpático(a) también, ¿no?
9. Elena _____ una amiga muy sincera.

La concordancia de los adjetivos que terminan en *-e* o en consonante

Many adjectives in Spanish end in either **-e** or a consonant. Note that adjectives that end in **-e** or a consonant have the same form for the masculine and feminine.

un alumno inteligente	**un muchacho popular**
una alumna inteligente	**una muchacha popular**

Ejercicio 7 Lupita y Carlos
Completen. *(Complete.)*

1. Lupita es una muchacha _____. **mexicano**
2. Lupita es una muchacha _____. **inteligente**
3. Ella es una muchacha _____. **popular**
4. Carlos Gutiérrez no es _____. **mexicano**
5. Él es _____. **colombiano**
6. Carlos es un alumno muy _____. **inteligente**
7. Él es también muy _____. **divertido**
8. Es un muchacho _____. **popular**

Posesión con *de*

In English the possessive is expressed by *'s (Linda's friend)*. In Spanish the preposition **de** is used.

el amigo de Carmen　　　　　　　　**la amiga de Pepe**

Ejercicio 8 ¿De quién es?
Completen con las palabras apropiadas. *(Complete with the correct words.)*

1. _____ amigo _____ Carmen es inteligente, sincero y divertido.
2. _____ escuela _____ Roberto no es una escuela primaria. Es una escuela secundaria.
3. _____ amiga _____ Marisa es de Cali.
4. _____ colegio _____ Marisa no es una escuela pública. Es una escuela privada.

Pronunciación　　　　　　　　　**La vocal *e***

The Spanish vowel **e** is pronounced somewhat like the *a* in the English word *mate,* but the sound is shorter, clearer, and more concise in Spanish.

e
Elena
peso
de
enero
ella

Trabalenguas y dictado

Elena es amiga de Felipe.
Ella es inteligente.
Eva es interesante y sincera.

Expresiones útiles

Very often Spanish speakers will add the expressions **¿no?**, **¿verdad?**, or **¿no es verdad?** after they make a statement in order to receive confirmation of what they have just said. If the person answering agrees, he or she will respond **sí**.

A common expression used among friends to get someone's attention and have the person listen is **¡oye!**

conversación

¿Quién eres?

David	¡Hola! Tú eres Marisa Jiménez, ¿no?
Marisa	Sí, soy Marisa Jiménez. Y tú eres David, ¿verdad?
David	Sí, soy David Andrews.
Marisa	Tú eres el amigo americano de Elena Ochoa, ¿no?
David	Sí, ella es muy simpática.
Marisa	Es verdad. Es una persona muy sincera y también muy divertida.

Ejercicio 1   ¿Verdadero o falso?   *(True or false?)*

1. Marisa Jiménez es americana.
2. David Andrews es colombiano.
3. David es un amigo de Marisa Jiménez.
4. David es un amigo de Elena Ochoa.
5. Marisa Jiménez es una amiga de Elena Ochoa también.

Ejercicio 2   Describan a Elena Ochoa.   *(Describe Elena Ochoa.)*

Actividades

1 You just received this photo from your new pen pal in Mexico. Write him a letter in Spanish. Tell him who you are, your nationality, where you are from, where you are a student, and give a brief description of yourself.

Querido amigo,
yo soy . . .

2 Read the cartoon.

3

Change the preceding conversation based on this cartoon.

4

Make a list of characteristics that you look for in a friend.

Mi amigo(a) preferido(a) es:
1.
2.
3.
4.

5

Look at the photograph of this girl. Ask her as many questions about herself as you can.

COLOMBIA

Revista

¡Hola, todos!
Soy Alba Fernández.
Soy alumna en el
Instituto Joaquín Turina
   en Madrid.
¿Soy una alumna seria?

Yo soy María
   Bustamante.
Soy colombiana.
Pero yo no soy de
Bogotá, la capital.
¿De dónde soy?

¡Hola!
Soy Jaime Pacheco.
Soy alumno en una escuela técnica de
   la Ciudad de México.
¿Eres tú alumno(a) en una escuela
   técnica?

¡Hola!
¿Quién soy?
Soy Guadalupe Méndez.
Soy de la Ciudad de México.
¿Qué opinas?
¿Soy divertida o aburrida?

¡Hola, amigos!
Yo soy Catalina Llanos.
Soy chilena.
¿Soy morena o rubia?
Y tú, ¿eres morena(o) como yo?
¿O eres rubia(o)?

3 NUEVOS AMIGOS

los hermanos   **los amigos**

Vocabulario

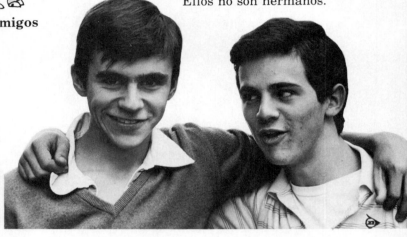

Son Tadeo y Alfonso.
Los dos muchachos son amigos.
Ellos no son hermanos.

Ellos son **muy aficionados**
a **los deportes.**

fuerte

débil

atlético

pequeño   grande

Ejercicio 1   Tadeo y Alfonso
Contesten. *(Answer.)*

1. ¿Son amigos Tadeo y Alfonso?
2. ¿Son hermanos?
3. ¿Son ellos muy aficionados a los deportes?

4. ¿Son ellos pequeños o grandes?
5. ¿Son ellos fuertes o débiles?

Ejercicio 2 ¿Quiénes son atléticos y fuertes?

Contesten con los nombres de los muchachos. *(Answer with the boys' names.)*

1. ¿Quiénes son amigos?
2. ¿Quiénes son muy aficionados a los deportes?
3. ¿Quiénes son muy atléticos?
4. ¿Quiénes son fuertes?

Expresiones útiles

You have already learned that Spanish speakers will frequently add **¿no?, ¿verdad?,** or **¿no es verdad?** to a statement in order to get confirmation of what they have just said.

If the person answering does not agree, he or she will say **no.**

In order to request clarification of the disagreement and to find out what the other person thinks, Spanish speakers will frequently ask **¿Entonces?**

The person answering will often say **Pues,** and then give his or her response. For example:

—**Son rubios, ¿verdad?**
—**No, no son rubios.**
—**Entonces, ¿qué son?**
—**Pues, son morenos.**

Ejercicio 3 ¿No? ¿Entonces?

Contesten según el modelo. *(Answer according to the model.)*

Son rubios, ¿verdad?
No.
¿Entonces?
Pues, son morenos.

1. Son bajos, ¿verdad?
2. Son débiles, ¿verdad?
3. Son divertidos, ¿verdad?
4. Son morenos, ¿verdad?

Ejercicio 4 ¿Cómo son las amigas?

Contesten. *(Answer.)*

1. Las dos muchachas, ¿son hermanas o amigas?
2. ¿Son ellas aficionadas a los deportes?
3. ¿Son ellas altas o bajas?
4. ¿Son ellas fuertes o débiles?
5. ¿Son atléticas?

37

εstructura

Los sustantivos y los artículos—formas plurales

Look at the following words. The words in the first column are in the singular. The words in the second column are in the plural.

el muchacho	los muchachos
el colegio	los colegios
la muchacha	las muchachas
la escuela	las escuelas

Many Spanish nouns form their plural by merely adding an **-s** to the singular form.

The plural form of the definite article **el** is **los.** The plural of the definite article **la** is **las.**

Note that the noun **deporte** ends in **-e** and takes the definite article **el. Deporte** is a masculine noun. There is no way to determine the gender (masculine or feminine) of nouns ending in **-e.** Some are masculine and some are feminine. You will have to learn each one individually. Nouns that end in **-e** also add an **-s** to form their plural.

el deporte	los deportes

Ejercicio 1 Los hermanos de Luis
Completen. *(Complete.)*

1. _____ dos hermanos de Luis son rubios.
2. _____ dos hermanas de Luis no son rubias.
3. _____ dos hermanas de Luis son morenas.
4. _____ amigos de Luis son muy aficionados a _____ deportes.
5. _____ amigos de Luis son muy atléticos.

Los pronombres—formas singulares y plurales

A pronoun is a word that replaces a noun.

Roberto *(noun)*
el muchacho *(noun)*
él *(pronoun)*

Lupita *(noun)*
la muchacha *(noun)*
ella *(pronoun)*

Tadeo y Alfonso *(nouns)*
los muchachos *(noun)*
ellos *(pronoun)*

Marisa y Elena *(nouns)*
las muchachas *(noun)*
ellas *(pronoun)*

When you speak about more than one person, the form of the verb **ser** that is used is **(ellos/ellas) son**.

> **Los dos muchachos son amigos.**
> **Ellos no son hermanos.**

> **Las dos muchachas son amigas.**
> **Ellas no son hermanas.**

Ejercicio 2 Amigos y amigas

Completen con *ellos, ellas, los, las* y *ser*. *(Complete with **ellos, ellas, los, las**, and **ser**.)*

María y Elena son amigas. _____ dos muchachas son colombianas. _____ son alumnas en un colegio colombiano. Las dos amigas _____ muy aficionadas a _____ deportes. _____ son muy fuertes.

Tadeo y Alfonso son amigos también. Pero _____ no son colombianos. Ellos _____ mexicanos. _____ dos muchachos son alumnos en un colegio mexicano. _____ también son muy aficionados a _____ deportes. _____ dos amigos son fuertes y atléticos. Y ellos _____ inteligentes también.

La concordancia de los adjetivos—formas plurales

Study the following sentences. The sentences in the first column are in the singular. The sentences in the second column are in the plural.

El muchacho es americano.	**Los muchachos son americanos.**
El muchacho es atlético.	**Los muchachos son atléticos.**
La muchacha es mexicana.	**Las muchachas son mexicanas.**
La muchacha es atlética.	**Las muchachas son atléticas.**
El muchacho fuerte es muy atlético.	**Los muchachos fuertes son muy atléticos.**
La muchacha fuerte es muy atlética.	**Las muchachas fuertes son muy atléticas.**

To form the plural of many Spanish adjectives, an **-s** is added to its masculine or feminine singular form.

> **atlético   atléticos**
> **atlética   atléticas**

Adjectives that end in **-e** have only one form in the singular. To form the plural you merely add an **-s**.

> **fuerte   fuertes**

Note, however, that adjectives that end in a consonant add **-es** to form the plural.

El muchacho es popular.	**Los muchachos son populares.**
La muchacha es popular.	**Las muchachas son populares.**

39

Ejercicio 3   ¿Cómo son los dos muchachos?
Contesten. *(Answer.)*

1. ¿Son rubios los dos muchachos?
2. ¿Son ellos americanos?
3. ¿Son atléticos los dos amigos?
4. ¿Son fuertes o débiles?
5. ¿Son populares los dos muchachos?

Ejercicio 4   Y las dos muchachas, ¿cómo son?
Contesten. *(Answer.)*

1. ¿Son morenas las dos muchachas?
2. ¿Son ellas americanas?
3. ¿Son atléticas las dos amigas?
4. ¿Son fuertes o débiles?
5. ¿Son populares las dos muchachas?

Ejercicio 5   Dos amigos colombianos y dos amigas mexicanas
Completen. *(Complete.)*

1. Las dos amigas son _____. **mexicano**
2. Ellas son muy _____ a los deportes. **aficionado**
3. Las dos muchachas son _____ y ellas son _____ también.
   inteligente, simpático
4. Ellas son muy _____. **atlético**
5. Ellas no son _____. Son _____. **débil, fuerte**
6. Tadeo y Alfonso no son _____. **mexicano**
7. Ellos son _____. **colombiano**
8. Los dos muchachos son también muy _____ a los deportes. **aficionado**
9. Ellos son _____. No son _____. **fuerte, débil**
10. Ellos son _____, _____ y _____. **inteligente, divertido, atlético**
11. Los dos muchachos son _____. **fantástico**
12. Y ellos son muy _____. **popular**

Ejercicio 6 ¿Cómo son ellos?
Describan a los dos muchachos. *(Describe the two boys.)*

1. ¿Son atléticos?
2. ¿Son fuertes o débiles?
3. ¿Son aficionados a los deportes?
4. ¿Son simpáticos?
5. ¿Son altos o bajos?
6. ¿Qué más son?

Ejercicio 7 ¿Cómo son ellas?
Describan a las dos muchachas. *(Describe the two girls.)*

1. ¿Son atléticas?
2. ¿Son fuertes o débiles?
3. ¿Son aficionadas a los deportes?
4. ¿Son simpáticas?
5. ¿Son altas o bajas?
6. ¿Qué más son?

Pronunciación
La vocal *i*

The Spanish vowel **i** is pronounced like the *ee* in the English word *bee* or *see*, but the sound is somewhat shorter and more concise in Spanish than in English.

i

Inés
Isabel
italiano
amigo
sí

Trabalenguas y dictado

Inés es atlética.
Isabel es italiana.
Sí, Rita es inteligente y divertida.

Lectura cultural

☆ Bogotá

Marisa y Elena

Marisa y Elena son dos muchachas colombianas. Ellas son de Bogotá, la capital de Colombia. Ellas son alumnas en un colegio en Bogotá. Las dos amigas son muy inteligentes. ¿Son ellas pequeñas? No, ellas no son pequeñas. Entonces, ¿cómo son? Ellas son altas. Ellas son muy atléticas. Las dos muchachas son muy aficionadas a los deportes. Y además,° son muchachas sinceras y simpáticas. Ellas son muy populares.

Ejercicio Corrijan las frases falsas. *(Correct the false statements.)*

1. Marisa y Elena son americanas.
2. Ellas son de Cali, la capital de Colombia.
3. Las dos muchachas son alumnas en una escuela secundaria en Miami.
4. Ellas son pequeñas.
5. Ellas son muy aficionadas a la música.

°**además** *moreover, besides*

42

Actividades

1 Rewrite the story from the **Lectura cultural.** Change **Marisa y Elena** to **Diego y Federico.** Make all other necessary changes.

Diego

Federico

2 Tell all you can about the people in the illustration below.

43

Revista

Son Luis y Rafael.
Ellos son de San José, Costa Rica.
¿Son ellos alumnos?

Son Rosita y Alfonso.
Ellos son de la Ciudad de
México. ¿Qué opinas? ¿Son
ellos amigos o novios?

Teresa y Rosario son alumnas
de Madrid. ¿Qué opinas? ¿Son
ellas hermanas o amigas?

En el patio de una
escuela pública,
La Ciudad de México

Es Alberto Juan Torena. Él es
de Los Ángeles. Alberto es
de origen cubano. ¿Es él
fuerte o débil?

Los muchachos son de
Barcelona, España. ¿Son ellos atléticos?

4 SOMOS DE MÉXICO

Vocabulario

¡Hola, amigos!
Nosotros somos americanos.
¿Qué son **Uds.?**
¿Son Uds. americanos también?
Nosotros somos alumnos de **español.**

El español es **bastante fácil.**
No es **difícil.**

Ejercicio 1   Los alumnos de español
   Contesten. *(Answer.)*

1. ¿Son americanos los alumnos?
2. ¿Son ellos alumnos de español?
3. ¿Es fácil o difícil el español?

Ejercicio 2   Él, ella y yo
   Completen. *(Complete about yourself and a friend.)*

Yo soy _____.   *(your name).*
Yo soy un(a) amigo(a) de _____.   *(your friend's name)*
Nosotros somos alumnos en la Escuela _____.   *(school name)*
Nosotros somos alumnos de _____.   *(subject)*
Para nosotros el español no es difícil. Es _____.   *(rather easy)*
Pero nosotros somos _____.   *(rather smart)*

Εstructura

El presente del verbo *ser*—formas plurales

We have already learned the singular forms of the verb **ser.**

Infinitive	ser
yo	soy
tú	eres
él, ella, Ud.	es

Now note the plural forms of the verb **ser.**

nosotros, nosotras	somos
ellos, ellas, Uds.	son

When you speak about yourself, you use the **yo** form of the verb—**soy.** When you speak about yourself and someone else (*we,* in English), you use the **nosotros(as)** form of the verb—**somos.**

To speak about another person, you use the **él** or **ella** (*he* or *she*) form of the verb—**es.** To speak about more than one person, you use the **ellos** or **ellas** (*they*) form of the verb—**son.**

When speaking to one friend (*you,* in English), you use the **tú** form—**eres.** Note that when you speak to or address more than one friend, you must use the **Uds.** form of the verb—**son. Uds.** is a common abbreviation for **Ustedes.**

Ejercicio 1   ¿Qué son Uds.?

Practiquen la conversación.   *(Practice the conversation.)*

— ¿Son Uds. americanos?
— Sí, somos americanos.
— ¿Son Uds. alumnos?
— Sí, somos alumnos.
— ¿En qué escuela son Uds. alumnos?
— Somos alumnos en la Escuela _____.

Ejercicio 2 Somos alumnos americanos.

Contesten con *somos*. (*Answer with* **somos**.)

1. ¿Son Uds. alumnos?
2. ¿Son Uds. americanos?
3. ¿Son Uds. alumnos de español?
4. ¿Son Uds. muy listos?
5. ¿Son Uds. muy aficionados a los deportes?

Ejercicio 3 ¿Son Uds. alumnos también?

Formen Uds. preguntas según el modelo. (*Form questions according to the model.*)

Pablo y Sandra / americanos
Pablo y Sandra, ¿son Uds. americanos?

1. Pablo y Sandra / americanos
2. Pablo y Sandra / alumnos
3. Pablo y Sandra / alumnos de español
4. Pablo y Sandra / amigos de José
5. Pablo y Sandra / aficionados a los deportes

Ejercicio 4 ¿Son Uds. . . . ? Somos . . . .

Choose several friends in your class. Ask them questions about themselves, using the following words. Then have them answer you.

americanos o cubanos
María y José, ¿son Uds. americanos o cubanos?
Somos americanos.

1. americanos o cubanos
2. bajos o altos
3. hermanos o amigos
4. morenos o rubios
5. listos o tontos
6. guapos o feos
7. divertidos o aburridos
8. fuertes o débiles

Ejercicio 5 Juan García y yo

Completen con la forma apropiada del verbo *ser*. (*Complete with the appropriate form of the verb* **ser**.)

1. Yo _____ amigo(a) de Juan García.
2. Él _____ un muchacho muy simpático.
3. Tú _____ simpático(a) también, ¿no?
4. Nosotros _____ alumnos en una escuela secundaria.
5. Nosotros _____ muy aficionados a los deportes.
6. ¿_____ Uds. aficionados a los deportes también?
7. Nosotros _____ de San Juan.
8. ¿De dónde _____ Uds.?
9. ¿_____ Uds. alumnos de español?
10. ¿Cómo _____ el español? ¿_____ fácil o difícil?
11. Los alumnos de español _____ muy inteligentes, ¿no?

Pronunciación

Las vocales *o, u*

The sound of the Spanish vowel **o** is similar to the *o* sound in the English words *hope* and *most*, but the sound is clearer, shorter, and more concise in Spanish.

o

o
no
son
oso
Paco

Trabalenguas y dictado

Somos amigos.
Nosotros somos alumnos.
¿Son Uds. americanos?

The sound of the Spanish vowel **u** is similar to the *u* sound in the English word *flu* or the *oo* in the English words *moon; moo, moo* (the sound a cow makes), but again in Spanish the sound is shorter and more concise.

u

uno
una
cubano
muchacho
alumno

Trabalenguas y dictado

Ud. es un alumno.
Lupita es una muchacha.
En junio y julio hace mucho calor.

Una vista panorámica de Guadalajara, México

49

Lectura cultural

Una tarjeta postal

Guadalajara, México

Queridos amigos,

Yo soy Marta Aguilar. Soy mexicana y soy de Guadalajara. Yo soy alumna en un colegio privado en Guadalajara. Soy una amiga de Carmen Salinas. Carmen es una amiga fantástica. Ella es simpática y generosa. Es también muy inteligente. Y además, es divertida.

Carmen y yo somos muy aficionadas a los deportes. Somos bastante atléticas. ¿Son Uds. muy aficionados a los deportes también? ¿De dónde son Uds.? ¿Son Uds. alumnos de español? Con cariño,

Marta Aguilar

Ejercicio **Contesten.** *(Answer.)*

1. ¿De quién es la tarjeta postal?
2. ¿De qué nacionalidad es Marta?
3. ¿De dónde es ella?
4. ¿Dónde es ella alumna?
5. ¿Quién es la amiga de Marta?
6. ¿Cómo es Carmen?
7. ¿Son ellas muy aficionadas a los deportes?
8. ¿Cómo son las dos muchachas?

Actividades

Write a postcard to Marta. Tell her all you can about yourself and one of your best friends. You can tell her your nationality, where you are from, and where you are a student. You can also give her a description of yourself.

Querida Marta,
yo soy...

Revista

¡Hola, todos!
Nosotros somos amigos dominicanos.
¿Qué son Uds.?
¿Son Uds. dominicanos
también?

¡Hola, amigos!
Nosotras somos
de Lima, Perú.
Somos alumnas
de inglés. ¿Son
Uds. alumnos de
español?

¡Hola! Somos Anita Echeverría
y Victoria Pretti. Nosotras
somos de Buenos Aires.
¿Somos argentinas o
chilenas?

Somos alumnos en la clase de la señora Castillo. Ella es profesora en un colegio en Granada, España. En la fotografía, ¿quién es la señora Castillo?

En un parque de Oaxaca, México. ¿De qué nacionalidad son los muchachos?

Repaso

¡Hola, todos! Yo soy Marisa Jiménez. Soy colombiana. Yo soy de Bogotá. Yo soy una amiga de Carlos Gutiérrez. Carlos es colombiano también. Pero él no es de Bogotá. Él es de Cali. Carlos es muy simpático. Es un amigo muy sincero. Carlos y yo somos muy atléticos. Somos muy aficionados a los deportes. Carlos es alumno en un colegio en Cali. ¿Y yo? Yo también soy alumna. Soy alumna en un colegio en Bogotá.

Ejercicio 1 Contesten. *(Answer.)*

1. ¿De dónde es Marisa Jiménez?
2. ¿Quién es un amigo de Marisa?
3. ¿De dónde es él?
4. ¿Cómo es Carlos?
5. ¿Son atléticos Carlos y Marisa?
6. ¿Quiénes son muy aficionados a los deportes?
7. ¿Dónde es alumno Carlos?
8. ¿Y Marisa? ¿Dónde es ella alumna?

El verbo *ser*

Review the following forms of the verb **ser**—*to be*.

Infinitive	ser
yo	soy
tú	eres
él, ella, Ud.	es
nosotros, -as	somos
(vosotros, -as)	(sois)
ellos, ellas, Uds.	son

Ejercicio 2 Completen. *(Complete.)*

1. Marisa Jiménez _____ de Bogotá.
2. Carlos Gutiérrez _____ de Colombia también. Pero él no _____ de Bogotá. Él _____ de Cali.
3. ¿_____ tú colombiano(a)?
4. ¿No? ¿Tú no _____ colombiano(a)?
5. Entonces, ¿de qué nacionalidad _____ (tú)?
6. Yo _____ americano(a).
7. Yo _____ de _____.
8. Yo _____ amigo(a) de _____.
9. Nosotros _____ muy inteligentes.
10. Y nosotros _____ muy atléticos también.
11. ¿_____ Uds. muy aficionados a los deportes?
12. ¿_____ Uds. alumnos en una escuela secundaria?
13. Sí, nosotros _____ alumnos en la Escuela _____.
14. Marisa y Carlos _____ alumnos también. Ellos _____ alumnos en un colegio colombiano.

Los artículos y los sustantivos

Many Spanish nouns end in **-o** or **-a.** Most nouns that end in **-o** are masculine. Most nouns that end in **-a** are feminine. The definite article **el** *(the)* accompanies masculine nouns, and the definite article **la** accompanies feminine nouns. The indefinite article **un** *(a, an)* accompanies masculine nouns, and the indefinite article **una** accompanies feminine nouns.

el muchacho	**la muchacha**	**un muchacho**	**una muchacha**
el colegio	**la escuela**	**un colegio**	**una escuela**

To form the plural of **-o** and **-a** nouns, an **-s** is added. In the plural, **el** becomes **los** and **la** becomes **las.**

los muchachos	**las muchachas**
los colegios	**las escuelas**

Ejercicio 3 Completen. *(Complete.)*

— ¿Quién es _____ muchacho?

— ¿Quién? ¿_____ rubio?

— Sí, él.

— Él es Roberto Salas.

— ¿Y _____ muchacha? ¿Quién es ella?

— ¿Quién? ¿_____ morena?

— Sí, ella.

— Pues, es Elena Salas. Ella es _____ hermana de Roberto. Elena es _____ novia de Jaime Iglesias y Roberto es _____ novio de Teresa Unamuno. Es interesante. _____ dos muchachos son rubios y _____ dos muchachas son morenas. Ellos son alumnos en _____ Colegio Hidalgo.

La concordancia de los adjetivos

Adjectives must agree with the noun they describe or modify. Adjectives that end in **-o** have four forms.

el muchacho alto	**los muchachos altos**
la muchacha alta	**las muchachas altas**

Adjectives that end in **-e** or a consonant have two forms.

el muchacho fuerte	**los muchachos fuertes**
la muchacha fuerte	**las muchachas fuertes**
el muchacho popular	**los muchachos populares**
la muchacha popular	**las muchachas populares**

Ejercicio 4 Completen con los adjetivos apropiados. *(Complete with any appropriate adjectives, based on* **Ejercicio 3.***)*

Roberto y Elena son hermanos. Roberto es _____ y Elena es _____. Los dos hermanos son muy _____. Roberto es _____ y Elena es _____ también. Los dos son muy _____.

5 EN LA ESCUELA

En **la clase de español**:

La profesora **canta**.

La señora Mariscal es **la profesora** de español.
Ella **enseña** español.
Ella **habla con** los alumnos.
Ella habla **muy bien**.

Un alumno **toca la guitarra**.

Carlos **estudia mucho**.

Carlos **saca buenas notas**.
No saca **malas** notas.

Rosita **toma apuntes** en **un cuaderno**.

Nota

Once again you will see how many Spanish words you already know. Here are some of the subjects you may be studying in school. Note how similar these words are to their English equivalents. Do you remember what we call these words?

| Las asignaturas |

matemáticas
álgebra
geometría
trigonometría
cálculo

ciencias
biología
química
física

geografía
historia

inglés
español
francés
latín
italiano

educación cívica
educación física
arte
ciencias domésticas
música

Ejercicio 1   En la clase de español

Contesten. *(Answer.)*

1. ¿Enseña español la señora Mariscal?
2. ¿Habla ella con los alumnos?
3. ¿Habla español en la clase de español?
4. ¿Estudia mucho Carlos?
5. ¿Toma apuntes Rosita?
6. ¿Canta la profesora?
7. ¿Toca la guitarra un alumno?
8. ¿Saca Carlos buenas o malas notas?

Ejercicio 2   ¿Quién? ¿Qué? ¿Dónde?

Contesten. *(Answer.)*

1. **La señora Mariscal enseña español en la Escuela Thomas Jefferson.**
   ¿Quién enseña español?
   ¿Qué enseña la señora Mariscal?
   ¿Dónde enseña ella español?
2. **Rosita toma apuntes en la clase de español.**
   ¿Quién toma apuntes?
   ¿Qué toma Rosita?
   ¿Dónde toma ella apuntes?

Ejercicio 3   En la clase de la señora Mariscal

Contesten según el dibujo.
(Answer according to the drawing.)

1. ¿Con quiénes habla la profesora de español?
2. ¿Qué toma Rosita?
3. ¿Dónde canta la profesora?
4. ¿Quién toca la guitarra?
5. ¿Qué saca Carlos?

Estructura

El presente de los verbos regulares en -ar—formas singulares

All verbs or action words in Spanish belong to a family or conjugation. The first-conjugation verbs are referred to as the **-ar** verbs because the infinitive (**hablar** *to speak;* **cantar** *to sing*) ends in **-ar**. Note that Spanish verbs change endings according to the subject. Study the following.

Infinitive	hablar	cantar	estudiar	Endings
Stem	habl-	cant-	estudi-	
yo	hablo	canto	estudio	**-o**
tú	hablas	cantas	estudias	**-as**
él, ella, Ud.	habla	canta	estudia	**-a**

Since the ending changes in Spanish for each subject pronoun (**yo, tú, él, ella, Ud.**), the subject pronoun can be omitted.

(Yo) Hablo inglés.
(Yo) Estudio español en la escuela.

Remember that to make a sentence negative *(not)*, you merely put the word **no** before the verb in Spanish.

No hablo francés.

Ejercicio 1 ¿Estudias español?
Practiquen la conversación. *(Practice the conversation.)*

— Oye, Enrique. Tú hablas español, ¿no?
— Sí, amigo. Hablo bastante bien.
— ¿Estudias español en la escuela?
— Sí, estudio con la señora Mariscal.
— ¿Sacas buenas notas?
— Sí, saco buenas notas. El español es muy fácil y además yo soy muy inteligente.

Ejercicio 2 ¿Hablas mucho en la clase de español?

Contesten con la forma yo. *(Answer with the yo form.)*

1. ¿Estudias español?
2. ¿Hablas español?
3. ¿Hablas bien?
4. ¿Hablas español con el (la) profesor(a) de español?

5. En la clase de español, ¿tomas apuntes?
6. ¿Cantas?
7. ¿Tocas la guitarra?
8. ¿Sacas buenas o malas notas en español?

Ejercicio 3 ¿Qué más estudias?

Contesten. *(Answer.)*

1. ¿Estudias matemáticas?
2. ¿Sacas buenas notas en matemáticas?
3. ¿Estudias ciencias?
4. ¿Sacas buenas notas en ciencias?
5. ¿Estudias historia?

6. ¿Sacas buenas notas en historia?
7. ¿Estudias inglés?
8. ¿Sacas buenas notas en inglés?
9. ¿En qué asignaturas sacas buenas notas?
10. ¿En qué asignaturas sacas malas notas?

Ejercicio 4 ¿Y tú?

Formen una pregunta con tú. *(Make up a question with tú.)*

En la clase
de español:

Ejercicio 5 ¿Quién habla, canta, estudia . . . ?

Escojan la respuesta apropiada. *(Choose the correct answer.)*

1. Yo _____ muy bien el español.
   a. habla   b. hablo   c. hablas

2. ¿_____ tú en la clase de español?
   a. Canto   b. Canta   c. Cantas

3. Rosita _____ mucho.
   a. estudia   b. estudias   c. estudio

4. Ella _____ muchos apuntes.
   a. tomo   b. tomas   c. toma

5. Yo _____ muy buenas notas en español.
   a. saco   b. saca   c. sacas

Ejercicio 6 Yo estudio español.

Completen. *(Complete.)*

Hola, amigos. Yo soy _____. Yo soy alumno(a) en la Escuela _____. En la escuela yo _____ (estudiar) español. Yo _____ (hablar) mucho con el (la) profesor(a) de español. Él (Ella) _____ (enseñar) muy bien. Es una persona muy simpático(a). Él (Ella) _____ (enseñar) y yo _____ (tomar) apuntes en un cuaderno. A veces él (ella) _____ (cantar). Yo _____ (cantar) también pero no _____ (cantar) muy bien. El (La) profesor(a) no _____ (tocar) la guitarra. José es un alumno en la clase de español. Él _____ (tocar) la guitarra. La clase de español es muy divertida. Yo _____ (estudiar) mucho en la clase de español y _____ (sacar) muy buenas notas.

Tú también eres alumno(a) de español, ¿no? ¿Dónde _____ (estudiar) español? En la clase de español, ¿_____ (cantar)? ¿_____ (Hablar) mucho con el (la) profesor(a) de español? ¿_____ (Sacar) buenas o malas notas en español?

Tú y Ud.

In Spanish there are several ways to say *you*. When you are speaking to a friend, a relative, or a person of the same age, you would use **tú.**

> **¡Oye, amigo! ¿Estudias español?**
> **Catalina, ¿tocas la guitarra?**

When speaking to an adult or a person you do not know very well, it would be impolite to use **tú.** It is necessary to use the **usted** form of the verb. The **usted** form is called the formal or polite form of address. The **tú** form is called the informal (friendly) form of address. **Usted** is commonly abbreviated **Ud.** Note that the subject **Ud.** takes the same ending as the **él** or **ella** form of the verb.

> **Señor, ¿habla Ud. español?**
> **Señora, ¿enseña Ud.?**
> **Señorita, ¿canta Ud.?**

Ejercicio 7 Señor, señora, señorita, ¿ . . . ?

Get the following information from your teacher by asking him or her in Spanish if:

1. he / she speaks French
2. he / she sings in class
3. he / she plays the guitar
4. he / she teaches history

Ejercicio 8 ¿Tú o Ud.?

*Look at the illustrations. Ask each person what he / she is doing. Use **tú** or **Ud.** as appropriate.*

1.
2.
3.
4.
5.

Pronunciación   Las consonantes *f, l, m*

The pronunciations of the consonants **f**, **l**, and **m** are quite similar in both Spanish and English.

fa	**fe**	**fi**	**fo**	**fu**
famoso	feo	física	foto	futuro
fácil	fecha	fino		
	Felipe			

la	**le**	**li**	**lo**	**lu**
la	Elena	Lolita	Lola	lunes
latín				Lupita

ma	**me**	**mi**	**mo**	**mu**
mala	mexicano	amigo	momento	muchacha
toma		amiga	monumento	mucho
matemáticas			tomo	

Trabalenguas y dictado

La amiga de Lolita es Lupita.
El monumento de Felipe es famoso.
La muchacha mexicana toma matemáticas.

Expresiones útiles

In Spanish there are several expressions that mean *Of course!* in English. They are:

¡Cómo no!
¡Por supuesto!
¡Claro!
¡Claro que sí!

Un colegio, Perú

Alumnos de una escuela secundaria, Madrid

conversación

¡Oye, Roberto!

Antonio	Oye, Roberto. Tú hablas español, ¿no?
Roberto	Claro que hablo español.
Antonio	Pero no eres español, ¿verdad?
Roberto	No, no. Estudio español en la escuela.
Antonio	Hablas muy bien.
Roberto	Pues, gracias. Eres muy simpático.
Antonio	No, hombre. Es verdad. Hablas muy bien.

Ejercicio Contesten. *(Answer.)*

1. ¿Con quién habla Roberto?
2. ¿Habla Roberto español?
3. Y Antonio, ¿habla español también?
4. ¿Es español Roberto?
5. ¿Dónde estudia español?
6. ¿Habla muy bien?

Lectura cultural

Un americano y una argentina

Roberto es un muchacho americano. Él estudia en una escuela secundaria americana. Él es un alumno muy listo y saca muy buenas notas. Roberto toma cinco cursos: inglés, español, historia, álgebra y biología.

Maripaz es una muchacha argentina. Ella estudia en un colegio en Buenos Aires. El colegio de Maripaz no es una escuela pública. Es una escuela privada. Como Roberto, Maripaz es una alumna muy lista. Ella también saca muy buenas notas. Maripaz no toma cinco cursos. Ella toma nueve cursos: español, inglés, latín, historia, matemáticas, química, biología, geografía y educación cívica. ¿Cómo es posible? Pues, en muchas escuelas de España y de Latinoamérica todas las clases no son diarias° y los alumnos toman muchos cursos en un semestre.

Ejercicio Escojan. *(Choose.)*

1. Roberto es _____.
   a. un muchacho argentino
   b. alumno en una escuela secundaria americana
   c. un alumno muy malo

2. Roberto saca _____.
   a. muy buenas notas
   b. cinco cursos
   c. malas notas

3. Maripaz es de _____.
   a. Bogotá
   b. Chicago
   c. Buenos Aires

4. Ella estudia en _____.
   a. una escuela secundaria pública
   b. un colegio privado
   c. una escuela americana en Buenos Aires

5. Maripaz toma _____.
   a. nueve cursos
   b. cinco cursos
   c. muy buenas notas

° **diarias** *daily*

Actividades

1 Fill in your school schedule in Spanish.

		ESCUELA SECUNDARIA								
		Horario de Clases para el _____ semestre de 19____								
HORA	ASIGNATURA	LUN	MAR	MIER	JUE	VIER	SAB	PROFESOR(A)	AULA

2 Tell which is your favorite subject in school. **Mi asignatura favorita es . . . .** You can include the name of your teacher, whether the class is fun or serious, whether the subject is hard or easy, and what grades you get in this subject.

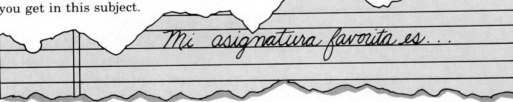

Mi asignatura favorita es . . .

3 Get together with a classmate and make up a conversation about your school. Some of the information you may want to get can include the answers to the following questions.

¿En qué escuela estudia ella/él?

¿Estudia mucho o no?

¿Qué cursos toma?

¿En qué cursos saca buenas notas?

¿En qué cursos saca malas notas?

¿Qué cursos son fáciles?

¿Qué cursos son difíciles?

¿Qué clases son divertidas?

¿Qué clases son muy aburridas?

Tell what each student in the illustration below is doing.

Revista

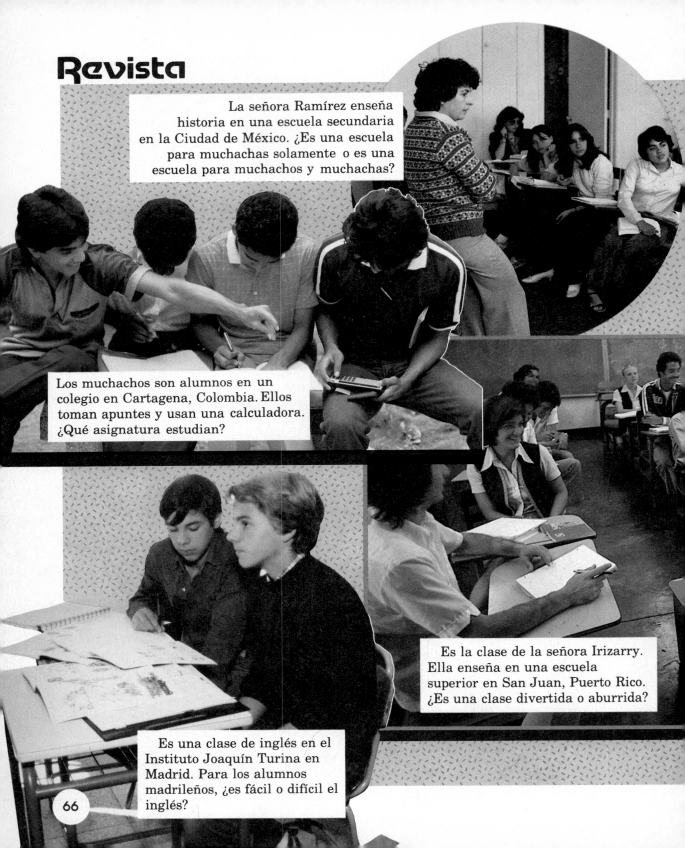

La señora Ramírez enseña historia en una escuela secundaria en la Ciudad de México. ¿Es una escuela para muchachas solamente o es una escuela para muchachos y muchachas?

Los muchachos son alumnos en un colegio en Cartagena, Colombia. Ellos toman apuntes y usan una calculadora. ¿Qué asignatura estudian?

Es la clase de la señora Irizarry. Ella enseña en una escuela superior en San Juan, Puerto Rico. ¿Es una clase divertida o aburrida?

Es una clase de inglés en el Instituto Joaquín Turina en Madrid. Para los alumnos madrileños, ¿es fácil o difícil el inglés?

HORARIO ESCOLAR

Nombre: *Luis Jaime Cisneros* Año *1986*

Horas	Lunes	Martes	Miércoles	Jueves	Viernes
7 - 8	Dibujo	Música	Matemáticas	Geografía	Mat
8 - 9	Literatura	Geografía	Inglés	Biología	Civismo
9 - 10	Educación Física	Arte y Dibujo	Biología	Talleres	Oratoria
10 - 11	Civismo	Literatura	Química	Inglés	Geografía
11 - 12	////	////	////	Período de estudio	
12 - 1	Biología	Mat.	Dibujo	Período de estudio	Física Dibujo
2 - 3	Química	Inglés	de estudio	Física Educación	Arte Ciencias
3 - 4	Período de estudio	Física	Física		

Cuadernos y Sobres "PATRIA" los mejores

Es el horario de un colegio peruano. ¿De quién es el horario? ¿Cuántas asignaturas toma él? ¿Son diarias todas las clases?

MINISTERIO DE EDUCACION
TARJETA DE INFORMACION
EDUCACION SECUNDARIA

SECRETARIA DE EDUCACION
DIRECCION GENERAL DE EDUCACION

DEPARTAMENTO DE ESCUELAS SECUNDARIAS *DIURNAS EN EL DISTRITO FEDERAL (MÉXICO)*
ESCUELA SECUNDARIA ES *1-10 "FRANCISCO I. MADERO"*
ALUMNO(A) *ALBERTO LÓPEZ HOYOS*
GRADO *3º* GRUPO *A* PERIODO ESCOLAR 19*85* 19*86* TURNO *MATUTINO*
ASESOR DEL GRUPO *JOSÉ, CALAVERA J.*

INFORME DE INASISTENCIAS Y DE EVALUACIONES DEL APRENDIZAJE

ASIGNATURAS:	INASISTENCIAS					EVALUACIONES DEL APRENDIZAJE				
	PERIODOS				TOTAL	PERIODOS				CALIF FINAL
	1	2	3	4		1	2	3	4	
ESPANOL		1	0	1	3	8	8	9	8	8
MATEMATICAS	0	0	1	0	1	5	6	6	5	6
LENG. EXT. (INGLES)	2	0	1	0	3	8	8	8	9	8
BIOLOGIA	1	1	0	0	2	7	6	7	5	7
FISICA	0	2	1	1	4	6	5	6	6	6
QUIMICA	0	0	0	1	1	6	5	6	5	6
HISTORIA	2	1	0	0	3	8	7	8	8	8
GEOGRAFIA	3	0	1	0	4	7	7	7	7	7
EDUC. CIVICA	0	1	0	0	1	7	8	8	8	8
EDUC. FISICA	0	0	1	0	1	9	10	9	9	9
EDUC. ARTISTICA.	2	1	0	0	3	10	9	10	10	10
EDUC. TEC. ABREV. ( )	0	0	3	1	4	10	10	9	10	10

LA ESCALA DE CALIFICACIONES ES:
10 Excelente, 9 Muy Bien, 8 Bien, 7 Regular, 6 Suficiente, 5 No Suficiente

La tarjeta de información

Alberto estudia en una escuela secundaria en la Ciudad de México.

- ¿Cuál es una nota muy alta?
- ¿Cuál es una nota muy baja?
- ¿En qué asignaturas saca buenas notas Alberto?
- ¿En qué asignaturas saca malas notas Alberto?

6 Los pasatiempos

vocabulario

Después de las clases:

Los jóvenes llegan a casa.

Miran la televisión.

Preparan una merienda.

Escuchan discos.

Hablan por teléfono.

Trabajan en una tienda.

la sala

la cocina

Ejercicio 1   Después de las clases . . .

Contesten. *(Answer.)*

1. ¿Adónde llegan los alumnos?
2. ¿Dónde preparan una merienda?
3. ¿Dónde miran la televisión?
4. ¿Dónde hablan por teléfono?
5. ¿Dónde escuchan discos?
6. ¿Dónde trabajan?

Ejercicio 2   ¿Qué, quiénes y dónde?

Completen con la palabra interrogativa apropiada.
(Complete with the appropriate question word.)

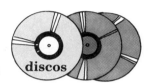

1. ¿———— escuchan los amigos?

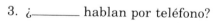

2. ¿———— preparan ellos una merienda?

3. ¿———— hablan por teléfono?

los amigos

4. ¿———— miran ellos en la sala?

5. ¿———— trabajan los jóvenes?

en una tienda

εstructura

El presente de los verbos regulares en -ar—formas plurales

In the preceding lesson we learned the singular forms of regular **-ar,** or first-conjugation, verbs. Observe now the plural forms of the **-ar** verbs.

Infinitive	hablar	mirar	trabajar	Endings
Stem	habl-	mir-	trabaj-	
nosotros, nosotras	hablamos	miramos	trabajamos	**-amos**
ellos, ellas, Uds.	hablan	miran	trabajan	**-an**

Note that in all areas of the Spanish-speaking world, except in some parts of Spain, there is no difference between formal and informal address in the plural. Whenever you are speaking to more than one person, you would use the **ustedes (Uds.)** form of the verb. In Spain, the **vosotros (vosotras)** form of the verb is used when speaking to two or more friends, relatives, or people of the same age. Learn to recognize these forms.

vosotros, vosotras	habláis	miráis	trabajáis	**-áis**

We have now learned all forms of the present tense of regular **-ar,** or first-conjugation, verbs. Review the following.

Infinitive	hablar	mirar	trabajar	Endings
Stem	habl-	mir-	trabaj-	
yo	hablo	miro	trabajo	**-o**
tú	hablas	miras	trabajas	**-as**
él, ella, Ud.	habla	mira	trabaja	**-a**
nosotros, -as	hablamos	miramos	trabajamos	**-amos**
(vosotros, -as)	(habláis)	(miráis)	(trabajáis)	**(-áis)**
ellos, ellas, Uds.	hablan	miran	trabajan	**-an**

Ejercicio 1 Después de las clases, ellos . . .
Contesten. *(Answer.)*

1. ¿Preparan una merienda los amigos?
2. ¿Toman la merienda en la cocina?
3. Después, ¿miran la televisión en la sala?
4. ¿Escuchan discos?
5. ¿Hablan por teléfono?

Ejercicio 2 Después de las clases, nosotros . . .
Contesten con la forma de *nosotros*. *(Answer with the **nosotros** form.)*

1. ¿Estudian Uds. español?
2. ¿Estudian Uds. mucho?
3. ¿Sacan Uds. buenas notas?
4. ¿Hablan Uds. mucho en la clase de
   español?
5. Después de las clases, ¿preparan Uds.
   una merienda?
6. ¿Toman Uds. la merienda en un café o
   en casa?
7. A veces, ¿miran Uds. la televisión?
8. ¿Escuchan Uds. discos?
9. ¿Escuchan Uds. discos de rock, de jazz o
   de música clásica?
10. ¿Hablan Uds. mucho por teléfono?
11. Con los amigos, ¿hablan Uds. inglés o
    español?

Ejercicio 3 ¿Qué . . . Uds.?
Formen preguntas con la forma de *Uds*. *(Make up questions with **Uds**.)*

1.

2.

3.

4.

Ejercicio 4   Trabajamos mucho.
Contesten. *(Answer.)*

1. ¿Estudias español?
2. ¿Hablas español con la profesora de español?
3. La profesora, ¿habla ella inglés también?
4. ¿Trabajas mucho en la clase de español?
5. ¿Sacas buenas o malas notas?
6. En la clase de español, ¿cantan Uds.?
7. Después de las clases, ¿toman los amigos una merienda?
8. ¿Escuchan Uds. discos también?
9. ¿Miran Uds. la televisión?
10. ¿Quién trabaja después de las clases?
11. ¿Estudian Uds. en casa?

Ejercicio 5   Un muchacho en un colegio de Madrid
Completen. *(Complete.)*

Emilio es un muchacho español. Él _____ (estudiar) en un colegio de Madrid, la capital de España. Emilio es un muchacho muy listo. Él _____ (trabajar) mucho en la escuela. Él _____ (estudiar) inglés. En la clase de inglés los alumnos _____ (hablar) mucho. A veces ellos _____ (cantar) también.

Yo _____ (estudiar) español en una escuela secundaria en los Estados Unidos. Yo también _____ (trabajar) mucho y _____ (sacar) muy buenas notas en español. En la clase nosotros _____ (hablar) mucho con el profesor. A veces, nosotros _____ (cantar) y _____ (tocar) la guitarra.

Después de las clases, los amigos _____ (tomar) una merienda. A veces nosotros _____ (mirar) la televisión. Cuando no _____ (mirar) la televisión, nosotros _____ (escuchar) discos o _____ (hablar) por teléfono.

Ejercicio 6 ¿Quién trabaja después de las clases?
Escojan la respuesta correcta. *(Choose the correct answer.)*

1. Después de las clases, José y yo (nosotros) _____ en una tienda.
   a. trabajan
   b. trabajo
   c. trabajamos

2. A veces yo _____ español con los clientes.
   a. hablo
   b. hablas
   c. hablan

3. En la tienda muchos clientes _____ español.
   a. hablamos
   b. hablan
   c. habla

4. Nosotros _____ español en la escuela.
   a. estudias
   b. estudiamos
   c. estudian

5. Yo _____ muy buenas notas en español.
   a. saco
   b. saca
   c. sacamos

Pronunciación   Las consonantes *n, p*

The consonants **n** and **p** are pronounced very similarly in both Spanish and English. However, the **p** is not followed by any puff of air from your breath as it often is in English. Round your lips as you make the **p** sound in Spanish.

na	**ne**	**ni**	**no**	**nu**
una	gasolinera	Anita	nota	monumento
alumna			alumno	
termina			uno	

pa	**pe**	**pi**	**po**	**pu**
papá	peso	pipa	popular	popular
prepara	Pepe		postal	apuntes
país	Pedro			

Trabalenguas y dictado

El papá de Pepe es popular.
La alumna en la cocina es Anita.
El alumno termina en un momento.

conversación

Your teacher is asking you and your friend what you do and where you go after school. Answer her/his questions by completing the following conversation.

¿Quiénes hablan?

Profesor(a) Después de las clases, ¿toman Uds. una merienda?
Uds. _____

Profesor(a) Luego, ¿escuchan Uds. discos o miran Uds. la televisión?
Uds. _____

Profesor(a) A veces, ¿hablan Uds. por teléfono?
Uds. _____

Profesor(a) ¿Con quiénes hablan?
Uds. _____

Profesor(a) ¿Trabajan Uds. después de las clases o no?
Uds. _____

¿Quiénes trabajan después de las clases?

En los Estados Unidos muchos alumnos de las escuelas secundarias trabajan
después de las clases. Trabajan, por ejemplo,* en una tienda o en una gasolinera.*
Muchos jóvenes* trabajan en los países* hispánicos también. Pero los jóvenes
que trabajan no son alumnos. Son jóvenes que terminan* con la educación después
de la primaria* y trabajan todo el día.* En muchos colegios las clases no terminan
hasta* las cuatro o las cinco de la tarde. Los sábados las clases terminan al
mediodía.* Los alumnos de las escuelas secundarias trabajan mucho—pero no
trabajan en una tienda o en una gasolinera. Ellos trabajan muy duro* durante el
día en la escuela.

---

*por ejemplo *for example*	*gasolinera *gas station*	*jóvenes *young people*	*países
countries	*terminan *end, finish*	*primaria *elementary school*	*todo el día *all day*
*hasta *until*	*al mediodía *at noon*	*duro *hard*	

Ejercicio Completen. *(Complete.)*

1. En los Estados Unidos muchos alumnos trabajan después de _____ _____.
2. Ellos trabajan en una gasolinera o en _____ _____.
3. Los alumnos no trabajan después de las clases en los países _____.
4. Los jóvenes que trabajan en los países hispánicos son jóvenes que terminan con la educación después de la _____.
5. Ellos no trabajan después de las clases. Trabajan _____ _____ _____.
6. En muchos colegios hispánicos las clases no terminan hasta las _____ o las _____ de la tarde.
7. Los alumnos en los países hispánicos trabajan muy duro en _____ _____.

Los alumnos estudian mucho en clase, Madrid

Actividades

1 Interview several friends in your class about their after-school activities. Begin with **Después de las clases** .... Use the following verbs in your questions.

preparar

tomar

trabajar

hablar

mirar

escuchar

estudiar

3 Role play. Pretend you are also involved in the activities in **Actividad 2.** Tell what you and your friends are doing together.

2 Look at the illustration and tell all you can about it.

Después de las clases las muchachas toman un refresco en la Ciudad de México. ¿Qué toman? ¿Una coca o un jugo de frutas?

Las clases terminan a las cuatro de la tarde en este colegio en Lima.

Los amigos de Luis visitan una tienda de discos en Buenos Aires. ¿Escuchan los discos o sólo miran los discos?

Los juegos «video» son muy populares con los jóvenes en España. ¿Son populares aquí también?

Carmen, una joven mexicana, habla por teléfono. ¿Habla ella de casa o de una cabina telefónica?

Programas de televisión en Madrid ¿Qué cadena (canal) presenta los programas?

EL PAIS, martes 5 de abril de 1⁹

PROGRAMAS DE TELEV

MARTES

Primera cadena

13.45 Carta de ajuste.
14.00 Programación de cobertura re
gional.
14.55 Conexión con la programac¹
nacional.
15.00 Telediario.
15.35 España, sin ir más lejos.
16.05 Q.E.D. Atrapar a un fantasm
17.00 Un mundo para ellos.
18.00 Barrio Sésamo. La caseta
18.30 3, 2, 1... Contacto.
18.55 El libro gordo de Petet
19.00 Micky y Donald.
19.30 El paraíso de los anim
comediante de la este
20.00 Encuentros en libe
mía: La carrera fatal
la carrera de armam
Unidos y la

Marta es alumna en un colegio en la Ciudad de México. Después de las clases, ella estudia. ¿Dónde estudia? ¿En casa o en la escuela?

7 DE COMPRAS

vocabulario

la panadería

el pan

la caja

el dinero

el panadero

Juanito **va de compras.**
Va de compras por la mañana.

Él **está** en la panadería.
Necesita pan.
Compra pan

Paga en la caja.
Da el dinero **al** panadero.

Ejercicio 1   ¿Quién va de compras?
Contesten.   *(Answer.)*

1. ¿Va Juanito de compras?
2. ¿Va de compras por la mañana?
3. ¿Está él en la panadería?

4. ¿Compra pan en la panadería?
5. ¿Paga en la caja?
6. ¿Da el dinero al panadero?

Ejercicio 2   Juanito va a la panadería.
Completen.   *(Complete.)*

Juanito va de compras por _____
_____. Él está en la _____ donde compra
pan. Él paga en la _____. Da el _____ al
panadero.

80

¿Adónde va la señora y qué compra?

la lechería

leche.

la carnicería

carne.

La señora va a

la pescadería

donde compra

pescado.

la frutería

frutas y legumbres.

la pastelería

pasteles.

el mercado

el supermercado

el empleado

81

Ejercicio 3 ¿Qué compra la señora Ochoa?

La señora Ochoa va de compras. ¿Qué compra ella?

1. Ella compra _____.

2. Ella compra _____.

3. Ella _____.

4. _____.

5. _____.

Ejercicio 4 ¿Adónde va ella?

La señora Ochoa va de compras. ¿Adónde va ella?

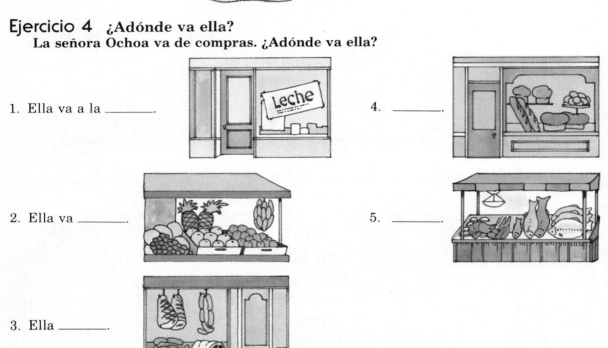

1. Ella va a la _____.

2. Ella va _____.

3. Ella _____.

4. _____.

5. _____.

Ejercicio 5 ¿Qué necesita la señora?

Sigan el modelo. *(Follow the model.)*

La señora necesita pan.
¿Ah, sí? ¿Adónde va ella?
Pues, ella va a la panadería.

1. La señora necesita leche.
2. La señora necesita pescado.

3. La señora necesita frutas.
4. La señora necesita pasteles.

εstructura

El presente de los verbos *ir, dar, estar*

The verbs **ir, dar,** and **estar** are considered irregular verbs in Spanish, since they do not conform to the pattern of other regular verbs. Note, however, that in the present tense, these verbs have the same endings as other regular **-ar,** or first-conjugation, verbs. The only exception is the **yo** form of the verb. Note the forms of these verbs in the present tense. Pay particular attention to the **yo** form.

Infinitive	ir	dar	estar
yo	**voy**	**doy**	**estoy**
tú	vas	das	estás
él, ella, Ud.	va	da	está
nosotros, -as	vamos	damos	estamos
(vosotros, -as)	(vais)	(dais)	(estáis)
ellos, ellas, Uds.	van	dan	están

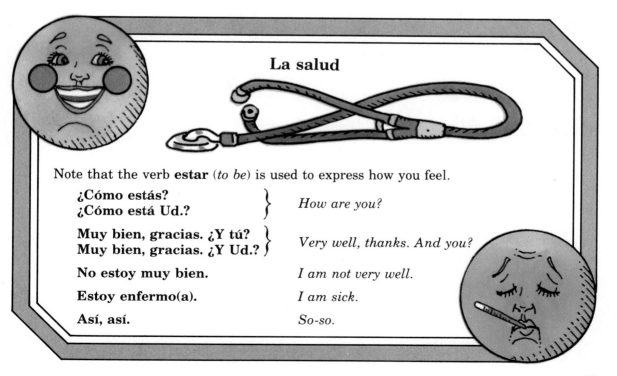

La salud

Note that the verb **estar** (*to be*) is used to express how you feel.

¿Cómo estás? **¿Cómo está Ud.?** }	*How are you?*
Muy bien, gracias. ¿Y tú? **Muy bien, gracias. ¿Y Ud.?** }	*Very well, thanks. And you?*
No estoy muy bien.	*I am not very well.*
Estoy enfermo(a).	*I am sick.*
Así, así.	*So-so.*

Ejercicio 1 Yo voy a la escuela. ¿Y tú?

Contesten con *voy, doy* o *estoy*. *(Answer with **voy, doy,** or **estoy**.)*

1. ¿Vas a la escuela?
2. ¿Vas a la escuela por la mañana?
3. ¿Estás en la escuela ahora?
4. ¿Estás en la clase de español?
5. ¿Das el cuaderno a la profesora?
6. A veces, ¿vas de compras?
7. ¿Vas de compras después de las clases?
8. ¿Vas al supermercado?
9. ¿Estás en el supermercado ahora?
10. En el supermercado, ¿das el dinero al empleado en la caja?

Ejercicio 2 No estoy enfermo(a).

Contesten. *(Answer.)*

1. ¿Estás bien?
2. ¿Estás enfermo(a)?
3. ¿Cómo estás?

Ejercicio 3 ¿Quién va con quién?

Contesten según el dibujo. *(Answer according to the illustration.)*

1. ¿Va Juan a la tienda?
2. ¿Va a la tienda con Teresa?

3. ¿Está Juan en la tienda ahora?
4. ¿Está Teresa también?
5. ¿Están ellos en la panadería?

6. ¿Están ellos en la caja?
7. ¿Dan ellos el dinero al empleado?

Ejercicio 4 Por la mañana, vamos a la escuela.

Contesten con *nosotros*. *(Answer with the **nosotros** form.)*

1. ¿Van Uds. a la escuela por la mañana?
2. ¿A qué escuela van Uds.?
3. ¿Están Uds. en la escuela ahora?
4. ¿En qué clase están Uds.?
5. ¿Están Uds. con la profesora de español?
6. Después de las clases, ¿van Uds. a veces a un café?
7. Y a veces, ¿van Uds. de compras?
8. ¿Van Uds. a un supermercado?
9. ¿A qué supermercado van Uds.?

84

Ejercicio 5 ¿Adónde vas tú?

Sigan el modelo. *(Follow the model.)*

Yo voy a la clase de español.
Perdón. ¿Adónde vas?

1. Yo voy a la clase de biología.
2. Yo voy a la clase de álgebra.
3. Yo voy a la clase de historia.
4. Yo voy a la clase de inglés.

Ejercicio 6 ¿Adónde va Ud.?

Pregúntenle al (a la) profesor(a). *(Ask your teacher.)*

1. if he / she goes to school in the morning
2. if he / she is in school now
3. if he / she gives good grades
4. if he / she goes shopping after school

Ejercicio 7 La señora Ochoa va de compras.

Completen. *(Complete.)*

Por la mañana, la señora Ochoa _____ (ir) de compras. A veces ella _____
(ir) con una amiga. Hoy la señora Ochoa necesita leche. Ella pregunta a su amiga:
—¿Por qué no _____ (ir) (nosotras) a la lechería?
—No. Yo no necesito leche. Yo no _____ (ir) a la lechería. Tú _____ (ir) a la
lechería y yo _____ (ir) a la carnicería. Yo necesito carne.
—Pero yo también necesito carne. Yo también _____ (ir) a la carnicería.
Las dos señoras _____ (estar) en la carnicería. Hoy la carne _____ (estar)
muy buena.
Habla el carnicero:
—Buenos días, señoras. ¿Cómo _____ (estar) Uds. hoy?
—(Nosotras) _____ (estar) bien. ¿Y cómo _____ (estar) Ud., señor Molina?
—Yo _____ (estar) muy bien, gracias. ¿Y qué necesitan las señoras hoy?
Las dos señoras compran la carne que necesitan. El señor Molina _____ (dar)
la carne a las señoras. Las señoras pagan en la caja. Ellas _____ (dar) el dinero a
la empleada que trabaja en la caja.

La contracción *al*

The preposition **a** means *to*. Study the following.

> **Yo voy al mercado.**
> **Yo voy a la escuela.**

Note that the definite article **el** contracts (combines) with the preposition **a** to
form one word—**al.**

> **a + el = al**

There is no contraction with **la, los,** or **las.**

Ejercicio 8 ¿Adónde vas?

Contesten. *(Answer.)*

1. ¿Vas a la escuela por la mañana?
2. ¿Vas a la clase de español?
3. ¿Va Marisol al colegio por la mañana?
4. A veces, ¿vas al supermercado?
5. ¿Va Marisol al mercado?

Ejercicio 9 ¿Adónde van?

Completen según el dibujo. *(Complete according to the illustration.)*

1. Yo voy _____.

3. Vamos _____.

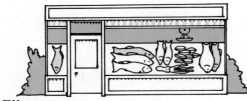

2. Ella va _____.

4. Ellos van _____.

La contracción *del*

The preposition **de** means *of* or *from* in English. Remember that **de** is also used to express the possessive in Spanish (*'s* or *s'* in English). For example:

el libro de Juan   *John's book*
la hermana de María *Mary's sister*

When **de** is followed by the definite article **el,** it is contracted or combined to form one word—**del.**

> **de + el = del**

Note that with the definite articles **la, los,** and **las,** there is no contraction. Study the following.

Elena es de la Argentina.
Ella es del continente sudamericano.

Ejercicio 10 La amiga del muchacho

Contesten. *(Answer.)*

1. ¿Es argentina la amiga del muchacho?
2. ¿Es ella de la Argentina?
3. ¿Es ella del continente sudamericano?
4. ¿Son ellos amigos de los hermanos de Lupita?

La expresión impersonal *hay*

The impersonal expression **hay** means *there is* or *there are*.

Hay un empleado en la tienda.
Hay muchos clientes en la tienda.

Ejercicio 11 ¿Qué hay?

Completen según el dibujo. *(Complete according to the illustration.)*

1. ¿Qué hay en la sala?

2. ¿Qué hay en la frutería?

3. ¿Qué hay en la tienda?

4. ¿Qué hay en el cuaderno?

5. ¿Qué hay en la cocina?

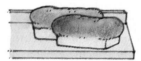

Pronunciación

La consonante *t*

The **t** in Spanish is pronounced with the tip of the tongue pressed against the upper teeth. Like the Spanish **p,** it is not followed by any puff of air from your breath. The Spanish **t** is extremely clear.

ta	te	ti	to	tu
taco	Teresa	tienda	coma	tú
fruta	televisión	tiempo	tomate	estudia
necesita	teléfono	latín	Juanito	
está	frutería		cuanto	
lata	apuntes		alimento	
canta	bastante		tostada	

Trabalenguas y dictado

Teresa necesita alimentos en lata.
Juanito toma apuntes.
Tú estudias latín.
Las frutas en la frutería no están en lata.
¿Cuánto tiempo necesita Teresa en la tienda?

Expresiones útiles

A very useful expression to know is *How much does* _____ *cost?* Usually when shopping for fresh food products, a Spanish speaker will ask:

¿A cuánto está la lechuga?

¿A cuánto están las chuletas de cerdo?

When you shop for merchandise, you would use the expressions **¿Cuánto cuesta?** or **¿Cuánto es?**

¿Cuánto cuesta el disco?
¿Cuánto es el disco?

¿Cuánto cuestan los discos?
¿Cuánto son los discos?

When you are shopping, a clerk or merchant may ask you if you would like something else. He or she will ask:

¿Algo más?

If you want something else, you will, of course, tell the clerk what you want. If you want nothing else, you respond:

No, nada más, gracias.

To express the idea *How . . . !,* the expression **¡Qué . . . !** is used in Spanish.

¡Ay, qué bonito!	*Oh, how pretty!*
¡Ay, qué caro!	*Oh, how expensive!*

En el mercado

50 pesos el kilo

el precio

(las) habichuelas

90 pesos la caja

(las) fresas

En el supermercado

una botella de agua mineral

el jabón en polvo

el papel higiénico

los alimentos enlatados (en lata)

conversación

Al mercado

Hola, Pedro. ¿Cómo estás?

Muy bien, hombre. ¿Y tú?

Muy bien. ¿Adónde vas?

Voy al mercado.

En el mercado

¿A cuánto están las habichuelas hoy?

Están a 50 pesos el kilo.

50 Pesos

Muy bien. Medio kilo, por favor.

Medio kilo de habichuelas. ¿Algo más?

50 Pesos

No, nada más, gracias.

Ejercicio Contesten. *(Answer.)*

1. ¿Cómo está Pedro hoy?
2. ¿Adónde va él?
3. ¿A cuánto están las habichuelas hoy?
4. ¿Cuántas habichuelas compra Pedro?
5. ¿Compra algo más en el mercado?

Lectura cultural

¿A la tienda o al supermercado?

¿Hay supermercados en los países hispánicos? Claro que hay supermercados.
Pero en España y en muchos países de Latinoamérica la gente* no va mucho a los
supermercados. No compran todo* en la misma* tienda. Van de una tienda a otra.*
En la carnicería compran carne. En la lechería compran leche.

La gente va de compras casi todos los días.* ¿Por qué* van de una tienda a otra?
¿Y por qué van de compras casi todos los días? Pues, la calidad* de los productos en
las tiendas especializadas es excelente. Todo está muy fresco.* Y los precios no son
muy altos.

Entonces, ¿qué compra la gente en los supermercados? En los supermercados
compran, por ejemplo, alimentos enlatados, botellas de agua mineral, rollos de papel
higiénico o cajas de jabón en polvo.

Ejercicio **Contesten.** *(Answer.)*

1. ¿Hay supermercados en los países hispánicos?
2. ¿Va la gente mucho a los supermercados?
3. ¿Compran todo en la misma tienda?
4. ¿Van de una tienda a otra?
5. ¿Qué compran en la carnicería?
6. ¿Qué compran en la lechería?
7. ¿Van de compras casi todos los días?
8. ¿Es buena la calidad de los productos en las tiendas pequeñas?
9. ¿Cómo está todo?
10. ¿Cómo son los precios?
11. ¿Qué compra la gente en los supermercados?

---

*gente *people* *todo *everything* *misma *same* *otra *another* *casi todos los
días *almost every day* *Por qué *Why* *calidad *quality* *fresco *fresh*

90

Actividades

1

Here is señora Ochoa's shopping list for the day. Tell what stores she will have to go to today.

leche
pescado
habichuelas
pan
carne
pasteles
papel higiénico
legumbres
fresas
polvo de jabón

2

Practice the following conversation with a classmate. Then change the conversation using the illustrations given.

— ¿Adónde vas, Inés?
— Voy de compras.
— ¿Qué necesitas?
— **Leche.**
— Ah, ¿tú vas a la lechería?
— Sí.

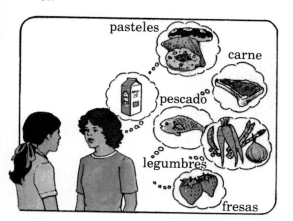

pasteles
carne
pescado
legumbres
fresas

3

Indicate whether the shopping customs described are basically those of the United States or those of the Hispanic countries.

- Vamos de compras casi todos los días.
- Compramos casi todo en la misma tienda.
- Vamos de una tienda a otra.
- Compramos casi todo en el supermercado.
- Vamos de compras uno o dos días a la semana.
- Vamos de compras en muchas tiendas pequeñas especializadas.

Estados Unidos   Latinoamérica

4

Describe some things that you see in the photograph.

La Madrileña
FRUTAS FINAS

Noticiero
AURRERA

OCTUBRE 1983

la compra de los que saben comprar.

«La Aurrera» es un supermercado de Madrid. ¿En qué secciones hay ofertas especiales? ¿Cuál es el día de la fruta? ¿Cuántas pesetas cuesta un rollo de papel higiénico en el supermercado Aurrera?

Octubre mes de los alimentos frescos.

Ofertas muy especiales en nuestras secciones de charcutería, cremería, congelados, frutería, pescadería y carnicería.

Limpieza.

Detergente **COLON** barril 5 kilos	**629** p.
4 rollos papel higiénico **SCOTTEX**	**95** p.
MISTOL VAJILLAS, 1 litro	**65** p.

Todos los jueves día de la fruta.

Ofertas de...

Cuando la señora Ochoa va de compras ella no compra *pounds* ni *ounces*. Ella compra kilos o gramos. En un kilo hay 2,2 *pounds* o libras. Hay cien gramos en un kilo.

El señor Rivera está de compras en un supermercado de Cali, Colombia. ¿Dónde paga él?

C uando un(a) argentino(a) va de compras, él o ella paga con australes.

- ¿Con qué paga un español?
- ¿Y un guatemalteco?
- ¿Y un ecuatoriano?
- ¿Y un venezolano?

Varios mercados y tiendas

Una frutería, Barcelona

Un mercado, Guanajuato, México

Una carnicería, México

Una pastelería, Salamanca, España

8 CON LA FAMILIA

vocabulario

La familia
Vázquez **vive** en

un apartamento.

una casa particular.

La familia **come** en el **comedor**.

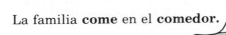

 (la) sopa

(las) papas

 (la) ensalada

 (el) helado

 el desayuno

 el almuerzo

 la cena

Después de **la comida:**
Ellos **ven una película** en la televisión.

Ejercicio 1 La familia Vázquez
Contesten. *(Answer.)*

1. ¿Vive la familia Vázquez en un apartamento?
2. ¿Come la familia en casa?
3. ¿Comen ellos en el comedor?

4. Después de la comida, ¿ven ellos una película?
5. ¿Ven la película en la televisión?
6. ¿Ven la película en la sala?

Ejercicio 2 Diego Jiménez, el comilón
Completen. (Complete.)

Aquí está Diego Jiménez. Él come mucho. Es muy comilón. ¿Qué come?

1. Él come _____ .

4. _____ .

7. _____ .

2. Él _____ .

5. _____ .

8. _____ .

3. _____ .

6. _____ .

En la escuela:

Los jóvenes **escriben** mucho.

(las) composiciones **(las) cartas**

Ellos **leen** mucho también.

(los) libros **(los) periódicos** **(las) cartas** **(las) revistas**

Ellos **aprenden** mucho.
Reciben muy buenas notas.

95

Ejercicio 3   Los alumnos aprenden mucho en la escuela.

Contesten. *(Answer.)*

1. En la escuela, ¿escriben mucho los jóvenes?
2. ¿Leen mucho también?
3. ¿Aprenden ellos mucho en la escuela?
4. ¿Reciben ellos buenas notas?

Ejercicio 4   Carmen Salazar escribe mucho.

Completen. *(Complete.)*

Aquí está Carmen Salazar. Ella escribe
mucho. ¿Qué escribe ella?

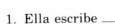

1. Ella escribe _____.

2. Ella _____.   3. _____.   4. _____.

Ejercicio 5   Francisco Velado lee mucho.

Contesten. *(Answer.)*

Aquí está Francisco Velado. Él lee
mucho. ¿Qué lee él?

1. Él lee _____.   3. _____.

2. Él _____.

4. _____.

Ejercicio 6   Contesten. *(Answer.)*

**Los jóvenes escriben muchas composiciones buenas
en la clase de español.**

1. ¿Quiénes escriben composiciones?
2. ¿Qué escriben los jóvenes?
3. ¿Cuántas composiciones escriben?
4. ¿Cómo son las composiciones?
5. ¿Dónde escriben las composiciones?

Εstructura

El presente de los verbos en *-er, -ir*

We have already learned that many Spanish verbs end in **-ar**. These verbs are referred to as first-conjugation verbs. Most regular Spanish verbs belong to the **-ar** group, or the first conjugation.

However, there are some very important Spanish verbs that end in **-er** and **-ir**. The **-er** verbs are referred to as second-conjugation verbs, and the **-ir** verbs are referred to as third-conjugation verbs. Note the forms of these verbs in the present tense. Pay particular attention to the endings.

-er verbs

Infinitive	comer	leer	Endings
Stem	com-	le-	
yo	como	leo	**-o**
tú	comes	lees	**-es**
él, ella, Ud.	come	lee	**-e**
nosotros, -as	comemos	leemos	**-emos**
(vosotros, -as)	(coméis)	(leéis)	**(-éis)**
ellos, ellas, Uds.	comen	leen	**-en**

-ir verbs

Infinitive	vivir	escribir	Endings
Stem	viv-	escrib-	
yo	vivo	escribo	**-o**
tú	vives	escribes	**-es**
él, ella, Ud.	vive	escribe	**-e**
nosotros, -as	vivimos	escribimos	**-imos**
(vosotros, -as)	(vivís)	(escribís)	**(-ís)**
ellos, ellas, Uds.	viven	escriben	**-en**

Note that the endings for the **-er** and **-ir** verbs are the same in all forms except **nosotros** (and **vosotros**).

nosotros	comemos	leemos	vivimos	escribimos
(vosotros)	(coméis)	(leéis)	(vivís)	(escribís)

Nota

We have already learned that many words in Spanish and English look very much alike. For this reason, it is extremely easy to guess their meanings. Do you remember that such words are called *cognates?*

To guess the meaning of certain cognates, we must stretch our imaginations. For example, let us take the verb **comprender.** Can you guess what it means? It looks somewhat similar to the English word *comprehend* and it means *to understand.* Another somewhat more difficult word is the verb **beber.** It is related to the English word *beverage* and it means *to drink.*

However, we must be very careful. There are also words called *false cognates.* A false cognate is a word that looks the same in the two languages but really has very different meanings in each language. A good example of this is the verb **asistir.** You probably think this word means *to assist,* but it more frequently means *to attend* rather than *to assist.* **Asistir** is an example of a false cognate.

Ejercicio 1 ¿A quién escribes la carta?
Practiquen la conversación. *(Practice the conversation.)*

— Oye, Enrique. ¿Qué escribes?
— Escribo una carta.
— Una carta. ¿A quién?
— A un amigo, Paco Machado.
— ¿Paco Machado? ¿Dónde vive él?
— Vive en Costa Rica. Él y yo somos buenos amigos.

Ejercicio 2 Paco vive en Costa Rica.
Contesten según la conversación. *(Answer according to the conversation.)*

1. ¿Vive Paco Machado en Costa Rica?
2. ¿Vive Enrique en Costa Rica también?
3. ¿Escribe Enrique una carta?
4. ¿Escribe Enrique la carta o recibe la carta?

Ejercicio 3 Los alumnos aprenden mucho.
Contesten. *(Answer.)*

1. En la escuela, ¿aprenden mucho los alumnos?
2. ¿Aprenden español?
3. ¿Leen mucho en la clase de inglés?
4. ¿Escriben mucho también?
5. ¿Reciben buenas notas?

Ejercicio 4 Donde vivo yo
Preguntas personales. *(Answer the following personal questions.)*

1. ¿Dónde vives?
2. ¿Vives en un apartamento o en una casa particular?
3. En casa, ¿comes con la familia?
4. ¿Comes en el comedor o en la cocina?
5. Después de la cena, ¿lees el periódico?
6. ¿Lees el periódico en la sala?
7. A veces, ¿lees un libro?
8. A veces, ¿escribes una carta a un amigo o a una amiga?

Ejercicio 5 ¡Oye! ¿Qué . . . ?
Formen preguntas según el modelo. *(Form questions according to the model.)*

Oye, Catalina. ¿Qué lees?

1.   2.   3.   4.

Ejercicio 6 Nosotros vivimos en los Estados Unidos.
Contesten con *nosotros*. *(Answer with **nosotros**.)*

1. ¿Dónde viven Uds.?
2. ¿Viven Uds. en una casa particular?
3. ¿Viven Uds. en un apartamento?
4. ¿Escriben Uds. mucho en la clase de español?
5. Y en la clase de inglés, ¿escriben Uds. mucho?
6. ¿Reciben Uds. buenas notas en español?
7. ¿Aprenden Uds. mucho en la escuela?
8. ¿Leen Uds. muchos libros?
9. ¿Comen Uds. en la cafetería de la escuela?

Ejercicio 7 ¿Y Uds. también?
Sigan el modelo. *(Follow the model.)*

Nosotros vivimos en los Estados Unidos.
Y Uds. también viven en los Estados Unidos, ¿no?

1. Vivimos en los Estados Unidos.
2. Recibimos el periódico todos los días.
3. Leemos el periódico todos los días.
4. Aprendemos mucho del periódico.

Ejercicio 8   La familia Vázquez vive en Caracas.

Completen.   *(Complete.)*

1. La familia Vázquez _____ en Caracas, la capital de Venezuela.   **vivir**
2. Ellos _____ en un apartamento.   **vivir**
3. ¿Dónde _____ Uds.?   **vivir**
4. Nosotros _____ en _____.   **vivir**
5. ¿_____ tú en un apartamento o en una casa particular?   **Vivir**
6. Yo _____ en _____.   **vivir**
7. La familia Vázquez _____ en casa.   **comer**
8. ¿Dónde _____ Uds.?   **comer**
9. Nosotros _____ en casa también, pero a veces _____ en un restaurante.
    comer, comer
10. Diego y Carmen Vázquez _____ a un colegio en Caracas.   **asistir**
11. Uds. no _____ a un colegio, ¿verdad?   **asistir**
12. No, nosotros _____ a una escuela secundaria.   **asistir**
13. Diego y Carmen Vázquez _____, _____ y _____ mucho en el colegio.
    escribir, leer, aprender
14. Y yo también _____, _____ y _____ mucho en la escuela.   **escribir, leer,**
    aprender

El verbo *ver*

The verb **ver** functions the same as a regular **-er** verb. Note, however, that in the **tú, él,** and **ellos** forms, there is only one syllable.

Infinitive	ver
yo	veo
tú	ves
él, ella, Ud.	ve
nosotros, -as	vemos
(vosotros, -as)	(veis)
ellos, ellas, Uds.	ven

Ejercicio 9   ¿Qué ve?

Completen con el verbo *ver*.   *(Complete with the correct form of the verb **ver**.)*

1. Muchas veces yo _____ una película en la televisión.
2. Yo _____ las películas con la familia.
3. Las películas que nosotros _____ son muy interesantes.
4. ¿_____ tú muchas películas en la televisión también?
5. ¿_____ Uds. películas también en la escuela?

Nota

You will come across many Spanish nouns that end in **-dad** or **-tad**. The **-dad** or **-tad** endings in Spanish almost always correspond to the *-ty* ending in English. Most words that end in **-dad** or **-tad** are cognates. See if you can guess the meaning of the following words.

la universidad   **la capacidad**
la generalidad   **la responsabilidad**
la oportunidad   **la popularidad**

Note that all Spanish nouns that end in **-dad** or **-tad** are feminine and take the definite article **la.** To form the plural, an **-es** is added.

Ejercicio 10   *Give the Spanish equivalent for each of the following.*

1. facility
2. mentality
3. universality
4. entity

Ejercicio 11   *Write the plural of the following words.*

1. la universidad
2. la responsabilidad
3. la oportunidad
4. la capacidad

Pronunciación   La consonante *d*

The pronunciation of the consonant **d** in Spanish varies according to its position in the word. When a word begins with **d** (initial position) or follows the consonants **l** or **n**, the tongue gently strikes the back of the upper front teeth.

da	de	di	do	du
da	de	Diego	donde	duda
tienda	desayuno	disco	aprendo	duro
merienda	derecho	día	comprendo	
	aprende	dinero	segundo	
	comprende	difícil	cuando	

When **d** appears within the word between vowels (medial position), the **d** almost sounds like the *th* in the English word *then*. To make the proper sound, the tongue strikes the lower part of the upper teeth, almost between the upper and lower teeth.

da	de	di	do	du
ensalada	Adela	periódico	helado	educación
comida	panadero	edificio	estado	
		adiós	todo	
			divertido	
			pescado	
			mercado	
			empleado	

When a word ends in **d** (final position), the **d** is either pronounced like a *th*, omitted completely, or given a very, very soft **d** sound.

ciudad
universidad
oportunidad

Trabalenguas y dictado

Diego da el dinero al empleado en la tienda.
¿Dónde está el disco de Donato?
La panadería está en un edificio en la avenida de los Estados Unidos.
El empleado vende pescado en el mercado.
Diego estudia en la universidad en la ciudad de Madrid.

Expresiones útiles

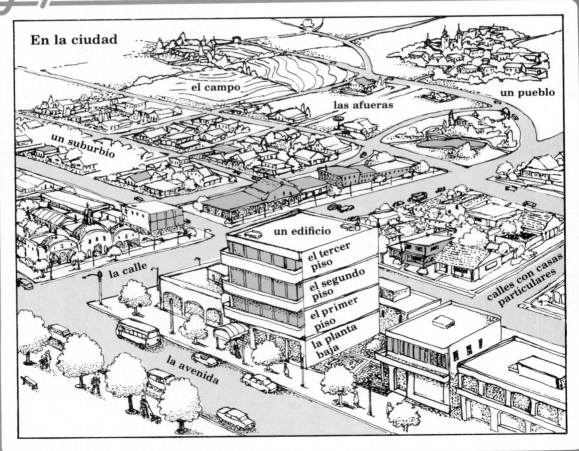

En la ciudad
el campo
un pueblo
las afueras
un suburbio
un edificio
el tercer piso
el segundo piso
el primer piso
la planta baja
la calle
calles con casas particulares
la avenida

conversación

¿Dónde vives?

Carlos	Oye, Cristina. Tú vives en Madrid, ¿no?
Cristina	Sí, vivo en Madrid. Soy madrileña.
Carlos	¿Dónde vives en Madrid?
Cristina	Vivo en la Calle Velázquez, ciento treinta.
Carlos	¿Viven Uds. en la planta baja?
Cristina	En la planta baja, no. Vivimos en el segundo piso, derecho.

Ejercicio Contesten. *(Answer.)*

1. ¿Vive Cristina en Madrid?
2. ¿Es ella madrileña?
3. ¿En qué calle vive ella?
4. ¿Vive ella con la familia?
5. ¿Viven ellos en la planta baja?
6. ¿En qué piso viven?

Lectura cultural

En las grandes ciudades

En los países hispánicos la mayoría[*] de la gente vive en las grandes ciudades. Por consiguiente, muchas familias viven en apartamentos. Es verdad que hay también suburbios con casas particulares en las afueras de las ciudades. Pero la mayoría de la gente vive en las ciudades; no vive en los suburbios.

En las ciudades de España, como Madrid y Barcelona, los edificios no son muy altos. Al contrario, en muchas ciudades de Latinoamérica, como Caracas y Bogotá, hay edificios muy altos como en las ciudades de los Estados Unidos.

Como[*] muchas familias viven en las ciudades, mucha gente va a casa al mediodía. Toman el almuerzo en casa. No toman el almuerzo en un restaurante o en un café. Por lo general el almuerzo es una comida bastante importante. Comen sopa, ensalada, carne y legumbres. La cena es una comida bastante ligera.[*] En muchos países hispánicos la familia cena a eso de[*] las ocho. En España no cenan hasta las nueve y media o las diez de la noche.

---

[*]**mayoría** *majority* [*]**Como** *Since* [*]**ligera** *light* [*]**a eso de** *at about*

104

Ejercicio Escojan. *(Choose.)*

1. En los países hispánicos, la mayoría de la gente vive en _____.
    a. los suburbios
    b. apartamentos en las grandes ciudades
    c. casas particulares

2. Muchas familias viven en apartamentos porque _____.
    a. viven en las grandes ciudades
    b. viven en las afueras de las ciudades
    c. no hay suburbios

3. Los edificios son muy altos en _____.
    a. las ciudades de España
    b. muchas ciudades de Latinoamérica
    c. los suburbios

4. Muchas familias toman el almuerzo en _____.
    a. un restaurante
    b. una cafetería
    c. casa

5. _____ es una comida bastante importante para las familias hispánicas.
    a. El desayuno
    b. El almuerzo
    c. La cena

6. En muchos países las familias cenan _____.
    a. a eso de las diez
    b. al mediodía
    c. a eso de las ocho

Actividades

1 Entrevista

- ¿Vives en una ciudad, en un suburbio o en el campo?
- ¿Vives en un apartamento o en una casa particular?
- ¿En qué calle vives?
- ¿En qué ciudad o pueblo vives?
- ¿A qué hora tomas el almuerzo?
- ¿Al mediodía comes en casa o en la cafetería de la escuela?
- ¿Es el almuerzo una comida muy importante o es una comida ligera?
- ¿A qué hora cenas?
- ¿A qué hora cenan en muchos países de Latinoamérica?
- ¿A qué hora cenan en España?

2 Make a list of the things that you do after dinner.

Después de cenar yo:

1. . . . . .
2. . . . . .
3. . . . .
4. . . .

3 Answer the following questions based on the illustrations.

- ¿Come la familia en el comedor o en la cocina?
- ¿Qué comen?
- Después de la comida, ¿van a la sala?
- ¿Leen el periódico?
- ¿Miran la televisión?
- ¿Ven una película en la televisión?

4

Speak about the photographs. Say all you can about them.

5

Have a contest with a classmate. In three minutes make up as many questions as you can about the preceding photographs. Whoever makes up the most questions is the winner.

6

Así soy yo.

Let's keep going. Pretend you are writing a letter to your pen pal in Latin America. Think of all you can say about yourself in Spanish. Tell your friend some things about your school life:

- what subjects you study
- who your teachers are
- what courses are fun
- what courses are easy or difficult
- in what subjects you get good or bad grades

Continue by telling your friend some of the things you do after school. Let him or her know:

- where you live
- some of the things you do at home after school
- some of the things you eat for dinner
- where you eat
- with whom you eat
- that you sometimes watch a movie on television but that you also study
- that you sometimes speak with a friend on the telephone
- what you talk about on the telephone
- who your telephone companion is
- what he or she is like

Revista

Apartamentos en Santiago de Chile

Apartamentos en Madrid, España

Una casa particular en la Ciudad de México

Una casa particular en Venezuela

EDIFICIO COCHABAMBA 13

VISITE EL PISO PILOTO

A 20 MTS. DEL PASEO DE
1 DORM. 4.975.0
2 DORM. 5.875.00
CON SALONES DE 30 Y 35 M

La familia Iriarte vive en la Ciudad de México. Ellos toman el almuerzo en casa. ¿Comen ellos en el comedor o en la cocina? ¿Es una comida ligera? ¿Qué comen ellos?

Graciela Tejada lee el periódico «El País» en un quiosco de Madrid. ¿Hay muchas revistas en el quiosco también?

Repaso

La familia Ureña vive en un apartamento en la ciudad de Caracas. Caracas es la capital de Venezuela. Ellos viven en el cuarto piso de un edificio alto en la avenida Simón Bolívar.

Isabel y Rafael Ureña asisten a un colegio privado en la capital. Ellos toman muchos cursos. Son muy listos y sacan muy buenas notas. En el colegio ellos estudian inglés. Ellos aprenden mucho. Ellos hablan mucho en la clase de inglés. A veces cantan también. El profesor de inglés es el señor Brown. Él es de Chicago pero ahora vive en Caracas y enseña inglés en el colegio de Isabel y Rafael. El señor Brown es muy simpático. Isabel y Rafael son muy aficionados al inglés.

Después de las clases, Isabel y Rafael y otros amigos del colegio van a un café. En el café hablan y toman una limonada. Luego van a casa. En casa cenan con la familia. Después de la cena ellos estudian. Luego van a la sala donde miran la televisión.

Ejercicio 1 Corrijan las oraciones falsas. *(Correct the false statements.)*

1. La familia Ureña vive en una casa privada.
2. Ellos viven en Bogotá, la capital de Colombia.
3. Ellos viven en la planta baja de un edificio pequeño en la avenida San Martín.
4. Isabel y Rafael asisten a una escuela pública en las afueras de Caracas.
5. En la escuela ellos toman dos cursos y sacan muy malas notas.
6. Ellos estudian francés.
7. El profesor de inglés es de Caracas.
8. Después de las clases, Isabel y Rafael trabajan en una tienda.
9. Luego ellos van a un restaurante donde cenan con la familia.

El presente de los verbos regulares

Review the following forms of the present tense of regular **-ar, -er,** and **-ir** verbs.

Infinitive	hablar	comer	vivir
yo	hablo	como	vivo
tú	hablas	comes	vives
él, ella, Ud.	habla	come	vive
nosotros, -as	hablamos	comemos	vivimos
(vosotros, -as)	(habláis)	(coméis)	(vivís)
ellos, ellas, Uds.	hablan	comen	viven

Ejercicio 2 Contesten. *(Answer.)*

1. ¿Estudias español?
2. En la clase de español, ¿hablas? ¿Lees y escribes también?
3. A veces, ¿cantan Uds. en la clase de español?
4. ¿Toca el (la) profesor(a) la guitarra?
5. ¿Leen y escriben Uds. mucho en la clase de español?
6. Después de las clases, ¿trabajas?

Ejercicio 3 Completen. *(Complete.)*

1. Nosotros somos muy inteligentes. En la escuela nosotros _____ (tomar) muchos cursos. Nosotros _____ (aprender) mucho. _____ (Leer) muchos libros y _____ (escribir) muchas composiciones.
2. La señora Mariscal es la profesora de español. Ella _____ (enseñar) muy bien. A veces ella _____ (cantar) y _____ (tocar) la guitarra. Los alumnos de la señora Mariscal _____ (aprender) mucho. Muchos alumnos de la señora Mariscal _____ (recibir) muy buenas notas porque _____ (trabajar) mucho en la clase de la señora Mariscal. Ella es una profesora simpática.

Los verbos *ir, dar, estar*

Review the forms of the present tense of the verbs **ir, dar,** and **estar.**
Remember to pay particular attention to the **yo** form.

Infinitive	ir	dar	estar
yo	**voy**	**doy**	**estoy**
tú	vas	das	estás
él, ella, Ud.	va	da	está
nosotros, -as	vamos	damos	estamos
(vosotros, -as)	(vais)	(dais)	(estáis)
ellos, ellas, Uds.	van	dan	están

Ejercicio 4 Completen. *(Complete.)*

Carlos   ¡Hola, Roberto! ¿Cómo _____ (estar) hoy?

Roberto   _____ (Estar) muy bien, gracias. ¿Y tú? ¿Cómo _____ (estar), hombre?

Carlos   Yo también _____ (estar) muy bien. ¿Adónde _____ (ir) ahora?

Roberto   Ahora yo _____ (ir) al café León. ¿Y tú? ¿Adónde _____ (ir)?

Carlos   Yo _____ (ir) a casa.

Lectura cultural

opcional

un mercado al aire libre

un puesto

una canasta

El regateo* en un mercado

María Cortés es una muchacha mexicana. Cuando ella va de compras, ella va a un mercado grande al aire libre. En el mercado hay muchos puestos. Ella va de un puesto a otro. En uno compra carne. En otro compra legumbres.

En un puesto María ve una canasta bonita. Ella mira la canasta.

El empleado da un precio pero María paga otro. Es el regateo. En el mercado María siempre* regatea.* Pero cuando ella va a un supermercado moderno o a una tienda elegante, ella no regatea. Ella paga un precio fijo.*

---

regateo *bargaining*   *cara* *expensive*   *siempre* *always*   *regatea* *bargains*
fijo *fixed*

Ejercicio 1   Escojan. *(Choose.)*

1. María Cortés es de _____.
   a. México
   b. Colombia
   c. Costa Rica

2. Ella va a _____.
   a. una tienda especializada
   b. un supermercado
   c. un mercado grande al aire libre

3. En el mercado hay _____.
   a. muchas tiendas
   b. muchos puestos
   c. muchas pastelerías

4. En un puesto María ve _____.
   a. un cuaderno
   b. una canasta
   c. una caja

5. María compra la canasta y paga _____.
   a. cien pesos
   b. trescientos pesos
   c. doscientos pesos

6. María siempre regatea en _____.
   a. el supermercado
   b. la tienda
   c. el mercado

Ejercicio 2   Preguntas personales   *(Answer the following personal questions.)*

- A veces, ¿compras comida?
- ¿Vas a un mercado al aire libre o vas a un supermercado?
- ¿A qué supermercado vas? ¿Dónde está?
- ¿Hay muchos puestos distintos en el supermercado?
- En el supermercado, ¿regateas?

- ¿Pagas un precio fijo?
- ¿Regatean los mexicanos en un supermercado?
- ¿Regatean ellos en los mercados al aire libre?
- ¿Regateas tú a veces?

Un mercado en Madrid

El mercado «La Lagunilla», Ciudad de México

Lectura cultural

el parque

un lago

un barquito

Los amigos reman.

El señor vende refrescos.

Un domingo en el parque

En las ciudades de los países hispánicos hay muchos parques bonitos—el Retiro en Madrid, el Parque Palermo en Buenos Aires, el Bosque de Chapultepec en México.

Los parques en las ciudades hispánicas son muy populares. Mucha gente va a los parques los domingos. Pasan˚ toda la tarde en el parque. En el parque hay muchos puestos donde venden helados y otros refrescos. Los amigos toman una merienda, hablan, cantan, dan un paseo˚ o descansan.˚

En el Bosque de Chapultepec y también en el Retiro y en el Parque Palermo hay un lago muy bonito. A veces la gente alquila˚ un barquito y rema en el lago.

˚**Pasan** *They spend, pass (time)* ˚**dan un paseo** *take a walk* ˚**descansan** *rest*
˚**alquila** *rent*

114

Ejercicio Contesten. *(Answer.)*

1. ¿Cuál es el parque famoso de Madrid?
2. ¿Cuál es el parque famoso de Buenos Aires?
3. ¿Cuál es el parque famoso de México?
4. ¿Cómo son los parques?
5. ¿Cuándo va mucha gente al parque?
6. ¿Qué venden en los puestos en el parque?
7. ¿Qué toman los amigos?
8. A veces, ¿dan un paseo en el parque?
9. ¿En qué parques hay un lago?
10. ¿Qué alquila la gente?
11. ¿Dónde reman?

115

las montañas

el techo

la paja

las piedras

el vestido

el maíz

las tortillas

el suelo

La vida en un pueblo indio

Elena Kunil es una muchacha india. Ella vive en un pueblo pequeño en las montañas de Guatemala, en Centroamérica. Ella vive en una casa de piedra con techo de paja. La familia de Elena no come en el comedor. En la casa no hay comedor. La familia come en el suelo delante de* la casa. Ellos no comen papas, carne y ensalada. Ellos comen habichuelas y tortillas de maíz.

Después de la comida, Elena no lee el periódico. No reciben periódicos en el pueblo donde vive. Y ella no ve una película en la televisión. No hay televisión en la casa de Elena.

La familia de Elena no habla mucho español. Ellos hablan una lengua* india. Elena no aprende el español en la escuela porque* ella no asiste a la escuela. La falta* de educación y la falta de nutrición son grandes problemas sociales en muchas regiones remotas de Latinoamérica.

Luego, ¿cómo es la vida* social de Elena? Pues, los domingos ella va al mercado con la familia. El mercado no está cerca de* la casa. Está lejos.* Ellos van al mercado a pie.* Ellos llevan* mucho al mercado. En las canastas que llevan hay productos que venden en el mercado. Con el dinero que reciben compran cosas que necesitan en casa.

En el mercado Elena habla con los amigos que viven en otros pueblos. Las muchachas que son de otros pueblos no llevan* el mismo vestido* que lleva Elena. Todas las señoras y todas las muchachas que viven en el mismo pueblo llevan el mismo vestido.

---

*delante de *in front of*	*lengua *language*	*porque *because*	*falta *lack*
*vida *life*	*cerca de *near*	*lejos *far*	*a pie *on foot*	*llevan *carry*
*llevan *wear*	*vestido *dress*		

Ejercicio 1

*Look at these photographs and
tell all you can about a
young girl's life in a remote,
mountainous village of Guatemala,
Central America.*

Ejercicio 2

*Complete the following statements and make comparisons between your life and
the life of Elena Kunil.*

1. Elena Kunil vive en un pueblo remoto en las montañas de Guatemala, pero
   yo . . .
2. La familia de Elena come en el suelo delante de la casa, pero yo . . .
3. Elena come habichuelas y tortillas de maíz, pero yo . . .
4. Elena Kunil no lee el periódico porque no reciben periódicos en el pueblo donde
   vive, pero yo . . .
5. Elena Kunil no asiste a la escuela, pero yo . . .

9 UN árbol genealógico

La familia Fuentes

el abuelo   la abuela   el abuelo   la abuela

el tío   la tía   el padre   la madre

el primo   la prima   los hijos

el hermano   la hermana

Es la familia Fuentes.
El señor y la señora Fuentes **tienen** dos **hijos.**
Tienen también un **perrito.**

Ejercicio 1   El señor y la señora Fuentes
Contesten. *(Answer.)*

1. ¿Tienen dos hijos el señor y la señora Fuentes?
2. ¿Tienen ellos un perrito también?
3. ¿Tienen primos Sarita y Pablo?
4. ¿Tienen ellos abuelos?
5. ¿Tiene un hermano Sarita?
6. ¿Tiene una hermana Pablo?

Ejercicio 2   La familia Fuentes
Lean el párrafo. *Read the paragraph. (The words in dark type are new. Can you guess their meanings by referring to the family tree?)*

El señor y la señora Fuentes son los padres de Pablo y Sarita. El señor Fuentes es **el marido** de la señora Fuentes y la señora Fuentes es **la esposa (la mujer)** del señor Fuentes. Los padres del señor Fuentes y los padres de la señora Fuentes son los abuelos de Pablo y Sarita. Pablo y Sarita son **los nietos** de sus abuelos. Los hermanos de los padres de Pablo y Sarita son sus tíos. Sarita y Pablo son **los sobrinos** de sus tíos. Los hijos de sus tíos son los primos de Sarita y Pablo.

Note that the masculine plural form of a noun is used to include all members of that particular group.

el señor y la señora	→	**los señores**
el padre y la madre	→	**los padres**
el hijo y la hija	→	**los hijos**
el sobrino y la sobrina	→	**los sobrinos**

We have already learned about false cognates. The word **pariente** is another false cognate. It looks like the English word *parent*, but its real meaning in English is *relative*.

Ejercicio 3   Los parientes
Completen el diccionario.
(Complete the dictionary.)

. . . el padre de su padre o de su madre
. . . la hermana de su padre
. . . el hermano de su madre
. . . los hijos de sus tíos
. . . los hijos de sus hermanos

119

εstructura

El presente del verbo *tener*

The verb **tener** is a very useful and important verb. The verb **tener** is irregular. Study the following forms.

Infinitive	tener
yo	tengo
tú	tienes
él, ella, Ud.	tiene
nosotros, -as	tenemos
(vosotros, -as)	(tenéis)
ellos, ellas, Uds.	tienen

Note that the endings of the verb **tener** are the same as those of a regular **-er** verb. Note also that the **yo** form has a **g** and that the **e** in the stem changes to **ie** in the **tú, él,** and **ellos** forms.

La edad

Note that the verb **tener** is used to express age.

¿Cuántos años tienes?	*How old are you?*
Yo tengo dieciséis años.	*I'm 16 years old.*

Ejercicio 1   Los señores tienen dos hijos.
Contesten. *(Answer.)*

1. ¿Tienen los señores Fuentes dos hijos?
2. ¿Tiene Sarita un hermano?
3. ¿Tiene Pablo una hermana?
4. ¿Tienen ellos un perrito?

Ejercicio 2   ¿Tienes una hermana?
Practiquen la conversación. *(Practice the conversation.)*

— Oye, Diego. ¿Tienes una hermana?
— Sí. Tengo una hermana.
— ¿Cuántos años tiene ella?
— Ella tiene catorce años.
— ¿Tienen Uds. un perrito?
— No, no tenemos un perrito. Tenemos un gato.

Ejercicio 3 ¿Cuántos hermanos tienes?

Preguntas personales *(Personal questions)*

1. ¿Tienes hermanos?
2. ¿Cuántos hermanos tienes?
3. ¿Tienes primos?
4. ¿Cuántos primos tienes?
5. ¿Tienes un perro o un gato?
6. ¿Cuántos años tienes?

Ejercicio 4 ¿Tienes . . . ? Sí, tengo . . . .

Ask a friend questions using the **tú** *form of the verb* **tener** *and the words below. Then have your friend answer your questions.*

1. un hermano
2. una hermana
3. un primo
4. una prima
5. un perro
6. un gato

Ejercicio 5 ¿Tiene Ud . . . ?

Ask your teacher questions using the **Ud.** *form of the verb* **tener** *and the words below.*

1. hijos
2. hermanos
3. primos
4. un perro o un gato

Ejercicio 6 ¿Qué tienen Uds.?

Sigan el modelo. *(Follow the model.)*

Tenemos una casa en las afueras de Madrid.
¡Perdón! ¿Qué tienen Uds.?

1. Tenemos un apartamento en Madrid.
2. Tenemos una casa en las afueras.
3. Tenemos un perrito adorable.
4. Tenemos un gato divertido.

Ejercicio 7 Sí, tenemos . . . .

Contesten con *nosotros.* *(Answer with the* **nosotros** *form.)*

1. ¿Tienen Uds. una casa particular?
2. ¿Tienen Uds. un apartamento?
3. ¿Tienen Uds. un perro?
4. ¿Tienen Uds. un gato?
5. ¿Tienen Uds. una familia grande?

Ejercicio 8 La familia Flores

Enrique   Josefa

Completen con _tener._ *(Complete with **tener**.)*

Es la familia Flores. Ellos _____ un apartamento (piso) en Madrid. Ellos
_____ una casa en la costa también.

En la familia Flores hay cuatro personas: la madre, el padre y los dos hijos.
Enrique, el hijo, _____ una hermana. Josefa, la hija, _____ un hermano.
Enrique _____ dieciséis años y Josefa _____ dieciocho.

¿Cuántos años _____ tú? ¿Y cuántos hermanos _____? ¿_____ Uds. un
gato? ¿_____ Uds. un perro?

Yo soy Felipe. Yo _____ quince años. Yo _____ dos hermanos. Nosotros
_____ un gato adorable, pero no _____ perro.

La expresión *tener que*

The expression **tener que** means *to have to*. Note that **tener que** is followed by
the infinitive, the form of the verb that ends in **-ar, -er,** or **-ir**. Observe the
following.

Yo tengo que preparar la comida.
Tenemos que comer.
Y luego tenemos que ir al concierto.

Ejercicio 9 ¡Ay! ¡Cómo tengo que trabajar!
Preguntas personales

1. ¿Tienes que trabajar mucho en la clase de español?
2. ¿Tienes que hablar español en la clase de español?
3. ¿Tienes que estudiar mucho?
4. ¿Tienen Uds. que leer mucho?
5. ¿Tienen Uds. que aprender la gramática?
6. ¿Tienen Uds. que escribir muchas composiciones?

Ejercicio 10 Tenemos que aprender mucho.
Completen. *(Complete.)*

1. En la clase de español, nosotros _____ que habl____ mucho.
2. Todos los alumnos _____ que comprend____, habl____, le____ y escrib____.
3. A veces un(a) alumno(a) _____ que mir____ un dibujo y _____ que habl____
   de lo que ve en el dibujo.
4. Nosotros _____ que aprend____ mucho en la clase de español.

Los adjetivos posesivos

The possessive adjectives—*my, your, his, her, our, their*—are used to express possession or ownership. As with other adjectives, the possessive adjectives in Spanish must agree with the nouns they modify. Note that the adjectives **mi, tu,** and **su** have only two forms, singular and plural. Observe the following.

mi libro y mi carta	**mis libros y mis cartas**
tu libro y tu carta	**tus libros y tus cartas**
su libro y su carta	**sus libros y sus cartas**

The possessive adjective **su** also has only two forms. The adjective **su** can refer to many persons. For this reason, it has many meanings in English. It can mean *his, her, their,* or *your.*

el libro de Roberto	**su libro**
el libro de Susana	**su libro**
el libro de Ud.	**su libro**
el libro de Roberto y Susana	**su libro**
el libro de Uds.	**su libro**

Usually the meaning of the possessive adjective **su** is clear from its use in the sentence. If there should be any confusion, the preposition **de** plus a pronoun can be used.

el libro de Roberto	**el libro de él**
el libro de Susana	**el libro de ella**
el libro de Ud.	**el libro de Ud.**
el libro de Felipe y Roberto	**el libro de ellos**
el libro de Susana y María	**el libro de ellas**
el libro de Uds.	**el libro de Uds.**

Note that since the possessive adjective **nuestro** *(our)* ends in **-o,** it has four forms—**nuestro, nuestra, nuestros, nuestras**—the same as any other adjective that ends in **-o.**

nuestro apartamento	**nuestros apartamentos**
nuestra casa	**nuestras casas**

The possessive adjective **vuestro** corresponds to the subject pronoun **vosotros** and it is used in Spain when talking to two or more friends. Like **nuestro,** the adjective **vuestro** has four forms: **vuestro, vuestra, vuestros, vuestras.**

Ejercicio 11 Aquí está mi . . . .

Contesten según el modelo. *(Answer according to the model.)*

¿Dónde está tu cuaderno?
Aquí está mi cuaderno.

1. ¿Dónde está tu amigo?
2. Y tu amiga, ¿dónde está?
3. ¿Dónde está tu libro?
4. ¿Dónde están tus amigos?
5. ¿Dónde están tus libros?

Ejercicio 12 ¿Tienes tu . . . ?
Sigan el modelo. *(Follow the model.)*

Tengo mi libro.
Ricardo, ¿tienes tu libro también?

1. Tengo mi cuaderno.
2. Tengo mi disco.
3. Tengo mi guitarra.

4. Tengo mis libros.
5. Tengo mis apuntes.
6. Tengo mis cartas.

Ejercicio 13 ¿Y su hermano . . . ?
Sigan el modelo. *(Follow the model.)*

¿Está el hermano de Juanito?
Sí, sí. Su hermano está.

1. ¿Está el primo de Juanito?
2. ¿Está el amigo de Juanito?
3. ¿Está la hermana de Juanito?

4. ¿Está la amiga de Juanito?
5. ¿Están los primos de Juanito?
6. ¿Están los amigos de Juanito?

Ejercicio 14 ¿De quién?
Sigan el modelo. *(Follow the model.)*

Es el hermano de Susana.
Su hermano es muy simpático.

1. Es el amigo de Susana.
2. Es el primo de Susana.
3. Es la madre de Susana.

4. Es la hermana de Susana.
5. Son los hermanos de Susana.
6. Son los amigos de Susana.

Ejercicio 15 En nuestra clase de español
Contesten. *(Answer.)*

1. ¿Hablan Uds. con su profesor(a) de español?
2. ¿Leen Uds. su libro de español?
3. ¿Escriben Uds. en su cuaderno?

4. ¿Miran Uds. sus notas?
5. ¿Hablan Uds. con sus amigos en la clase de español?

Ejercicio 16 Los Ochoa y su familia
Contesten. *(Answer.)*

1. ¿Está el apartamento de la familia Ochoa en Madrid?
2. ¿Viven sus parientes en Madrid también?

3. A veces, ¿van ellos a la casa de sus parientes?
4. ¿Comen en su casa?
5. ¿Hablan ellos con sus parientes?

Ejercicio 17 Mi familia

Completen con el adjetivo posesivo apropiado. (*Complete with the appropriate possessive adjective.*)

Yo tengo cuatro primos. _____ primos no viven en _____ casa. Yo vivo con _____ padres y ellos viven con _____ padres. _____ prima Adela tiene un hermano. _____ hermano es Carlos. Adela y Carlos son los hijos de _____ tía Isabel. _____ tía Isabel es la hermana de _____ padre. _____ marido es _____ tío Enrique. _____ otros dos primos son Paco y Tadeo. Ellos son los hijos de _____ tío Ricardo. _____ tío Ricardo es el hermano de _____ madre. _____ esposa es _____ tía Gertrudis. Ellos tienen un perro. _____ perro es Chispa. Nosotros no tenemos perro. Tenemos un gato. _____ gato es Estrella.

Oye, amigo. ¿Cuántas personas hay en _____ familia? ¿Es grande o pequeña _____ familia? ¿Tienes muchos primos? ¿Dónde viven _____ primos?

Pronunciación
Las consonantes *b, v*

There is no difference in pronunciation between a **b** and a **v** in Spanish. The **b** or **v** sound is somewhat softer than the sound of an English *b*. When making the **b, v** sound in Spanish, the lips barely touch.

ba	**be**	**bi**	**bo**	**bu**
bajo	bebé	bien	botella	burrito
trabaja	escribe	biología	recibo	bueno
sábado		rubio		abuelo

va	**ve**	**vi**	**vo**	**vu**
va	ve	viudo	vosotros	vuelo
vamos	avenida	vive	favor	vuestro
	nueve	televisión		
	verano	revista		
	primavera	viento		
		invierno		

Trabalenguas y dictado

El joven vive en la avenida Vigo.
El bebé escribe en la revista.
El joven rubio ve el burro en la televisión.
Benito trabaja con Bárbara en la clase de biología.

Nota

v de «vaca»   **b de «burro»**

Since it is difficult to determine whether a word is spelled with a **b** or a **v**, Spanish speakers will sometimes ask **¿v de «vaca» o b de «burro»?**

conversación

¿Cuántos hermanos tienes?

Ejercicio   Contesten. *(Answer.)*

1. ¿Cuántos hermanos tiene Tadeo?
2. ¿Cuántos años tiene su hermano?
3. ¿Cuántos años tiene su hermana?
4. ¿Quién es el bebé de la familia?
5. ¿Cuántos años tiene él?

Lectura cultural

La familia hispana

La familia tiene mucha importancia en la sociedad hispánica. Cuando un joven hispano habla de su familia, por lo general, no habla solamente* de sus padres y de sus hermanos. Habla también de sus abuelos, de sus tíos y de sus primos. En fin,* habla de todos sus parientes. Los padrinos* también son como miembros de la familia.

Muchas veces los abuelos viven con sus hijos y sus nietos—sobre todo* si un abuelo o una abuela es viudo o viuda.*

Aquí tenemos los nombres de varios miembros de una familia hispana. Los nombres también reflejan la importancia que tiene la familia de una persona.

el marido	la mujer
Arturo Guzmán Echeverría	María Cristina Blanco Robles

---

solamente   *only*   *En fin*   *In brief*   *padrinos*   *godparents*   *sobre todo*   *especially, above all*   *viuda(o)*   *widow(er)*

Toda la familia asiste a la boda, Ciudad de México

El marido tiene dos apellidos.* El apellido Guzmán es el apellido de su padre.
El apellido Echeverría es el apellido de su madre. Su mujer es María Cristina
Blanco Robles. Blanco es el apellido de su padre y Robles es el apellido de su madre.
Muchas veces la señora cambia* su nombre después del matrimonio.* Después del
matrimonio con el señor Guzmán Echeverría, ella toma el nombre María Cristina
Blanco de Guzmán. Mantiene* el apellido de su padre y toma también el apellido de
su marido.

El señor Guzmán Echeverría y su mujer María Cristina Blanco de Guzmán
tienen una hija—Alicia Guzmán Blanco. Ella tiene el apellido de su padre y el
apellido del padre de su madre—su abuelo materno.

Ejercicio Contesten. *(Answer.)*

1. ¿Qué tiene la familia en la sociedad hispánica?
2. Cuando un joven hispano habla de su familia, ¿habla solamente de sus padres
   y de sus hermanos?
3. ¿De quiénes habla?
4. Muchas veces, ¿viven los abuelos con sus hijos y sus nietos?

---

* **apellidos** *last names, surnames*   * **cambia** *changes*   * **matrimonio** *marriage*
* **Mantiene** *She keeps*

128

Actividades

1 Preguntas personales

Tell about your family. Give the following information:

- ¿Cuántas personas hay en tu familia?
- ¿Cuántos hermanos tienes?
- ¿Cuántos años tienen ellos?
- ¿Cuántos años tienes tú?
- ¿Dónde viven Uds.?
- ¿Tienen Uds. un perro o un gato?
- ¿Tienes muchos primos?
- ¿Dónde viven ellos?

2

Write a story about your favorite cousin or friend. Tell who he/she is, where he/she lives, describe the person, tell where he/she goes to school, tell some of the things he/she does.

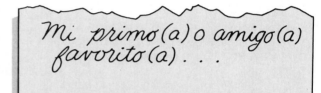

Mi primo(a) o amigo(a) favorito(a)...

3

Prepare your own family tree using the Hispanic system for taking last names. Use the blank family tree below as a guide.

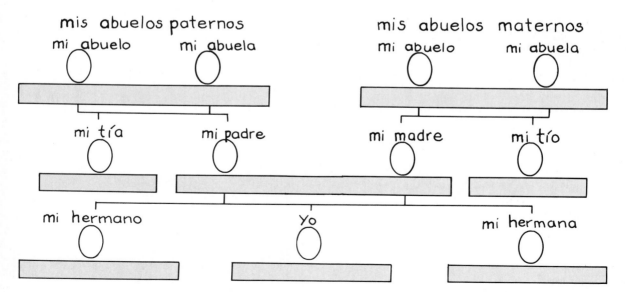

mis abuelos paternos

mi abuelo   mi abuela

mis abuelos maternos

mi abuelo   mi abuela

mi tía   mi padre   mi madre   mi tío

mi hermano   Yo   mi hermana

Revista

Abuelito con su
nieta en Santiago de
Compostela, España

Abuelita con su nieta
en Quito, Ecuador

El bautizo

- ¿Qué día tiene
  lugar el bautizo
  de Yolanda Sofía?
- ¿Dónde tiene
  lugar?
- ¿Quiénes son los
  padres de Yolanda
  Sofía?
- Y los padrinos,
  ¿son ellos marido
  y mujer?

Recuerdo del Bautizo

Yolanda Sofía

Nació:
el 2 de Octubre de 1981

Se Bautizó:
el 2 de Octubre de 1982
en el Templo de Belén

Cúsco

Padres:
Emilio Meza Gonzales
Carmela Salazar de Meza

Padrinos:
Francisco Ugarte Gamarra
María Dolores Asieto de Uga

Una familia mexicano-americana asiste
al bautizo de los gemelos en el sudoeste
de los Estados Unidos.

Toda la familia y todos los amigos
asisten al matrimonio en Madrid.
Llegan a la iglesia.

patricia fregoso olvera
y
joaquín de la cueva macias

nos uniremos en matrimonio con la
bendición de dios y de nuestros padres

eva martha
carlos
y
ana maria

el próximo día tres de mayo a las
doce treinta horas, en la iglesia de
san jerónimo. calle san jerónimo s/n,
oficiando la ceremonia el r. p. luis
gonzález morfin, s. j.

cuernavaca, mor. 1975

Aquí tenemos una invitación a una boda.
- ¿De quiénes anuncia el matrimonio?
- ¿Quiénes son los padres?
- ¿Qué día tiene lugar la boda?
- ¿En qué iglesia tiene lugar?
- ¿Dónde está la iglesia?
- ¿Está en México Cuernavaca?

¿Cuál es la fecha
del día del padre?

Junio 19, Día del Padre
camisa
Manhattan
INTERNATIONAL

131

10 Los hispanos en los EE. UU.

Vocabulario

contento(a)

triste

enfermo(a)

nervioso(a)

cansado(a)

la fiebre

la gripe

el catarro

el dolor de cabeza

la cama

el hospital

la consulta del médico

Ejercicio 1 ¿Cómo está?
Contesten según el dibujo.

1. ¿Está contenta o está triste la muchacha?

2. ¿Está contento o está triste el muchacho?

3. ¿Está enfermo o está bien el muchacho?

4. ¿Está enferma o está bien la muchacha?

5. ¿Está nervioso o está tranquilo el muchacho?

Ejercicio 2 El pobre Juanito está enfermo.
Aquí está el pobre Juanito. Él está enfermo.

1. ¿Tiene la gripe Juanito?
2. ¿Tiene fiebre?
3. ¿Tiene dolor de cabeza?
4. ¿Está en cama?
5. ¿Está en el hospital?

Ejercicio 3 Y tú, ¿estás de buen humor o estás de mal humor?
¿Estás de buen humor o estás de mal humor cuando . . .

1. estás enfermo(a)?
2. estás contento(a)?
3. estás nervioso(a)?
4. tienes catarro?
5. tienes la gripe?
6. tienes fiebre?
7. tienes dolor de cabeza?

Expresiones útiles

When Spanish speakers wish to express concern over something unpleasant they have just heard, they will often say:

¡Ay de mí!
¡Qué lástima!
¡Qué pena!

Ejercicio 4 ¡Ay de mí!
Sigan el modelo.

Estoy triste.
¡Ay de mí! ¡Qué lástima!

1. Estoy enfermo(a).
2. Estoy nervioso(a).
3. Tengo la gripe.
4. Tengo fiebre.
5. Tengo dolor de cabeza.

εstructura

Ser y *estar*

Origen y colocación

In Spanish there are two verbs that mean *to be*. They are **ser** and **estar**. These verbs have very distinct uses. The verb **ser** is used to express origin, where something or someone is from.

> **La muchacha es de Cuba.**
> **La guitarra es de España.**

The verb **estar** is used to express location, where something or someone is located.

> **Los alumnos están en la escuela.**
> **La televisión está en la sala.**

It is very important to remember that the verb **estar** is used for both a temporary location and a permanent location.

> **Madrid está en España.**
> **La casa está en la calle Velázquez.**

Ejercicio 1 Juan pregunta y tú contestas.

1. ¿Es de Cuba el muchacho?
2. ¿Es de Colombia la muchacha?
3. ¿Es de Guatemala el joven?
4. ¿Es de Puerto Rico la joven?
5. ¿Es de España la guitarra?
6. ¿Es de Puerto Rico la profesora?
7. ¿Son de México las fresas?
8. ¿Son de Venezuela las películas?

Ejercicio 2 ¿De dónde es su familia?
Preguntas personales

1. ¿De dónde es su abuelo?
2. ¿De dónde es su abuela?
3. ¿De dónde es su padre?
4. ¿De dónde es su madre?
5. ¿De dónde es Ud.?

Ejercicio 3 Tu amiga pregunta, ¿dónde está el apartamento?

1. ¿Está en España Madrid?
2. ¿Está la calle Velázquez en Madrid?
3. ¿Está el apartamento en la calle Velázquez?
4. ¿Está el apartamento en un edificio alto?
5. ¿Está en la planta baja el apartamento?
6. ¿Está también el hospital en la calle Velázquez?
7. ¿Está el médico en el hospital?
8. ¿Está la consulta del médico en el hospital?

Ejercicio 4 ¿En qué clase estás?
Preguntas personales

1. ¿Estás en la escuela ahora?
2. ¿En qué clase estás?
3. ¿Estás con tus amigos?
4. ¿Dónde está tu escuela?
5. ¿Dónde está tu casa?

Ejercicio 5 ¿De dónde es y dónde está ahora?
Contesten según la oración.

1. **Rosita es de Puerto Rico pero ahora está en España.**
   ¿De dónde es Rosita?
   ¿Dónde está Rosita ahora?
2. **Jesús es de España pero ahora está en México.**
   ¿De dónde es Jesús?
   ¿Dónde está él ahora?
3. **Inés es de Colombia pero ahora está en los Estados Unidos.**
   ¿De dónde es Inés?
   ¿Dónde está ella ahora?

Característica y condición

The verb **ser** is used to express a characteristic that does not change.

> **María es muy sincera.**
> **El edificio es muy alto.**

The verb **estar** is used to express a temporary condition.

> **Juanito está enfermo.**
> **Los muchachos están cansados.**

Ejercicio 6 ¿Quién es así?

Make up a sentence using the name of a person you know who has the particular characteristic listed below.

1. alto(a)
2. moreno(a)
3. rubio(a)
4. simpático(a)
5. divertido(a)
6. sincero(a)
7. atlético(a)
8. inteligente
9. fuerte
10. popular

Ejercicio 7 ¿Cómo es?
Contesten personalmente.

1. ¿Es interesante el periódico de tu ciudad?
2. ¿Es buena la película «E.T.»?
3. ¿Son populares los deportes en tu escuela?
4. ¿Es fácil el español?
5. ¿Es grande tu escuela?

Ejercicio 8 ¿Cómo está?
Contesten según el dibujo.

1. ¿Cómo está?

3. ¿Cómo está?

5. ¿Cómo está?

2. ¿Cómo está?

4. ¿Cómo está?

6. ¿Cómo está?

Ejercicio 9 ¿*Ser* o *estar*?
Formen oraciones según los modelos.

el médico / inteligente
El médico es inteligente.

Juanito / enfermo
Juanito está enfermo.

1. el libro / interesante
2. la joven / contenta
3. los muchachos / atléticos
4. el señor / enfermo
5. la ciudad / grande

6. el edificio / alto
7. mi amigo / cansado
8. Elena / triste
9. la tienda / elegante
10. el apartamento / pequeño

Ejercicio 10 Los alumnos están en la escuela.
Completen con *ser* o *estar*.

1. Los alumnos _____ en la escuela.
2. La profesora de español _____ de Cuba.
3. Ella _____ muy simpática.
4. Ella _____ en la escuela ahora.
5. Su casa _____ en Chicago.
6. Los libros que _____ en la clase _____ de España.

Ejercicio 11 Un amigo muy bueno
Completen con *ser* o *estar*.

Juanito _____ un amigo muy bueno. Él _____ muy atlético. _____ muy inteligente también. Y además _____ sincero y simpático. Siempre _____ de buen humor. Él _____ muy divertido. Pero hoy él no _____ de buen humor. Él _____ de mal humor. _____ muy cansado. Tiene dolor de cabeza y _____ enfermo. Él tiene la gripe. _____ en casa. Él _____ en cama.

La casa de Juanito _____ en la calle once en Chicago. Juanito no _____ de Chicago. Él _____ de Nueva York pero ahora su familia _____ en Chicago. Sus padres no _____ de Nueva York. Sus padres _____ de Cuba y sus abuelos _____ de España. Juanito tiene una familia internacional. Pero ahora todos _____ en Chicago y _____ muy contentos. Su apartamento _____ muy bonito. _____ en el tercer piso de un edificio muy alto.

Los adjetivos de nacionalidad

Many adjectives of nationality end in either **-o** or **-e**. Adjectives of nationality that end in either **-o** or **-e** follow the same pattern as any other **-o** or **-e** adjective. Note that those that end in **-o** have *four* forms and those that end in **-e** have *two* forms.

el muchacho cubano	los muchachos cubanos
la muchacha cubana	las muchachas cubanas
el muchacho canadiense	los muchachos canadienses
la muchacha canadiense	las muchachas canadienses

However, there are many adjectives of nationality that end in a consonant. Unlike other adjectives that end in a consonant, adjectives of nationality ending in a consonant have *four* forms rather than two. Observe the following:

el muchacho español	los muchachos españoles
la muchacha española	las muchachas españolas

Adjectives of nationality that end in **-s** or **-n** have a written accent in the masculine singular. The accent is dropped in all other forms.

francés	franceses
francesa	francesas
inglés	ingleses
inglesa	inglesas
alemán	alemanes
alemana	alemanas

Ejercicio 12 ¿Es español el muchacho? ¡Claro que es español!
Sigan el modelo.

1. ¿Es español el libro?
2. ¿Son españoles los profesores?
3. ¿Es española la película?
4. ¿Son españolas las señoras?

Ejercicio 13 ¿De qué nacionalidad es?
Completen.

1. Carlos es _____. **español**
2. Teresa y Carmen son _____. **mexicano**
3. Ellos son _____. **argentino**
4. Isabel es _____. **portugués**
5. Las alumnas son _____. **francés**
6. Los señores son _____. **irlandés**
7. Ella es _____. **americano**
8. Él es _____. **inglés**

Ejercicio 14 ¿De dónde es?
Sigan el modelo.

Hans es de Alemania.
Es verdad. Hans es alemán.

1. Jesús es de España.
2. Los jóvenes son de México.
3. Colette es de Francia.
4. Ellos son de Alemania.
5. Los vestidos son de Inglaterra.
6. Los muchachos son de Cuba.
7. Elena es de Irlanda.
8. Ellos son de Portugal.

Pronunciación   Las consonantes *s, c, z*

The consonant **s** is pronounced the same as the *s* in the English word *sing*.

sa	**se**	**si**	**so**	**su**
sala	enseña	sí	peso	sur
casa	clase	así	sopa	Susana
saca	serio	necesita	sobrino	
ensalada		simpático	nervioso	

The consonant **c** in combination with **e** or **i** (**ce, ci**) is pronounced the same as an **s** in all areas of Latin America. In many parts of Spain, **ce** and **ci** are pronounced like a *th* as in the English word *thin*.

The consonant **z** in combination with **a, o,** or **u** (**za, zo, zu**) is also pronounced the same as an **s** throughout Latin America. In many areas of Spain, **za, zo,** and **zu** are pronounced like a *th*.

If you use the Latin American pronunciation, you will have to be very careful when you spell words that contain an **s**, a **c**, or a **z**.

za	**ce**	**ci**	**zo**	**zu**
cabeza	cena	ciudad	almuerzo	(zumo)
	necesita	ciudadano		
	francés	recibe		
		cocina		
		ciencia		
		fácil		
		difícil		

Trabalenguas y dictado

Susana cena en la cocina en casa.
El sobrino de Susana es sincero.
Toman el almuerzo a las doce y diez.
Cecilia tiene dolor de cabeza.

conversación

Ejercicio Completen según la conversación.

Roberto no _____ muy bien. Él _____ enfermo. Él _____ muy cansado y tiene _____ de cabeza. Cree que _____ fiebre. Mañana él tiene que ir al _____. Probablemente tiene la gripe.

norte

nordeste

este

oeste

sur

sudoeste

Los hispanos en los Estados Unidos

Hoy hay más de* doce millones de personas que viven en los Estados Unidos que son de origen hispano. Por eso, el español es un idioma* muy importante. Es el idioma de millones de personas en nuestro país y de millones más en España, México, Centroamérica, Sudamérica y el Caribe.

¿Quiénes son los hispanos que viven aquí en los Estados Unidos? Pues, hay muchos grupos. Algunos* son recién llegados.* Otros viven aquí desde antes de la llegada* de los *Pilgrims*. En el sudoeste y en Texas y California hay millones de mexicano-americanos. Muchos de ellos viven en ciudades que tienen nombres españoles como Laredo, El Paso, Santa Fe, Los Ángeles, San Francisco. Vemos su influencia en la arquitectura, en la comida y en palabras como «adobe, patio, rodeo, vista y taco».

Desde mil novecientos diecisiete los puertorriqueños son ciudadanos* de los Estados Unidos. Hay millones de puertorriqueños en las grandes ciudades del nordeste.

Un grupo de recién llegados son los cubanos. Hay muchos cubanos en Miami y también en ciudades del nordeste como Union City y West New York, New Jersey.

Hoy llegan nuevos* grupos. Hay muchos dominicanos, salvadoreños, guatemaltecos y nicaragüenses que viven en varias partes de los Estados Unidos. Es verdad que hay muchos grupos. Pero tienen mucho en común. Todos están orgullosos* de sus tradiciones, de su cultura y, sobre todo, de su idioma—el español.

Ejercicio ¿Verdadero o falso?

1. Hay millones de personas de origen hispano que viven en los Estados Unidos.
2. El español es el idioma de muchas personas en muchos continentes.
3. Todas las personas de origen hispano en los Estados Unidos son recién llegados.
4. Hay millones de mexicano-americanos en las grandes ciudades del nordeste.
5. Muchas ciudades del sudoeste, de Texas y de California tienen nombres españoles.
6. La palabra «patio» es una palabra de origen inglés.
7. Los cubanos son ciudadanos de los Estados Unidos desde 1917.
8. Todos los cubanos que viven en los Estados Unidos viven en Miami o en las afueras de Miami.
9. Hay millones de puertorriqueños en las grandes ciudades del nordeste.
10. Hoy llegan a los Estados Unidos otros grupos de personas de origen hispano.

---

más de more than *idioma* language *Algunos* Some *recién llegados* recent arrivals *desde antes de la llegada* since before the arrival *ciudadanos* citizens *nuevos* new *orgullosos* proud

Actividades

1 Here is a map of the United States. See if you can guess how many names of the states listed below are of Spanish origin.

- Illinois
- Nevada
- Massachusetts
- Florida
- Colorado

- Arizona
- Washington
- Montana
- New York

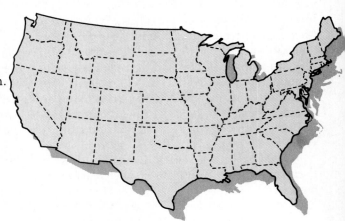

2 Make up five possible reasons in Spanish for each of the following.

Yo estoy cansado(a) porque . . .

Yo estoy triste porque . . .

Yo estoy contento(a) porque . . .

3

El cuerpo humano

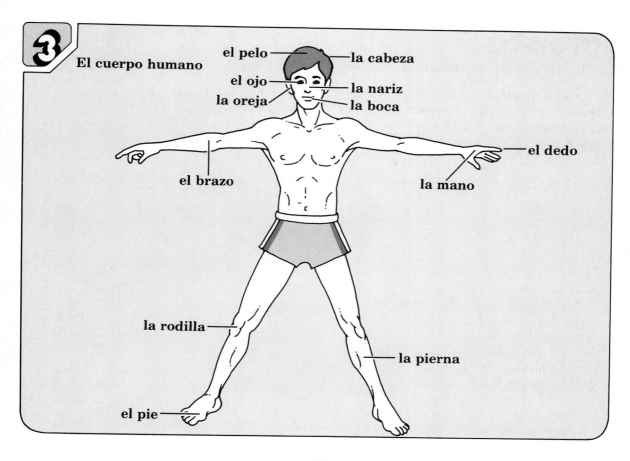

el pelo — la cabeza
el ojo — la nariz
la oreja — la boca
el dedo
el brazo
la mano
la rodilla
la pierna
el pie

 ojos azules   **ojos castaños**  **brazos largos** **brazos cortos**

- ¿Tienes el pelo rubio, castaño o negro?
- ¿Tienes ojos castaños o azules?
- ¿Tienes una nariz larga o corta?

- ¿Tienes una boca grande o pequeña?
- ¿Tienes los brazos largos o cortos?

4

¡Aquí tenemos un monstruo!

- ¿Es alto o bajo?
- ¿Es grande o pequeño?
- ¿De qué color son los ojos?
- ¿Cómo es la nariz?
- Y la boca, ¿cómo es?
- ¿Cómo son los brazos? ¿Y los pies? ¿Y las piernas?

Revista

En el sudoeste de los Estados Unidos hay mucha gente de ascendencia mexicana. La señora Villegas enseña una clase bilingüe en una escuela de Texas. ¿En qué idiomas enseña la señora Villegas?

Jackie Navarro es una joven de origen cubano. Ahora Jackie vive en Miami. ¿En qué otra parte de los EE. UU. vive mucha gente de ascendencia cubana?

El cinco de mayo hay celebraciones y desfiles en las ciudades del sudoeste de los EE. UU. ¿Por qué celebran los mexicano-americanos el cinco de mayo?

Cada año en la ciudad de Nueva York hay un desfile en la Quinta Avenida en honor de los ciudadanos puertorriqueños de la ciudad.

El señor Nathan Quiñones es un ex-profesor de español. El señor Quiñones es de ascendencia puertorriqueña. Él es el antiguo canciller de todas las escuelas de la ciudad de Nueva York—el sistema escolar más grande de nuestro país.

Aquí tenemos otras personas famosas que son de origen hispano. ¿Sabes quiénes son?

Katherine Ortega es de origen mexicano. ¿Quién es ella?

Hernán Badillo es de origen puertorriqueño. ¿Quién es él?

Gloria Rojas es de origen puertorriqueño también. ¿Quién es ella?

11 El cumpleaños

vocabulario

En la tienda de ropa para caballeros

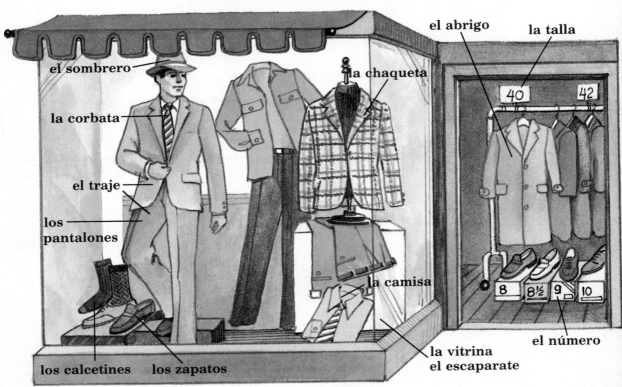

el sombrero
la corbata
el traje
los pantalones
los calcetines
los zapatos
la chaqueta
el abrigo
la talla
40 42
8 8½ 9 10
el número
la vitrina
el escaparate

Ejercicio 1 ¿Qué venden en una tienda de ropa para señores?

1.

2.

3.

4.

5.

6.

146

En la tienda de ropa para señoras

el sombrero

el suéter

la falda

las medias

el vestido

la blusa

la manga corta

la manga larga

los zapatos (de tacón alto)

Ejercicio 2   ¿Qué venden en una tienda de ropa para señoras?

1.

2.

3.

4.

5.

6.

Ejercicio 3   ¿Cómo es la ropa?
Contesten.

1. ¿Tiene mangas largas
   o mangas cortas la blusa?

2. ¿Tiene mangas largas
   o mangas cortas la camisa?

3. ¿Tiene rayas la camisa?

5. ¿Cuál es el número de los zapatos?

4. ¿Tienen tacones altos o bajos los zapatos?

6. ¿Cuál es la talla del traje?

Roberto está en la tienda de ropa.
Va a comprar **un regalo** para Clarita.

Mañana Clarita va a **cumplir** quince **años**.
Es su **cumpleaños**.

La familia va a **dar una fiesta**.
Van a **invitar** a sus amigos.

Ejercicio 4   ¿Cuántos años va a cumplir Clarita?
Contesten.

1. ¿Cuántos años va a cumplir Clarita?
2. ¿Cuándo va a cumplir quince años?
3. ¿Cuándo es su cumpleaños?
4. ¿Quién está en la tienda de ropa?
5. ¿Qué va a comprar Roberto?
6. ¿Para quién va a comprar un regalo?
7. ¿Va a dar la familia de Clarita una fiesta?
8. ¿Van a invitar a sus amigos a la fiesta?

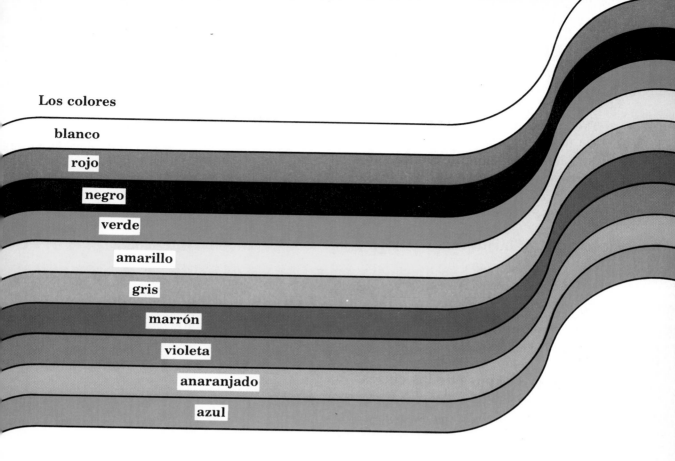

Los colores

blanco

rojo

negro

verde

amarillo

gris

marrón

violeta

anaranjado

azul

Ejercicio 5 ¿De qué color es?
Contesten.

1. ¿De qué color son los calcetines?
2. ¿De qué color es la blusa?
3. ¿De qué color es la corbata?
4. ¿De qué color es el suéter?
5. ¿De qué color es la falda?
6. ¿De qué color es la camisa?

Estructura

Ir a con el infinitivo

The expression **ir a** followed by the infinitive is used to express what *is going to* happen in the near future.

> **Elena va a cumplir quince años.**
> **Sus padres van a dar una fiesta.**
> **Yo voy a ir a la fiesta.**

The **ir a** + *infinitive* construction corresponds to the English *to be going to*.

Ejercicio 1   Clarita va a cumplir quince años.
Contesten.

1. ¿Va a cumplir quince años Clarita?
2. ¿Van a dar una fiesta sus padres?
3. ¿Van a invitar a sus amigos?
4. ¿Van a comer durante la fiesta?
5. ¿Vas a ir a la fiesta?
6. ¿Vas a comprar un regalo para Clarita?
7. ¿Vas a comprar una blusa?
8. ¿Vas a ir a la tienda con Roberto?
9. ¿Van Uds. a mirar la ropa en el escaparate?

Ejercicio 2   Después de las clases . . .
Sigan el modelo.

Después de las clases, voy a casa.
Después de las clases, voy a ir a casa.

1. Preparo una merienda.
2. Tomo la merienda con mis amigos.
3. Luego miramos la televisión.
4. Vemos una película en la televisión.
5. Luego, Pablo va a casa.
6. Él estudia.
7. Carmen y yo vamos a la tienda.
8. Compramos un regalo para Clarita.
9. Sus padres dan una fiesta.
10. Nosotros asistimos a la fiesta.

La *a* personal

Compare the sentences in each column.

Miro la televisión.
Veo la película.

Miro a Juanita.
Veo a la muchacha.

Note that the verbs in the first column are followed by a thing. The verbs in the second column are followed by a person. Whenever the direct object of a verb is a person, it must be preceded by the preposition **a.** This is called the **a personal** and it has no English equivalent.

There is only one exception to this rule and that is with the verb **tener.** The **a personal** never follows the verb **tener.**

> **Tengo dos amigos.**   **Tengo muchos primos.**

Ejercicio 3 ¿Qué ves o a quién ves?
Contesten.

1. ¿Miras el escaparate?
2. ¿Miras al empleado?
3. ¿Escuchas el disco?
4. ¿Escuchas a la profesora?

5. ¿Ves la camisa?
6. ¿Ves al muchacho?
7. ¿Recibes un regalo?
8. ¿Recibes a tus amigos?

Ejercicio 4 ¿Qué? ¿A quién?
Completen según el dibujo.

El español es fácil.

1. Juan mira _____.

3. Elena ve _____.

5. El profesor enseña _____.

2. Tadeo escucha _____.

4. Carmen ve _____.

6. Clarita recibe _____.

Pronunciación   Las consonantes *c, q*

We have already learned that **c** in combination with **e** or **i** (**ce, ci**) is pronounced like an **s**. The consonant **c** in combination with **a, o,** or **u** (**ca, co, cu**) has a hard **k** sound.

ca	co	cu
casa	color	cubano
cama	como	escucha
camisa	cocina	película
saca	come	secundaria
toca	taco	cuaderno
escaparate	blanco	cumpleaños

Since **ce, ci** have the soft **s** sound, **c** changes to **qu** when it combines with **e** or **i** (**que, qui**) in order to maintain the hard **k** sound.

que	qui
que	quien
chaqueta	química
parque	aquí
pequeño	quince

Trabalenguas y dictado

La chaqueta aquí en el escaparate es blanca.
Carmen come una comida cubana en casa.
Chico escucha discos cubanos en el parque.
¿Quién come comida rica aquí en el parque?

Expresiones útiles

Very often in English if we wish to be polite, instead of saying to someone *I want*, we can soften our request by saying *I would like*. There is an equivalent for this polite expression in Spanish. It is **Quisiera** followed by whatever it is that you would like.

As the person hands you what you would like, he/she will frequently say **Aquí tiene Ud. . . .** followed by whatever he/she is handing you.

conversación

En una tienda de ropa

Empleado	¿Sí, señor?
Enrique	Quisiera una camisa blanca, por favor.
Empleado	Sí, señor. ¿Con mangas largas o con mangas cortas?
Enrique	Con mangas cortas, por favor.
Empleado	¿Y qué talla necesita Ud.?
Enrique	Treinta y ocho, por favor.
Empleado	Aquí tiene Ud. una camisa blanca con rayas azules y aquí tiene otra sin rayas.
Enrique	Quisiera la camisa sin rayas, por favor.
Empleado	De acuerdo. ¿Algo más, señor?
Enrique	No, nada más, gracias. ¿Cuánto es?
Empleado	Quinientos pesos, señor.

Ejercicio Contesten.

1. ¿Adónde va Enrique?
2. ¿Qué va a comprar Enrique?
3. ¿Va a comprar una camisa con mangas cortas o con mangas largas?
4. ¿Qué talla necesita Enrique?
5. ¿Compra él la camisa con rayas azules?
6. ¿Compra él la camisa sin rayas?
7. ¿Necesita algo más?
8. ¿Cuánto es la camisa?

Ropa de Señora

Vestidos/Trajes

Estados Unidos	8	10	12	14	16	18	20
España	36	38	40	42	44	46	48

Medias

Estados Unidos	8	8½	9	9½	10	10½
España	6	6½	7	7½	8	8½

Zapatos

Estados Unidos	03	04	05	06	07	08	09	10
España	36	37	38	39	41	42	43	44

Ropa de Caballero

Trajes/Abrigos

Estados Unidos	36	38	40	42	44	46
España	46	48	50	52	54	56

Camisas

Estados Unidos	14	14½	15	15½	16	16½	17	17½	18
España	36	37	38	39	41	42	43	44	45

Zapatos

Estados Unidos	5	6	7	8	8½	9	9½	10	11
España	38	39	41	42	43	43	44	44	45

Calcetines

Estados Unidos	9½	10	10½	11	11½
España	38/39	39/40	40/41	41/42	42/43

La quinceañera

Hoy es un día muy importante en la vida* de Clarita Gómez Guzmán. Hoy ella cumple quince años. Sus padres van a dar una fiesta en honor de sus quince años. Es una costumbre hispánica.

Llegan los invitados.* Llegan los abuelos, los tíos, los primos, y claro, llegan los padrinos también. Los padres invitan a todos los parientes. Invitan también a los amigos de Clarita. Pero, como de costumbre,* la fiesta no es solamente para los jóvenes. Es para toda la familia.

Durante* la fiesta todos hablan, cantan, bailan* y comen. Y todos tienen regalos para Clarita. Ella recibe discos, libros, blusas, una falda, blue jeans y T-shirts.

Los padrinos casi siempre dan un regalo especial en honor de los quince años de su ahijada.* De sus padrinos Clarita recibe un collar de perlas.* Ella está muy contenta. Clarita agradece* mucho a sus padrinos, a sus parientes y a sus amigos.

Ejercicio   Contesten.

1. ¿Cuántos años tiene Clarita Gómez Guzmán?
2. ¿Quiénes van a dar una fiesta?
3. ¿Quiénes llegan a la fiesta?
4. ¿A quiénes invitan los padres a la fiesta?
5. ¿Es solamente para los jóvenes la fiesta?
6. ¿Qué tienen todos los invitados?
7. ¿Qué regalos recibe Clarita?
8. ¿Quiénes dan un regalo especial?
9. ¿Qué recibe Clarita de sus padrinos?
10. ¿A quiénes agradece Clarita?

---

* **vida** *life* * **invitados** *guests* * **como de costumbre** *as customary* * **Durante** *During*
* **bailan** *they dance* * **ahijada** *goddaughter* * **collar de perlas** *pearl necklace*
* **agradece** *thanks*

Actividades

1 Prepare a list for a complete outfit of clothing for a woman. Prepare another list for a complete outfit of clothing for a man.

Ropa de Señora	Ropa de Caballero
1.	1.
2.	2.
3.	3.
4.	4.
5.	5.

2 Give your favorite color for the following items of clothing.

1. pantalones

2. una chaqueta

3. una camisa

4. una blusa

5. una falda

6. un vestido

3 Read or act out the following conversation. Then change **una camisa blanca** to **un par de zapatos** and change the underlined words as necessary.

— Quisiera <u>una camisa blanca</u>, por favor.
— Sí, señor(ita). ¿<u>Con</u> <u>mangas</u> <u>cortas</u> o <u>con</u> <u>mangas</u> <u>largas</u>?
— <u>Con</u> <u>mangas</u> <u>cortas</u>, por favor.
— ¿Y qué <u>talla</u> necesita Ud.?
— Treinta y ocho, por favor. ¿Y cuánto <u>es la</u> <u>camisa</u> que <u>está</u> en el escaparate?
— Mil pesos.
— ¿Tiene Ud. mi <u>talla</u>?
— Sí, señor(ita).
— Muy bien. Quisiera <u>la camisa</u> que <u>está</u> en el escaparate.

4  **Entrevista**

- En los Estados Unidos, ¿hay a veces una fiesta especial en honor del cumpleaños de una muchacha?
- Por lo general, ¿cuántos años tiene la muchacha?
- ¿Van sus amigos a la fiesta?
- ¿Van todos sus parientes a la fiesta también?
- ¿Es la fiesta para los jóvenes o es para toda la familia?
- ¿Van sus padrinos a la fiesta?
- ¿Recibe la muchacha un regalo especial de sus padrinos?

Say all you can about what you see in the illustration.

Revista

Aquí tenemos una tarjeta
del Perú.
¿Quién va a recibir esta
tarjeta de cumpleaños?
¿Es para un muchacho o
para una muchacha?

Hoy que cumples 15 años...
Debo declararte!...

Hoy Teresa Guzmán
cumple quince años
en la Ciudad de México.
¿Lleva ella un vestido
elegante a la fiesta en
su honor?

Es una tienda elegante de ropa para caballeros en Bogotá, Colombia. ¿Qué ves en el escaparate de la tienda?

Es una tienda de ropa para señoras en la Calle Preciados en Madrid. ¿Qué ves en el escaparate?

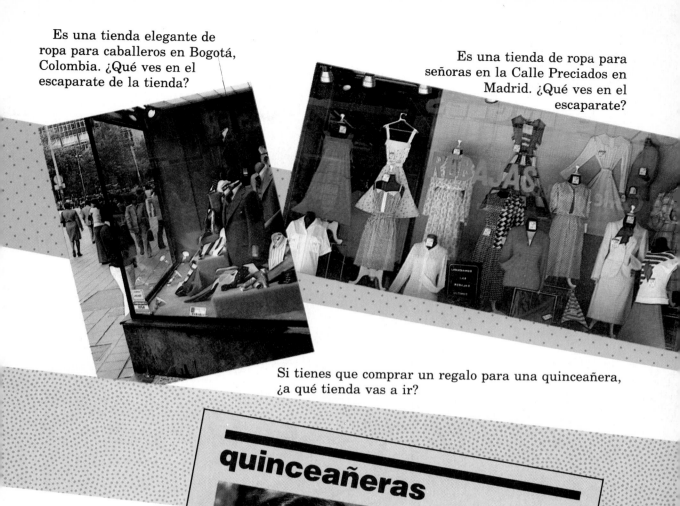

Si tienes que comprar un regalo para una quinceañera, ¿a qué tienda vas a ir?

quinceañeras

Inés Raquel Leopoldo Rivera cumplió los 15 el pasado dos de mayo. Sus padres, Felipe e Hipólita, le obsequiarán con un viaje a Tampa, Florida. Reside en Flamboyán Gardens, Bayamón.

Lisa Noemi Rosas celebró el 8 de abril la llegada de sus 15. Su familia le ofreció una cena y más tarde, hará un viaje a Suiza...

159

vocabulario

el balón

el tablero indicador

el tanto queda empatado

PERÚ 2° 1

ARGENTINA 1

el jugador

el campo de fútbol

la portería

el portero

PERÚ

El segundo tiempo empieza.
Los dos **equipos** **vuelven** al campo.

la cabeza

González **mete un gol.**
El portero no **puede parar** el balón.
González **marca un tanto.**

la mano

el pie

Los jugadores **juegan** al fútbol.
Un jugador **lanza** el balón con **el pie.**

Perú **gana el partido.**
Argentina **pierde.**

Ejercicio 1 Juegan al fútbol.
Contesten.

1. ¿Están en el campo de fútbol
   los dos equipos?
2. ¿Empieza el primer tiempo o el
   segundo tiempo?
3. ¿Cuántos equipos hay en el campo?
4. ¿Tiene un jugador el balón?

5. ¿Lanza el balón con el pie?
6. ¿Para el balón el portero?
7. ¿Mete un gol el jugador?
8. ¿Marca un tanto?
9. ¿Qué equipo gana?
10. ¿Qué equipo pierde?

Ejercicio 2 ¿Cuántos, cómo, quiénes, qué, dónde?
Formen una pregunta según el modelo.

Hay *once* jugadores en el equipo de fútbol.
¿**Cuántos** jugadores hay en el equipo de fútbol?

1. Hay *dos* equipos en el campo.
2. Un equipo es *muy bueno.*
3. *Los jóvenes* juegan al fútbol.

4. Un jugador lanza *el balón* con el pie.
5. El portero está *cerca de la portería.*

Ejercicio 3 Un juego de fútbol
Completen.

1. El _____ indicador indica el tanto.
2. El _____ guarda la portería.
3. Cuando empieza el segundo tiempo,
   los jugadores _____ al campo.
4. Un jugador _____ el balón con
   el pie y _____ un gol.

5. Mete un gol y _____ un tanto.
6. Argentina no gana.
   Argentina _____.

estructura

El presente de los verbos de cambio radical e → ie

The verbs **empezar, comenzar** (*to begin*), **querer** (*to want*), **perder** (*to lose*), and **preferir** (*to prefer*) are called stem-changing verbs. This means that the stem of the infinitive (**quer-er, prefer-ir**) will change. Observe the following.

Infinitive	empezar	querer	preferir
yo	empiezo	quiero	prefiero
tú	empiezas	quieres	prefieres
él, ella, Ud.	empieza	quiere	prefiere
nosotros, -as	empezamos	queremos	preferimos
(vosotros, -as)	(empezáis)	(queréis)	(preferís)
ellos, ellas, Uds.	empiezan	quieren	prefieren

Note that all stem-changing verbs have regular endings.

The **-e** of the infinitive stem (**quer-er**) changes to **-ie** in all forms of the present tense except **nosotros** (and **vosotros**).

Note too that the verbs **empezar, comenzar, querer,** and **preferir** are often followed by an infinitive. The verbs **empezar** and **comenzar** take the preposition **a** when followed by an infinitive.

Ellos empiezan a jugar.

The verbs **querer** and **preferir** are immediately followed by the infinitive.

Prefieren ganar.   **No quieren perder.**

Ejercicio 1 Empezamos a jugar y queremos ganar.
Contesten con *nosotros*.

1. ¿Empiezan Uds. a jugar?
2. ¿Empiezan Uds. a las dos?
3. ¿Quieren Uds. meter un gol?
4. ¿Quieren Uds. ganar el partido?
5. ¿Pierden Uds. a veces?
6. ¿Prefieren Uds. jugar en el parque o en la calle?
7. ¿Prefieren Uds. jugar con un equipo bueno o con un equipo malo?

Ejercicio 2 El segundo tiempo empieza.
Contesten.

1. ¿Empieza el segundo tiempo?
2. ¿Empiezan a jugar los jugadores?
3. ¿Prefieren ganar los dos equipos?
4. ¿Quieren marcar muchos tantos?
5. ¿Quiere González meter un gol?
6. ¿Quiere parar el balón el portero?
7. ¿Pierde el equipo de González?

Ejercicio 3 Lo que prefiero yo.

Preguntas personales

1. ¿Prefieres jugar al fútbol o al béisbol?
2. ¿Prefieres jugar en el partido o prefieres mirar el partido y ser espectador(a)?
3. ¿Siempre quieres marcar muchos tantos?
4. ¿Quieres ganar?
5. ¿Pierdes a veces?

Ejercicio 4 ¿Quién va a ganar?

Completen con el verbo indicado.

Elena _____ (querer) jugar al fútbol. Yo _____ (querer) jugar al béisbol. Y
tú, ¿_____ (preferir) jugar al fútbol o _____ (preferir) jugar al béisbol? Si tú
_____ (querer) jugar al béisbol, tú y yo ganamos y Elena _____ (perder). Pero si tú
_____ (querer) jugar al fútbol, tú y Elena ganan y yo _____ (perder).

Cuando yo _____ (querer) leer, Eduardo _____ (querer) escuchar discos. Yo
_____ (empezar) a leer y él _____ (empezar) a escuchar discos. Eduardo, ¿por qué
_____ (empezar) tú a escuchar discos cuando yo _____ (querer) leer?

Ejercicio 5 Nosotros preferimos . . . pero él prefiere . . .

Completen con *preferir* y el infinitivo.

Nosotros _____ pero nuestro amigo _____.

Nosotros preferimos leer pero nuestro amigo prefiere jugar al fútbol.

1. Nosotros _____ pero nuestro amigo _____.

2. Nosotros _____ pero nuestro amigo _____.

3. Nosotros _____ pero nuestro amigo _____.

Ejercicio 6 Yo quiero una cosa y mis amigos prefieren otra.

Escriban con *nosotros*.

Yo quiero ir a la carnicería porque prefiero comprar la carne allí y no en el
supermercado. Mi amigo prefiere comprar todo en el supermercado. Él cree que yo
pierdo mucho tiempo porque voy de una tienda a otra.

Nosotros . . .

El presente de los verbos de cambio radical *o → ue*

The verbs **volver** (*to return*), **poder** (*to be able*), and **dormir** (*to sleep*) are also stem-changing verbs. Note that the **-o** of the infinitive changes to **-ue** in all conjugated forms except **nosotros** (and **vosotros**).

o → ue

Infinitive	volver	poder	dormir
yo	vuelvo	puedo	duermo
tú	vuelves	puedes	duermes
él, ella, Ud.	vuelve	puede	duerme
nosotros, -as	volvemos	podemos	dormimos
(vosotros, -as)	(volvéis)	(podéis)	(dormís)
ellos, ellas, Uds.	vuelven	pueden	duermen

Note that the **u** of the verb **jugar** also changes to **ue** in all forms except **nosotros** (and **vosotros**).

Infinitive	jugar
yo	juego
tú	juegas
él, ella, Ud.	juega
nosotros, -as	jugamos
(vosotros, -as)	(jugáis)
ellos, ellas, Uds.	juegan

In Spain the verb **jugar** is always followed by the preposition **a.** However, the preposition is omitted in many countries of Latin America.

Juego al fútbol.   **Juego fútbol.**

Ejercicio 7   Nosotros jugamos al fútbol.
Contesten con *nosotros.*

1. ¿Juegan Uds. al fútbol?
2. ¿Pueden Uds. jugar en el patio de la escuela?
3. ¿Vuelven Uds. a casa después del partido?
4. ¿Duermen Uds. después de un partido de fútbol?

Ejercicio 8   En la clase de educación física
Preguntas personales

1. ¿Juegas al fútbol en la clase de educación física?
2. ¿Juega la clase en el gimnasio?
3. ¿Pueden Uds. jugar en el patio de la escuela?
4. Después del partido de fútbol, ¿vuelven Uds. a la escuela?

Ejercicio 9   No puedo jugar ahora.
Completen.

Eduardo   Yo _____ (jugar) mucho al fútbol. ¿_____ (Jugar) tú mucho también?

Tomás   Sí, yo _____ (jugar) mucho pero no _____ (poder) jugar ahora.

Eduardo   ¿Por qué no _____ (poder) jugar ahora?

Tomás   Yo no _____ (poder) porque tengo un amigo que _____ (volver) hoy de México.

Eduardo   ¿A qué hora _____ (volver) él?

Tomás   Él _____ (volver) a las dos y yo _____ (querer) estar en casa.

Eduardo   Ok, entonces, ¿por qué no _____ (jugar) (nosotros) mañana?

Tomás   ¡Buena idea! Y mi amigo Carlos _____ (poder) jugar también.

Pronunciación   Las consonantes *j, g*

The Spanish **j** sound does not exist in English. In Spain the **j** sound is quite guttural (coming from the throat). It is similar to the sound German speakers make when they say *ach*. In Latin America the **j** sound is much softer. It is somewhat similar to the English *h* in the words *hat* or *hot*.

ja	je	ji	jo	ju
Jaime	Jesús	Méjico	José	jugar
hija	traje	mejicano	hijo	jugador
jabón			joven	juego
				junio
				julio

Note that **g** in combination with **e** or **i** (**ge, gi**) has the same sound as the **j**. For this reason, you must pay particular attention to the spelling of words that have **je, ji, ge,** or **gi.**

ge	gi
gente	gigante
general	Gijón
	gimnasio

Trabalenguas y dictado

Los jóvenes juegan en el gimnasio.
El hijo de Jaime es jugador de fútbol.
La gente trabaja en Gijón.
El hijo joven de José trabaja en junio en Gijón.

The consonant **g** has two sounds. As explained above, **g** in combination with **e** or **i** (**ge, gi**) is pronounced like a **j**. G in combination with **a, o,** or **u** (**ga, go, gu**) is similar to the **g** sound in the English word *go,* but it is somewhat softer. To maintain this sound with **e** or **i,** a silent or unpronounced **u** is added (**gue, gui**).

ga	**go**	**gu**
gana	juego	(gusano)
juega	amigo	segundo
amiga	pago	
paga	luego	
llega	domingo	

gue	**gui**
(guerra)	guitarra

Trabalenguas y dictado

La amiga llega y luego toca la guitarra.
Gómez juega bien y gana el juego.

Expresiones útiles

A very useful word in Spanish is **ya.** The most literal meaning of **ya** is *already.*

Ya tenemos muchos.

The word **ya** can convey some other meanings. For example, in the English expression *I'm coming right now,* **ya** would also be used. Note, however, that Spanish speakers use another verb in this expression.

¡Ya voy!

Ya can also mean *now* in such expressions as *Now I understand, Now I get it.*

Ya entiendo.

Los muchachos juegan al fútbol, Unidad Independencia, México

conversación

¿Quieres jugar al fútbol?

Anita	¡Carmen, Carmen!
Carmen	¡Ya voy! ¿Qué quieres?
Anita	¿Quieres jugar al fútbol?
Carmen	Sí, ¿cuándo? ¿Ahora?
Anita	Sí, ahora.
Carmen	¿Puede jugar también mi amiga, Elena? Ella juega muy bien.
Anita	¡Ay, no! ¡Qué pena! Ya tenemos once jugadoras. Pero ella puede jugar mañana si quiere.
Carmen	Está bien.

Ejercicio Contesten.

1. ¿A qué van a jugar las muchachas?
2. ¿Cuándo van a jugar?
3. ¿Quiere jugar Carmen?
4. ¿Puede jugar Elena?
5. ¿Cómo juega ella?
6. ¿Por qué no puede jugar Elena?
7. ¿Puede jugar mañana si quiere?

El fútbol hispanoamericano

Un deporte muy popular en todos los países hispánicos es el fútbol. El fútbol que juegan en España y en Latinoamérica no es como el fútbol norteamericano. Los jugadores no pueden tocar° el balón con las manos. Tienen que usar los pies o la cabeza.

En un equipo de fútbol hay once jugadores. Cuando empieza el partido los dos equipos siempre quieren ganar. Pero no es posible. Solamente un equipo puede ganar. El otro tiene que perder. Hay solamente una excepción. A veces el tanto queda empatado.

Estamos en el estadio° del General Sánchez. Los dos equipos están en el campo.° Quedan° solamente dos minutos en el segundo tiempo. El tanto está empatado en cero. González tiene el balón. Lanza el balón con los pies. ¿Entra el balón en la portería o no? El portero Ochoa quiere parar el balón pero no puede. González mete un gol. Marca un tanto. En los últimos dos minutos su equipo gana: uno a cero.

°**tocar** *to touch*   °**estadio** *stadium*   °**campo** *field*   °**Quedan** *Remain*

Ejercicio   Escojan.

1. ¿Dónde es popular el fútbol?
   a. No es un deporte popular.
   b. En todos los países hispanos.
   c. Solamente en los Estados Unidos.

2. ¿Es el fútbol hispano como el fútbol norteamericano?
   a. No. Hay solamente once jugadores en el equipo.
   b. No. Los jugadores tienen que lanzar el balón.
   c. No. Los jugadores no pueden tocar el balón con las manos.

3. ¿Cuántos jugadores hay en un equipo de fútbol?
   a. Hay dos.
   b. Hay once.
   c. En el fútbol no hay equipos.

4. ¿Cuántos equipos juegan en un partido de fútbol?
   a. Dos.
   b. Once.
   c. No hay equipos.

5. ¿Qué quiere cada equipo?
   a. Quiere ganar.
   b. Quiere perder.
   c. Quiere empatar el tanto.

6. El tanto queda empatado.
   a. Es verdad. Está en cero a cero.
   b. Es verdad. Está en cero a uno.
   c. Es verdad. Está en uno a once.

7. ¿Cuántos tiempos hay en un partido de fútbol?
   a. Uno.
   b. Dos.
   c. Cuatro.

8. ¿Mete un gol González?
   a. Sí, el balón entra en la portería.
   b. Sí, el portero para el balón.
   c. Sí, lo mete en el balón.

Actividades

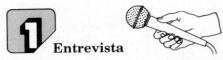

1 Entrevista

- ¿Eres muy aficionado(a) a los deportes?
- ¿Eres muy aficionado(a) al fútbol?
- ¿En qué escuela estudias?
- ¿Es popular el fútbol en tu escuela?
- ¿Tiene tu escuela un equipo?
- ¿Es bueno el equipo?
- ¿Ganan muchos partidos?
- ¿Cuántos jugadores hay en el equipo?
- ¿Juegas con el equipo?
- Si no juegas al fútbol, ¿juegas a otro deporte? ¿Cuál es?

2
Speak with a friend and tell him/her all the things you want to do either now or in the future.

3
Select a captain of one of your school's teams and tell all you can about him/her.

4
Say all you can about the illustration below.

2° tiempo

Otros deportes

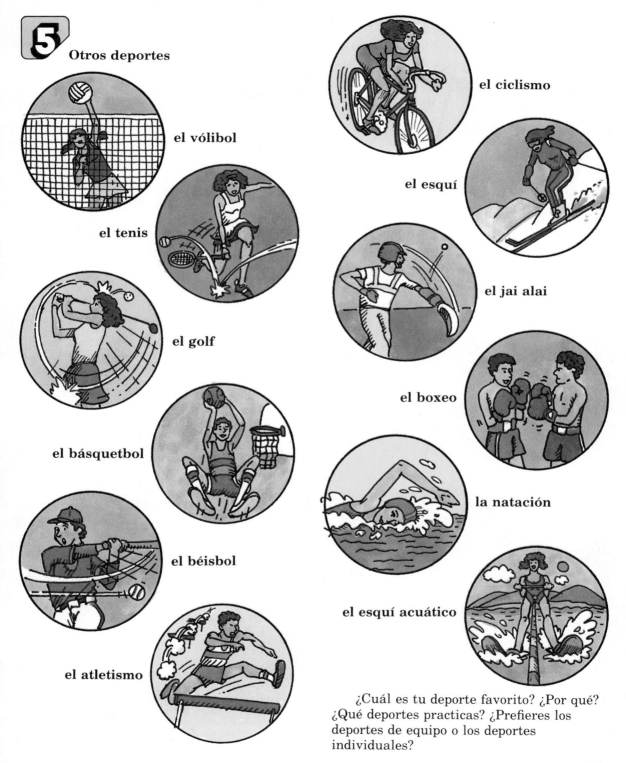

el vólibol

el ciclismo

el tenis

el esquí

el golf

el jai alai

el básquetbol

el boxeo

el béisbol

la natación

el atletismo

el esquí acuático

¿Cuál es tu deporte favorito? ¿Por qué? ¿Qué deportes practicas? ¿Prefieres los deportes de equipo o los deportes individuales?

Revista

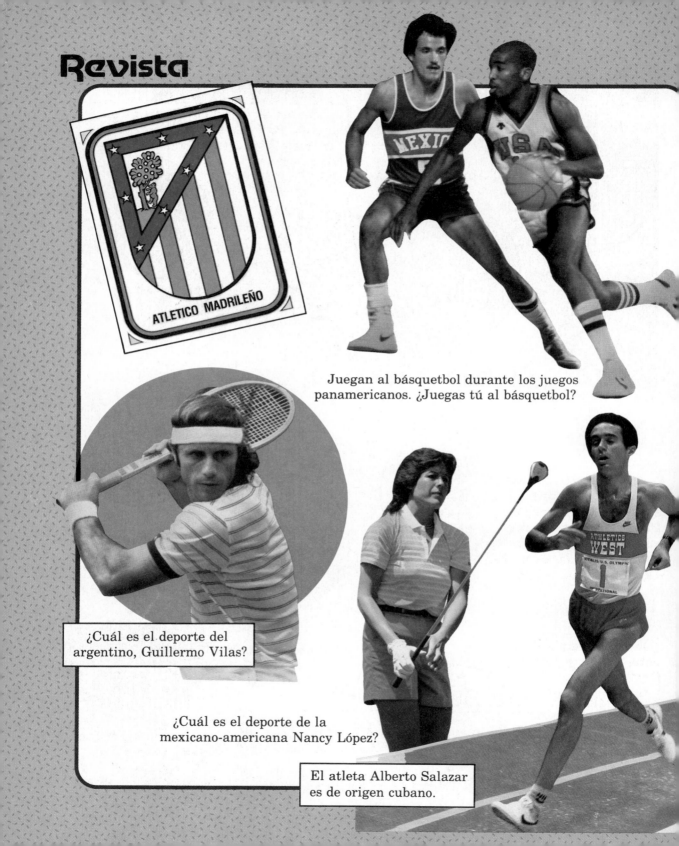

ATLETICO MADRILEÑO

Juegan al básquetbol durante los juegos panamericanos. ¿Juegas tú al básquetbol?

¿Cuál es el deporte del argentino, Guillermo Vilas?

¿Cuál es el deporte de la mexicano-americana Nancy López?

El atleta Alberto Salazar es de origen cubano.

Juegan al vólibol en el patio de una escuela en Quebradillas, Puerto Rico. ¿Pueden Uds. jugar al vólibol en el patio de su escuela?

Muchos jóvenes españoles coleccionan fotografías de sus futbolistas favoritos. Cada ciudad grande tiene su equipo. ¿Tienen todas las ciudades grandes de los EE. UU. un equipo de fútbol?

OLMO
F.C. Barcelona

HUGO SANCHEZ
At. de Madrid

AMARILLA
Real Zaragoza

¿Queda empatado el tanto entre México y Australia?

Mundial Juvenil de Fútbol

México y Australia 1-1 en jornada inaugural

Repaso

¿Quieres jugar?

Tomás Hola, Clarita. ¿Cómo estás?
Clarita Estoy bien, gracias.
Tomás ¿Quieres jugar al fútbol?
Clarita Sí. ¡Cómo no!
Tomás ¿Y dónde está tu hermano? Él puede jugar también.
Clarita No, no puede. Está en casa. Tiene que estudiar. Mañana tiene examen.

Ejercicio 1 Contesten.

1. ¿Con quién habla Tomás?
2. ¿Cómo está Clarita?
3. ¿A qué quiere jugar Clarita?
4. ¿Dónde está su hermano?
5. ¿Puede él jugar también?
6. ¿Por qué no puede jugar?

Los verbos de cambio radical

Review the following forms of stem-changing verbs. Note that the infinitive stem changes in all forms except **nosotros** (and **vosotros**).

e → ie

Infinitive	empezar	querer	preferir
yo	empiezo	quiero	prefiero
tú	empiezas	quieres	prefieres
él, ella, Ud.	empieza	quiere	prefiere
nosotros, -as	empezamos	queremos	preferimos
(vosotros, -as)	(empezáis)	(queréis)	(preferís)
ellos, ellas, Uds.	empiezan	quieren	prefieren

o → ue

Infinitive	volver	poder	dormir
yo	vuelvo	puedo	duermo
tú	vuelves	puedes	duermes
él, ella, Ud.	vuelve	puede	duerme
nosotros, -as	volvemos	podemos	dormimos
(vosotros, -as)	(volvéis)	(podéis)	(dormís)
ellos, ellas, Uds.	vuelven	pueden	duermen

Note that the verb **tener** is a stem-changing verb that also has an irregular **yo** form.

Infinitive	tener
yo	tengo
tú	tienes
él, ella, Ud.	tiene
nosotros, -as	tenemos
(vosotros, -as)	(tenéis)
ellos, ellas, Uds.	tienen

Ejercicio 2 Completen con la forma apropiada del verbo indicado.

¡Qué expectación! _____ (Empezar) el segundo tiempo. El tanto queda empatado. Nuestro equipo _____ (tener) que ganar. Nosotros no _____ (poder) perder. ¡Ay! ¡Cómo yo _____ (querer) meter un gol y marcar un tanto! Si nuestro equipo _____ (perder), no vamos a ser los campeones. Nuestro equipo no _____ (poder) perder. Nosotros _____ (querer) ganar y _____ (tener) que ganar. ¡A la victoria! Nuestro equipo _____ (tener) que ganar el campeonato.

Los verbos *ser* y *estar*

The verb **ser** is used to express
1. place of origin—where someone or something is from

   Marisa es de Bogotá.
   Los zapatos son de México.

2. a permanent characteristic

   María es sincera.
   El edificio es alto.

The verb **estar** is used to express
1. location—permanent or temporary

   Bogotá está en Colombia.
   Los alumnos están en la escuela.

2. a temporary condition

   El pobre Juanito está enfermo.
   Estamos cansados.

Ejercicio 3 Preguntas personales

1. ¿De dónde eres?
2. ¿Dónde estás ahora?
3. ¿Dónde está tu casa?
4. ¿De dónde son tus padres?
5. ¿Cómo estás hoy?
6. ¿Cuáles son algunas de tus características? ¿Cómo eres?

Ejercicio 4 Completen con *ser* o *estar*.

Carlos _____ un muchacho muy simpático. Él _____ muy serio pero _____ también muy divertido. Por lo general, él _____ de buen humor. Pero hoy, no. Él _____ de mal humor. ¿Por qué? Él _____ enfermo. Tiene catarro. ¿Dónde _____ Carlos ahora? Ahora él _____ en la consulta del médico. El médico le examina a Carlos. El médico de Carlos _____ muy bueno. Él _____ de México.

Lectura cultural

Una serenata*

    Son las seis de la mañana en Guanajuato, México. Teresa duerme. Hay un ruido* en la calle. El ruido despierta* a Teresa. Ella todavía* está cansada pero va a la ventana.* ¿Y qué ve? En la calle ella ve a un grupo de amigos. ¿Por qué están los amigos en la calle a las seis de la mañana? Pues, hoy es el cumpleaños de Teresa. Sus amigos le dan una serenata en honor de su cumpleaños. Ellos cantan y tocan la guitarra. Cantan «Las mañanitas». Para Teresa el día de fiestas y celebraciones comienza con un poco de música.

---

 serenata *serenade*   *ruido* *noise*   *despierta* *wakes up*   *todavía* *still*
 ventana *window*

Las Mañanitas

Ejercicio Contesten.

1. ¿Dónde vive Teresa?
2. ¿Qué hay en la calle?
3. ¿Qué despierta a Teresa?
4. ¿A qué hora despierta a Teresa el ruido?
5. ¿Adónde va ella?
6. ¿Qué ve ella en la calle?
7. ¿Qué día es hoy?
8. ¿Por qué cantan y tocan la guitarra sus amigos?

177

Lectura cultural

opcional

la plaza de toros

el redondel

El matador torea.

el toro

pobre	Una persona que no tiene dinero es pobre.
rico	Una persona que tiene mucho dinero es rica.
hambre	Tengo hambre. Tengo que comer algo.
el (la) huérfano(a)	Un(a) niño(a) que no tiene padres es huérfano(a).
la naranja	una fruta de color naranja

Manolo

Es el año 1932. En un pueblo pequeño de Andalucía, Palma del Río, nace° un niño.

Mi nombre es Manolo. Mi familia vive en una de las típicas casas blancas de Andalucía. Es una casa pequeña. En la casa hay mucha pobreza° y la vida es difícil. Hay cuatro niños en mi familia. Todos pasamos hambre.° A veces podemos comer unas migas° de pan. Con frecuencia visitamos el convento para ver si las monjas° tienen un panecillo° o un poco de aceite.° Mi madre trabaja en casa. Cuida de los niños.° Mi padre es un hombre bueno. Siempre busca° trabajo. Él trabaja como una bestia en los campos. Gana° poco dinero pero trabaja mucho.

°**nace** *is born* °**pobreza** *poverty* °**pasamos hambre** *feel hungry* °**migas** *crumbs* °**monjas** *nuns* °**panecillo** *roll (bread)* °**aceite** *olive oil* °**Cuida de los niños** *She takes care of the children* °**busca** *looks for* °**Gana** *He earns*

178

En 1936 empieza la guerra.° Es la Guerra Civil española. En la guerra nadie°
gana. Todos pierden. Y nosotros también perdemos. Perdemos a nuestro padre. Mi
padre no tiene ideas políticas pero tiene que ir a la cárcel.° Mi madre siempre visita
a mi padre en la prisión. Pero un día, ella no puede ir. Va mi hermana, Angelita.
Ella está vestida de° negro. Mi madre está muerta.° Mi padre está triste y también
está enfermo. Unos años después, él puede salir de la cárcel. Quiere volver al
pueblo donde está enterrada° mi madre. Pero no puede. Está muy enfermo y muere°
en Córdoba. No puede terminar (completar) el viaje a casa.

Ahora soy huérfano. No tengo dinero. Tengo que buscar trabajo. Trabajo en los
campos como mi padre. Pero no quiero trabajar en los campos. Quiero ser matador.
De noche voy a la finca° de una de las familias ricas de mi pueblo. En la finca
tienen toros. Empiezo a torear. El señor llama° a la policía y no puedo torear más.

Un día hay una corrida humilde en mi pueblo. Soy yo el torero. Es un éxito°
tremendo. Tengo muchas ilusiones. Pero otra vez la tragedia. Como no tengo dinero,
no puedo comer. Robo° unas naranjas y voy a la cárcel. Tengo que salir de mi
pueblo.

°**guerra** *war*   °**nadie** *no one*   °**cárcel** *jail*   °**vestida de** *dressed in*
°**muerta** *dead*   °**enterrada** *buried*   °**muere** *dies*   °**finca** *farm*   °**llama** *calls*
°**éxito** *success*   °**Robo** *I rob*

Voy a Madrid sin una peseta. Busco trabajo. Busco pesetas. Busco comida. Cuando estoy cansado tengo que dormir en la calle. Un domingo hay una corrida en Madrid. Yo voy a la plaza. No soy el torero pero quiero ser el torero. Entro en el redondel y empiezo a torear. Otra vez llega la policía y yo voy a la cárcel.

Después de muchos años de pobreza y de hambre, tengo suerte.* En un café, hablo con el señor Rafael Sánchez, el director de muchos matadores. Con la ayuda* de Rafael, tengo la oportunidad de torear en la famosa plaza de Madrid. Es el veinte de mayo de mil novecientos sesenta y cuatro. Es un éxito tremendo. Empieza a cambiar* mi suerte. Hoy soy el matador más famoso de España. Soy el ídolo de toda la nación y soy millonario. Ya no toreo. Ahora ruedo* películas. Pero no puedo olvidar* los días de mi pobreza. Ayudo mucho a los pobres que todavía hay en España.

Soy el Cordobés.

---

*__suerte__ *luck*   *__ayuda__ *help*   *__cambiar__ *to change*   *__ruedo__ *I shoot (film)*
*__olvidar__ *forget*

180

Ejercicio Escojan.

1. ¿Dónde nace Manolo?

    a. Él nace en Madrid, la capital de España.
    b. Él nace en una ciudad grande en el norte de España.
    c. Él nace en un pueblo pequeño de Andalucía.

2. ¿Cómo es la casa de la familia de Manolo?

    a. Es una casa pequeña y blanca.
    b. Es una casa de piedra con techo de paja.
    c. Es una casa particular en las afueras de la ciudad.

3. ¿Cómo es la familia de Manolo?

    a. Es una familia rica.
    b. Es una familia muy pobre.
    c. Es una familia contenta.

4. ¿Trabaja mucho el padre de Manolo?

    a. Sí, trabaja como una bestia y gana mucho dinero.
    b. Sí, trabaja mucho pero no gana mucho dinero.
    c. No, su padre no trabaja.

5. ¿Cuándo va su padre a la cárcel?

    a. Va cuando nace Manolo.
    b. Va cuando muere la madre de Manolo.
    c. Va durante la Guerra Civil española.

6. ¿Por qué no vuelve el padre a casa?

    a. No puede salir de la cárcel.
    b. No quiere volver.
    c. Muere en Córdoba.

7. ¿Quiere trabajar en los campos Manolo?

    a. Sí, quiere trabajar como su padre.
    b. Sí, quiere trabajar en la finca de una de las familias ricas.
    c. No, quiere ser matador.

8. ¿Por qué va Manolo a la cárcel?

    a. Porque roba dinero.
    b. Porque tiene ideas políticas.
    c. Porque roba unas naranjas.

9. Cuando Manolo sale de su pueblo, ¿adónde va?

    a. Va a Madrid.
    b. Va a una finca en Córdoba.
    c. No puede salir de su pueblo.

10. ¿Qué es Manolo hoy?

    a. Él es millonario.
    b. Él es el director de un café.
    c. Él es un señor pobre.

181

13 UN VIAJE EN TREN

vocabulario

La estación de ferrocarril

la ventanilla

el tren

MADRID →
→ TOLEDO
MADRID ←

el andén

el equipaje

el mozo

las maletas

la sala de espera

el boleto

el boleto sencillo

el boleto de ida y vuelta

Ejercicio 1   En la estación de ferrocarril
Contesten.

1. ¿Hay mucha gente en la estación de ferrocarril?
2. ¿Están en la sala de espera?
3. ¿Está la ventanilla en la sala de espera?
4. ¿Compra la muchacha un boleto?

5. ¿Compra un boleto de ida y vuelta?
6. ¿Tiene muchas maletas el señor?
7. ¿Ayuda el mozo con las maletas?
8. ¿Está el tren en el andén?

Ejercicio 2 En la sala de espera
Completen.

1. La gente espera el tren en _____.
2. La muchacha compra su boleto en _____.
3. Ella compra un boleto _____.
   No compra un boleto _____.
4. El señor lleva mucho equipaje. Él tiene muchas _____.
5. El _____ ayuda al señor con su equipaje.
6. El tren está en el _____.

Juan **hace** su **maleta**.
Pone su ropa en la maleta.

¿Qué pone en la maleta?

las camisetas   **los calzoncillos**

Claudia **hace un viaje** en tren.

El tren **sale** del andén número tres.

Ejercicio 3 Un viaje en tren
Contesten.

1. ¿Hace Juan su maleta?
2. ¿Pone su ropa en la maleta?
3. ¿Hace Claudia un viaje en tren?

4. ¿Hace Juan un viaje también?
5. ¿De qué andén sale el tren?

Ejercicio 4 La señora hace un viaje.
Completen las frases.

1. La señora pone . . .
2. Ella hace . . .
3. Ella va . . .
4. El mozo ayuda a la señora . . .
5. Ella compra . . .
6. Ella espera . . .

a. un viaje en tren.
b. un boleto en la ventanilla.
c. el tren en la sala de espera.
d. su ropa en la maleta.
e. a la estación de ferrocarril.
f. con su equipaje.

Estructura

El presente de los verbos *hacer, poner, traer, salir*

The verbs **hacer, poner, traer** *(to bring)*, and **salir** are irregular verbs. Study the following.

Infinitive	hacer	poner	traer	salir
yo	**hago**	**pongo**	**traigo**	**salgo**
tú	haces	pones	traes	sales
él, ella, Ud.	hace	pone	trae	sale
nosotros, -as	hacemos	ponemos	traemos	salimos
(vosotros, -as)	(hacéis)	(ponéis)	(traéis)	(salís)
ellos, ellas, Uds.	hacen	ponen	traen	salen

Note that these verbs are regular in all forms of the present tense except **yo.** The **yo** form of these verbs has a **g.**

The verb **hacer** literally means *to do* or *to make.*

> **Hago un sandwich.**   *I'm making a sandwich.*
> **¿Qué haces?**   *What are you doing?*

Note that the question **¿Qué haces?** (or **¿Qué hace Ud.?**) means *What are you doing?* or *What do you do?* in English. You will almost always use a completely different verb in your answer such as **Miro la televisión** or **Preparo la comida.**

The verb **hacer** is also used in many different idiomatic expressions. An idiomatic expression is one that does not translate directly from one language to another. The expression **hacer un viaje** is an idiomatic expression because in Spanish the verb **hacer** is used, whereas in English we would use the verb *to take.* Another such idiomatic expression is **hacer la maleta,** *to pack a suitcase.*

Ejercicio 1 Juan hace la maleta.
Contesten.

1. ¿Pone Juan su ropa en la maleta?
2. ¿Hace la maleta en casa?
3. ¿Hace él la maleta porque hace un viaje?
4. ¿Hace Claudia un viaje también?
5. ¿Hacen ellos un viaje en tren?
6. ¿Sale el tren a las dos?
7. ¿Sale el tren del andén número tres?

Ejercicio 2 Salgo para la estación de ferrocarril.
Contesten con *yo*.

1. ¿Haces un viaje?
2. ¿Haces un viaje en tren?
3. ¿Sales para la estación de ferrocarril?
4. ¿Sales en taxi?
5. ¿Pones las maletas en el taxi?
6. ¿Traes el boleto o vas a comprar el boleto en la estación de ferrocarril?

Ejercicio 3 Ellos hacen un viaje.
Sigan el modelo.

Ellos hacen un viaje . . .
Ellos hacen un viaje y nosotros también hacemos un viaje.

1. Ellos hacen un viaje en tren.
2. Ellos salen para la estación de ferrocarril.
3. Ellos salen para la estación de ferrocarril en taxi.
4. Ellos ponen las maletas en el taxi.
5. Ellos salen para Málaga.
6. Ellos salen a las seis.

Ejercicio 4 ¿Qué hace Ud.?
Look at the illustrations and ask the person or persons what they are doing. Give their responses.

1.
2.
3.
4.
5.

Ejercicio 5 Un viaje a Málaga
Completen.

Yo _____ (hacer) un viaje a Málaga, en la Costa del Sol. Mi amiga, Marta, _____ (hacer) el viaje también. Nosotros(as) _____ (hacer) el viaje en tren.

(Enfrente de la casa de Marta)

— ¡Ay de mí, Marta! Tú _____ (traer) mucho equipaje, ¿no?
— No, yo no _____ (traer) mucho. _____ (Tener) solamente dos maletas.
— ¡Oye! ¿A qué hora _____ (salir) nuestro tren?
— No _____ (salir) hasta las seis. Nosotros(as) _____ (tener) mucho tiempo.

En la estación de Málaga

El presente del verbo *venir*

Study the following forms of the verb **venir**.

Infinitive	venir
yo	**vengo**
tú	vienes
él, ella, Ud.	viene
nosotros, -as	venimos
(vosotros, -as)	(venís)
ellos, ellas, Uds.	vienen

Note that the verb **venir** has a **g** in the **yo** form and the stem changes to **ie** in all forms except **yo, nosotros,** (and **vosotros**).

Ejercicio 6 Completen.

Enrique Hola, Carlos. ¿De dónde _____ (venir) tú?

Carlos Yo _____ (venir) de mi trabajo.

Enrique Tus amigos _____ (venir) hoy de Chicago, ¿no?

Carlos No, (ellos) no _____ (venir) hoy. _____ (Venir) mañana.

Enrique Entonces, ¿por qué no _____ (venir) (tú) con nosotros? Vamos a un partido de fútbol.

Carlos Gracias. No puedo. Yo _____ (tener) que ir a casa.

Enrique ¿Por qué _____ (tener) que ir a casa si tus amigos no _____ (venir) hasta mañana?

Carlos Pues, yo _____ (tener) que preparar muchas cosas.

Pronunciación   Las consonantes *r, rr*

The Spanish **r** sound does not exist in English. A single **r** within a word (medial position) is pronounced somewhat like the soft *t* in English. The tongue hits the upper part of the mouth in a position similar to the position of the tongue when we say *a lot of (a lotta)* very quickly in English.

ra	re	ri	ro	ru
para	moreno	María	miro	Aruba
verano	torero	señorita	preparo	
espera		periódico	caro	
afuera		americano	dinero	

Whenever a word begins with an **r** (initial position), the **r** is trilled as if you were trying to imitate the ringing sound of a telephone. Within a word, the **r** is doubled (**rr**) when the trilled sound is called for. The **rr** is considered a separate letter of the Spanish alphabet.

r̄a	r̄e	r̄i	r̄o	r̄u
Ramón	recibe	rico	Roberto	Rubén
Rafael	regalo	Ricardo	ropa	ruta
rápido	refresco	ferrocarril	rojo	
guitarra		corrida	catarro	
sierra		burrito	perro	
		puertorriqueño	entierro	

Trabalenguas y dictado

La señora espera afuera.
María lleva un sombrero amarillo.
Ramón Rosas recibe regalos.
La guitarra de Ricardo es cara.
El puertorriqueño espera el tren en la estación de ferrocarril.
El carro de Rubén es caro.

La estación de Atocha en Madrid

conversación

En la ventanilla

Pasajera	Un boleto para Monterrey, por favor.
Empleado	¿Quiere Ud. un boleto sencillo o de ida y vuelta?
Pasajera	De ida y vuelta, por favor. ¿Cuánto es?
Empleado	Trescientos pesos.
Pasajera	Perdón, ¿a qué hora sale el próximo tren?
Empleado	Sale a las catorce veinte.
Pasajera	¿De qué andén sale?
Empleado	Del andén número tres.
Pasajera	Gracias, señor.
Empleado	De nada, señorita.

Ejercicio   Contesten.

1. ¿Adónde va la pasajera?
2. ¿Dónde está ella ahora?
3. ¿Qué tipo de boleto quiere?
4. ¿Cuánto cuesta el boleto?
5. ¿A qué hora sale el próximo tren para Monterrey?
6. ¿De qué andén sale el tren?

Lectura cultural

Un viaje en tren a Toledo

Los alumnos de la señora Ochoa están de vacaciones. Ellos están en España. Hoy ellos van a hacer un viaje a Toledo. Van a Toledo en tren. Ahora están en la estación de Atocha en Madrid.

La señora Ochoa va a la ventanilla. En la ventanilla ella saca * los billetes. Saca billetes de ida y vuelta porque ellos van a volver a Madrid a las siete de la tarde.

Ellos esperan un poco en la sala de espera. Luego van al andén. El tren para Toledo sale del andén número cuatro. Cuando llegan al andén, ya está el tren. Suben * al tren. Después de cinco minutos el tren sale de la estación.

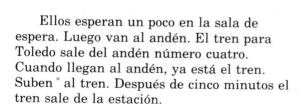

* **saca** *gets*   * **Suben** *They get on*

Una hora y media más tarde,° los alumnos bajan° del tren en Toledo. Visitan toda la ciudad. Ven la famosa catedral, la antigua° sinagoga, el alcázar—un palacio árabe—y la casa del famoso pintor, El Greco. Todos están muy impresionados con el famoso cuadro° «El Entierro del Conde de Orgaz».

Después de un día en Toledo vuelven a Madrid. Bajan del tren en Atocha. Todos están muy cansados y toman un taxi al hotel.

La antigua sinagoga en Toledo

La casa del Greco en Toledo

°**más tarde** *later*   °**bajan** *get off*   °**antigua** *old, ancient*   °**cuadro** *painting*

190

IGLESIA DE SANTO TOME
Imperial Ciudad de Toledo

VALE para la visita al Cuadro
del Greco, «El Entierro del Conde de Orgaz»
(SIGLO XVI)

Con este donativo se atienden
presupuestos pastorales, parro-
quiales y diocesanos.

55 pesetas

PROHIBIDO HACER FOTOGRAFIAS

Ejercicio Contesten.

1. ¿Dónde están los alumnos de la señora Ochoa?
2. ¿Adónde van ellos a hacer un viaje en tren?
3. ¿En qué estación están ellos?
4. ¿Quién va a la ventanilla?
5. ¿Qué tipo de billetes saca ella?
6. ¿Dónde esperan ellos un poco?
7. Luego, ¿adónde van?
8. ¿De qué andén sale el tren para Toledo?
9. ¿Dónde bajan del tren los alumnos?
10. ¿Qué ven en Toledo?
11. ¿Cómo vuelven a Madrid?
12. ¿Cómo están cuando vuelven a Madrid?
13. ¿Cómo van ellos al hotel?

Actividades

1 **Aquí tenemos un billete.**

¿Es un billete sencillo o es un billete de ida y vuelta? ¿Cuál es el número del billete? ¿Cuántas pesetas cuesta el billete? ¿Cuál es la fecha del billete? ¿Para dónde es el billete?

2 Look at the illustration and say all you can about it.

3 Make up as many questions about the illustration in **Actividad 2** as you can.

4 Pretend you are Marta. With a classmate make up the conversation Marta is having at the ticket window.

Revista

En la estación de Atocha, Madrid.
¿De qué andén o vía sale el
tren para Toledo?

El Talgo es un tren moderno y rápido.

MADRID — GRANADA

	Identificación del tren	TALGO 174	Exp. 878
Prestaciones	Plazas asiento	1-2	1-2
	Cama o litera		🛏 🛋
	Restauración	✕	
	Particularidades	A	
MADRID-Atocha .... S.		15.00	22.15
Aranjuez			23.02
Villacañas			0.04
Alcázar de San Juan		16.36	0.35
Manzanares		17.03	1.12
Valdepeñas		17.23	1.37
Santa Cruz de Mudela			1.52
Almuradiel-Viso del Marqués			2.10
Vilches		18.20	2.43
Vadollano			2.59
Linares-Baeza		18.43	4.08
Jódar		19.13	4.44
Los Propios y Cazorla .... Ll.		20.25	6.30
Moreda .... S.		20.29	6.35
Iznalloz			7.10
GRANADA .... Ll.		21.30	8.00

(EXPRESO SIERRA NEVADA)

A Suplemento TALGO.

¿Sale de la estación Atocha el Talgo
   para Granada?
¿A qué hora sale de Madrid?
¿A qué hora llega a Granada?
¿Tiene coche cama el Talgo?
¿Tiene coche comedor el Talgo?
¿Hace una parada en Manzanares?
¿A qué hora llega a Manzanares?
¿Hace una parada en Aranjuez también?

El billete cuesta 530 pesetas.
¿Para dónde es el billete?
¿Es de ida y vuelta?
¿A qué hora sale el tren?
¿Qué asiento tiene el pasajero?

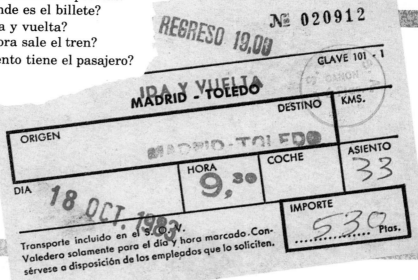

REGRESO 19,00   Nº 020912

IDA Y VUELTA
MADRID - TOLEDO

CLAVE 101 - 1

ORIGEN			DESTINO	KMS.
			MADRID-TOLEDO	
DIA 18 OCT. 1983	HORA 9,30	COCHE	ASIENTO 33	
		IMPORTE 530 Ptas.		

Transporte incluido en el S.O.V.
Valedero solamente para el día y hora marcado. Consérvese a disposición de los empleados que lo soliciten.

La catedral de Toledo

La casa del Greco

MINISTERIO DE CULTURA
PATRONATO NACIONAL DE MUSEOS
Serie A

FUNDACIONES VEGA-INCLAN
CASA Y MUSEO DEL GRECO
· TOLEDO ·

Nº 337310
ENTRADA
MUSEOS

SETENTA Y CINCO PESETAS

¿Cuánto cuesta para
visitar la casa del
Greco?

14 De camping

El muchacho **se llama** Pablo.

El muchacho **se acuesta.**

La muchacha **se levanta.**

el cuarto de baño

Se lava la cara.

Se cepilla los dientes.

Se peina.

Se mira en el espejo.

Se sienta a la mesa.

Ejercicio 1 Algunas actividades diarias
Contesten.

1. ¿Se acuesta el muchacho?
2. ¿Se levanta la muchacha?
3. Después, ¿se lava la cara?
4. ¿Se lava la cara en el cuarto de baño?
5. ¿Se peina?
6. Cuando se peina, ¿se mira en el espejo?
7. ¿Se sienta a la mesa?
8. ¿Se sienta a la mesa para tomar el desayuno?

El camping

el camper

la hamaca

la mochila

armar una tienda
de campaña

el saco de dormir

el hornillo

la silla plegable

Ejercicio 2   De camping
Contesten.

1. ¿Van de camping los jóvenes?
2. ¿Arman una tienda?
3. ¿Duermen en un saco de dormir?

4. ¿Llevan su ropa en una mochila?
5. ¿Preparan la comida en un hornillo?
6. ¿Se sientan en una silla plegable?

Ejercicio 3   La joven está de camping.
Completen.

1. La muchacha se lava _____ _____.
2. Se cepilla _____ _____.
3. Se mira en _____ _____ y se peina.

4. Se sienta a la _____.
5. Prepara la comida en _____ _____.
6. Duerme en un _____ _____ _____.

Εstructura

Los verbos reflexivos

Observe and compare the following sentences.

Elena lava el carro.

Elena se lava.

Ella peina su perro.

Ella se peina.

Elena mira a su amigo.

Elena se mira.

Note that in the sentences in the first column, Elena is doing something *to someone* or *to something else*. She is performing the action on someone or something. In the sentences in the second column, Elena is doing something *to herself*. Elena herself is the receiver of the action of the verb. Elena does the action and receives the action of the verb. For this reason the pronoun **se** must be used. **Se** refers to Elena and is called a *reflexive pronoun*. It indicates that the action of the verb is reflected back to the subject.

198

Now observe the forms of a reflexive verb. Pay particular attention to the reflexive pronoun that accompanies each form of the verb.

Infinitive	lavarse	peinarse
yo	me lavo	me peino
tú	te lavas	te peinas
él, ella, Ud.	se lava	se peina
nosotros, -as	nos lavamos	nos peinamos
(vosotros, -as)	(os laváis)	(os peináis)
ellos, ellas, Uds.	se lavan	se peinan

Ejercicio 1   ¿A qué hora te levantas?
Practiquen la conversación.

— Carlos, ¿a qué hora te levantas?
— Me levanto a las seis.
— ¿A las seis?
— Sí, porque tengo que salir para la escuela a las siete.

Ejercicio 2   Carlos se cuida bien.
Contesten.

1. ¿A qué hora se levanta Carlos?
2. Luego, ¿se lava la cara?
3. ¿Se cepilla los dientes?

4. ¿Se peina?
5. ¿Se mira en el espejo cuando se peina?

Ejercicio 3   Yo también me cuido bien.
Preguntas personales.

1. ¿A qué hora te levantas?
2. ¿Te lavas la cara en el cuarto de baño?

3. ¿Te cepillas los dientes?
4. ¿Te peinas?

Ejercicio 4   ¿Cómo te cuidas tú?
Ask each person what he/she is doing.

1.

2.

3.

4.

5.

Ejercicio 5 Ellos y nosotros
Sigan el modelo.

Ellos se levantan a las siete.
Y nosotros también nos levantamos a las siete.

1. Ellos se levantan a las siete.
2. Ellos se lavan la cara.

3. Ellos se cepillan los dientes.
4. Ellos se peinan.

Ejercicio 6 ¿Cómo te llamas?
Contesten.

1. ¿Cómo te llamas?
2. ¿Cómo se llama tu hermano?

3. ¿Cómo se llama tu hermana?
4. ¿Cómo se llama tu perro o tu gato?

Ejercicio 7 ¿Cómo se cuidan?
Completen.

1. Yo . . .
   Él . . .
   Ud. . . .
   Tú . . .

2. Nosotros . . .
   Ellos . . .
   Uds. . . .

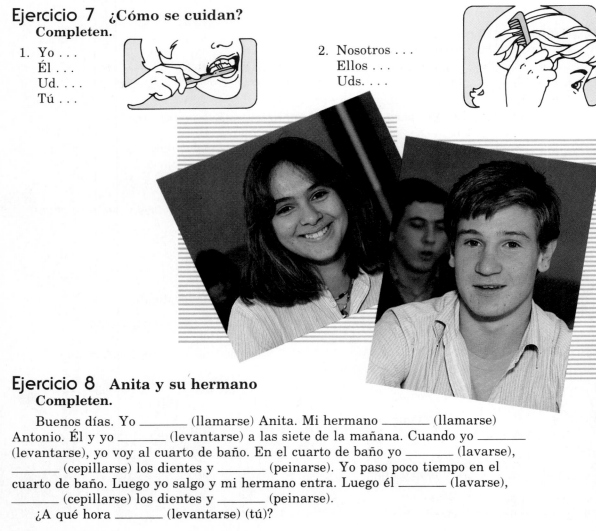

Ejercicio 8 Anita y su hermano
Completen.

Buenos días. Yo _____ (llamarse) Anita. Mi hermano _____ (llamarse) Antonio. Él y yo _____ (levantarse) a las siete de la mañana. Cuando yo _____ (levantarse), yo voy al cuarto de baño. En el cuarto de baño yo _____ (lavarse), _____ (cepillarse) los dientes y _____ (peinarse). Yo paso poco tiempo en el cuarto de baño. Luego yo salgo y mi hermano entra. Luego él _____ (lavarse), _____ (cepillarse) los dientes y _____ (peinarse).

¿A qué hora _____ (levantarse) (tú)?

Los verbos reflexivos de cambio radical

Note that the following reflexive verbs have a stem change.

	e → ie	o → ue	
Infinitive	sentarse	acostarse	dormirse
yo	me siento	me acuesto	me duermo
tú	te sientas	te acuestas	te duermes
él, ella, Ud.	se sienta	se acuesta	se duerme
nosotros, -as	nos sentamos	nos acostamos	nos dormimos
(vosotros, -as)	(os sentáis)	(os acostáis)	(os dormís)
ellos, ellas, Uds.	se sientan	se acuestan	se duermen

Many different Spanish verbs can be used with reflexive pronouns. Often the reflexive pronoun gives a slightly different meaning to the verb. Note the following.

María pone la blusa en la mochila.	*Mary puts the blouse in the knapsack.*
María se pone la blusa.	*Mary puts on her blouse.*
María duerme ocho horas.	*Mary sleeps eight hours.*
María se duerme en seguida.	*Mary falls asleep right away.*
María llama a Carlos.	*Mary calls Charles.*
Ella se llama María.	*She calls herself Mary. (Her name is Mary.)*
María divierte a sus amigos.	*Mary amuses her friends.*
María se divierte.	*Mary enjoys herself. (She has a good time.)*

Ejercicio 9   Me duermo en seguida.
Contesten.

1. ¿Duermes en una cama o en un saco de dormir?
2. ¿A qué hora te acuestas?
3. Cuando te acuestas, ¿te duermes en seguida?
4. Cuando te levantas, ¿te sientas a la mesa?
5. ¿Te sientas a la mesa para tomar el desayuno?

Ejercicio 10   ¿Se acuestan tarde?
Sigan el modelo.

¿Uds. se acuestan tarde?
Sí, nosotros nos acostamos tarde.

1. ¿Uds. se acuestan tarde?
2. ¿Uds. se duermen en seguida?
3. ¿Uds. se sientan a la mesa?

Ejercicio 11 Yo duermo ocho horas.

Completen.

1. Cuando yo _____, yo _____ en seguida. **acostarse, dormirse**
2. Cada noche yo _____ ocho horas. **dormir**
3. Yo _____ a las once y _____ a las siete. **acostarse, levantarse**
4. Mi hermano, Antonio, hace todo lo contrario. Cuando él _____, él no _____ en seguida. **acostarse, dormirse**
5. Él _____ solamente siete horas. **dormir**
6. Cuando nosotros _____, _____ la cara, _____ los dientes y luego _____ a la mesa para tomar el desayuno. **levantarse, lavarse, cepillarse, sentarse**

Pronunciación La consonante *h*

The **h** in Spanish is completely silent. It is never pronounced.

ha	**he**	**hi**	**ho**	**hu**
hamaca	hermano	hijo	hospital	humano
hace	hermana	hija	hotel	húmedo
hambre			hoy	huracán
hasta			hornillo	
hay				

Trabalenguas y dictado

La hermana habla hoy con su hermano en el hospital.
No hay hamacas en el hotel.

Expresiones útiles

Expresiones con *tener*

Many very useful expressions in Spanish take the verb **tener.**

Yo tengo hambre.

Quiero comer.

Yo tengo sed.

Quiero tomar un vaso de agua.

Yo tengo sueño.

Quiero dormir.

Ejercicio 12 ¿Qué quieres hacer?
Contesten.

1. ¿Qué quieres hacer cuando tienes hambre?
2. ¿Qué quieres hacer cuando tienes sed?
3. ¿Qué quieres hacer cuando tienes sueño?

CONVERSACIÓN

A friend is asking you the following personal questions about your daily routine. Answer his/her questions and tell him/her about yourself.

¿A qué hora?

Amigo(a)   ¿A qué hora te acuestas?
Tú   _____

Amigo(a)   ¿Te duermes en seguida?
Tú   _____

Amigo(a)   ¿A qué hora te levantas?
Tú   _____

Amigo(a)   Luego, ¿qué haces?
Tú   _____

Amigo(a)   ¿Te sientas a la mesa para tomar el desayuno?
Tú   _____

Amigo(a)   ¿A qué hora sales para la escuela?
Tú   _____

El camping en la Sierra de Guadarrama

La familia González hace una excursión de camping. Ellos pasan el fin de semana* en la Sierra de Guadarrama, un poco al norte de Madrid. Ellos no hacen el viaje en tren. No quieren ir en tren porque tienen que llevar muchas cosas. Ellos van en coche.*

Cuando llegan al camping arman la tienda de campaña. Luego se ponen* un par de *blue jeans* y un par de zapatos de tenis. Dan un paseo largo* por el bosque.* Caminan* y caminan. Cuando vuelven al camping todos tienen mucha hambre. Preparan la comida en un hornillo y luego se sientan a una mesa plegable y empiezan a comer. Después todos tienen sueño y quieren dormir. Quitan* del coche los sacos de dormir. Todos se acuestan y se duermen en seguida.

Por la mañana hace muy buen tiempo. Hace mucho sol. Todos se despiertan* a las seis. Se levantan y se lavan en un arroyo.* Toman el desayuno y luego van de pesca.* Pescan cuatro truchas.* ¿Qué van a comer esta noche? ¡Truchas, por supuesto!

Todos se divierten mucho. Pasan un fin de semana muy agradable al aire libre.*

---

fin de semana weekend   *coche* car   *se ponen* they put on   *Dan un paseo largo* They take a long walk   *bosque* forest   *Caminan* They walk   *Quitan* They take out   *se despiertan* wake up   *arroyo* brook, creek   *de pesca* fishing   *truchas* trout   *al aire libre* outdoors

Ejercicio 1   Contesten.

1. ¿Qué hace la familia González?
2. ¿Adónde van?
3. ¿Cómo van?
4. ¿Por qué tienen que ir en coche?
5. Cuando llegan al camping, ¿qué arman?
6. ¿Qué se ponen?
7. ¿Dónde dan un paseo?
8. ¿Dónde preparan la comida?
9. ¿Dónde se sientan para comer?
10. ¿En qué se acuestan?
11. ¿A qué hora se despiertan?
12. ¿Dónde se lavan?
13. ¿Qué pescan?
14. ¿Se divierten todos al aire libre?

Ejercicio 2   Completen.

1. La familia González hace una _____.
2. Ellos hacen el viaje a la Sierra de Guadarrama en _____, no en tren.
3. La Sierra de Guadarrama está un poco al _____ de Madrid.
4. Ellos caminan y caminan por el _____.
5. Preparan la comida en un _____.
6. Para comer se sientan a una _____.
7. Duermen en un _____.
8. Todos tienen mucho sueño. Cuando se acuestan se duermen en _____.
9. Por la mañana se lavan en _____.
10. Luego van _____.

Actividades

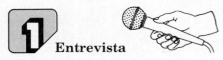

1 Entrevista

- ¿A qué hora te acuestas?
- Cuando te acuestas, ¿te duermes en seguida?
- ¿A qué hora te levantas?
- ¿Cuántas horas duermes?
- Cuando te levantas, ¿te lavas?
- ¿Dónde te lavas?
- ¿Te cepillas los dientes?
- ¿Te peinas?
- ¿Tomas el desayuno en casa?

- ¿A qué hora sales para la escuela?
- ¿Tomas el almuerzo en la cafetería de la escuela?
- ¿Te sientas a una mesa con tus amigos?
- ¿Te diviertes?

2 Make a list of some good health habits that you practice. Use the illustrations as a guide.

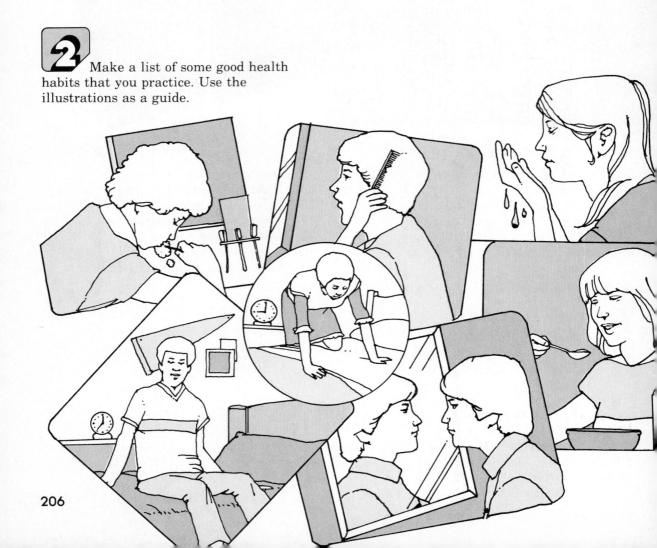

3 Say all you can about what you see in the illustration.

Revista

En España hay muchos campamentos. Cada año el departamento de turismo publica una guía de campamento.

1981

INSTITUTO DE LA JUVENTUD
Y PROMOCION COMUNITARIA

camping FORESTA
LICAN-RAY

UBICACION
El Camping está ubicado en la ribera norte del Lago Calafquén (por el camino a Coñaripe), y a 500 mts. del pueblo de Lican-Ray. El Lago Calafquén se encuentra a 112 kms. de Temuco, y a 26 kms. del Lago Villarrica.

DISFRUTE
De las cálidas aguas del Lago Calafquén - Pesca deportiva - Motonáutica - Ski acuático - Termas - Hermosos paseos, etc.

COMODIDADES
12.000 m² de parque y bosque natural - Playa propia - Sitios de más de 80 m² - Unidades de baños completas - Duchas con agua caliente - Todos los sitios cuentan con agua e instalación eléctrica - Lavaderos para ropa y vajilla - PROVEDURIA: En ella encontrará pan, leche, helados, bebidas y alimentos en general.

ENTRETENCIONES
Juegos infantiles - Multicancha - Cancha de tenis - Botes y Paseos a caballo.

RESERVAS A:

El camping Foresta está en Lican-Ray, Chile. ¿Hay un lago en el camping Foresta? ¿Cómo se llama? ¿Es posible pescar en el lago? ¿Tiene un bosque? Para hacer una reserva, ¿adónde tiene que escribir?

Los jóvenes están
de camping en los Pirineos,
las montañas entre Francia
y España. ¿En qué llevan
sus provisiones? ¿En qué
duermen? ¿Hace frío o hace
calor en los Pirineos?

Están de camping en Cancún, México.
¿Hace frío o hace calor en Cancún?
¿Cuántos campers hay en la fotografía?

209

En el aeropuerto

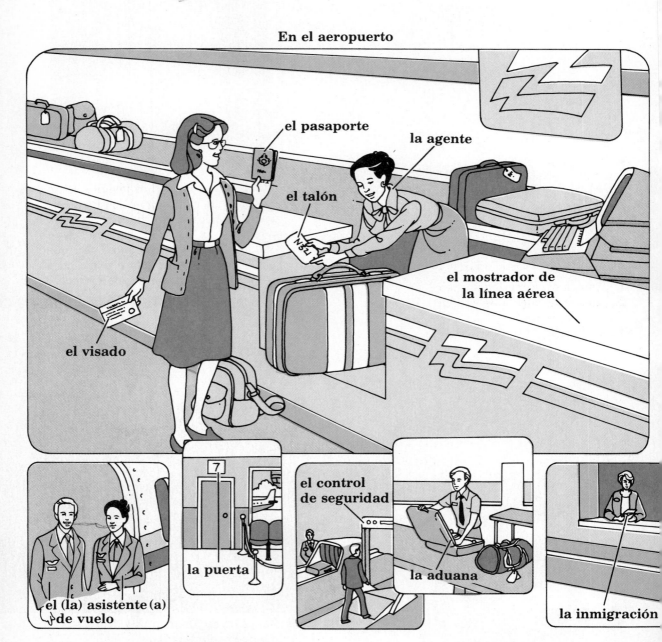

el pasaporte

la agente

el talón

el mostrador de
la línea aérea

el visado

el (la) asistente (a)
de vuelo

la puerta

el control
de seguridad

la aduana

la inmigración

la tarjeta de embarque　　　　　　**el número del vuelo**

el destino

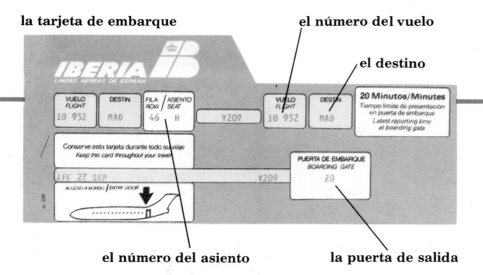

el número del asiento　　　　　　**la puerta de salida**

Ejercicio 1　En el aeropuerto
Contesten.

1. ¿Hay mucha gente en el mostrador de la línea aérea?
2. ¿Habla la señora con la agente?
3. ¿Pone la agente un talón en la maleta?
4. ¿Mira la agente el pasaporte?

Ejercicio 2　¿Qué indica la tarjeta de embarque?

1. ¿Indica el número del vuelo?
2. ¿Indica la puerta de salida?
3. ¿Indica el destino del vuelo?
4. ¿Indica el número del asiento del pasajero?

Ejercicio 3　Según la tarjeta de embarque . . .

1. ¿Adónde va el pasajero?
2. ¿Con qué línea aérea viaja?
3. ¿Cuál es el número del vuelo?
4. ¿De qué puerta va a salir su vuelo?
5. ¿Cuál es el número de su asiento?

Estos pasajeros están **en fila (hacen cola).**
Aquellos pasajeros **pasan por** el control de
　seguridad.

La señora **muestra** su boleto al agente.
Ella **factura** su equipaje.

Este avión está en **la pista**.
Este avión va a **despegar**.
Aquel avión va a **aterrizar**.

Ejercicio 4   Los pasajeros hacen un viaje en avión.
Completen según los dibujos anteriores.

1. Estos pasajeros están en _____. Ellos están en _____ en el _____ de la
   línea aérea.
2. Aquellos pasajeros pasan por el _____ _____ _____. Aquellos pasajeros no
   están en _____ en el _____ de la línea aérea.
3. Esta señora _____ su boleto al agente en el _____ de la línea aérea. El
   agente mira el _____. La señora _____ su equipaje. Cuando ella factura su
   _____, el agente pone un _____ en cada maleta.
4. Este avión no está en el aire. Está en la _____. Este avión va a _____. No
   va a _____.
5. Aquel avión está en el aire. No está en la _____. Aquel avión no va a
   despegar. Va a _____.

Expresiones útiles

Sometimes in a conversation you may wish to change the subject or bring up a
related matter that the person to whom you are speaking is not aware of. In
English we say *By the way*. Spanish speakers say:
   ¡A propósito!

El vuelo a Santiago

Juan	¡Oye, Carlos! ¿**Sabes** el número de nuestro vuelo?
Carlos	Es el número ciento dos.
Juan	¿**Sabes** a qué hora sale?
Carlos	Sí, sale a las once y veinte. Y yo **sé** también de qué puerta sale. Y tú, ¿qué sabes? ¿Nada?
Juan	¡**A propósito!** ¿**Conoces** a mi amigo, Roberto?
Carlos	Claro que **conozco** a Roberto. ¿Qué tal, amigo?
Roberto	Muy bien. ¡Qué sorpresa! ¿Tú también vas a Santiago?

Ejercicio 5   Yo sé el número de nuestro vuelo.
¿Es verdad o no es verdad?

1. Carlos sabe el número de su vuelo.
2. Juan también sabe el número de su vuelo.
3. Juan sabe la hora de salida.
4. Carlos sabe la hora de salida y sabe también de qué puerta va a salir el avión.
5. Juan conoce a Roberto.
6. Carlos también conoce a Roberto.

Estructura

El presente de los verbos *saber* y *conocer*

The verbs **saber** and **conocer** are both irregular in the present tense. As with many irregular verbs, you will note that they are irregular in the **yo** form only. All other forms are the same as a regular **-er** verb. Observe the following.

Infinitive	saber	conocer
yo	**sé**	**conozco**
tú	sabes	conoces
él, ella, Ud.	sabe	conoce
nosotros, -as	sabemos	conocemos
(vosotros, -as)	(sabéis)	(conocéis)
ellos, ellas, Uds.	saben	conocen

The verbs **saber** and **conocer** both mean *to know*. Their uses, however, are quite different.

The verb **saber** means to know something relatively simple, such as a fact, or to have information about something.

Yo sé el número de teléfono.
Yo sé que Roberto está aquí.
Yo sé donde está Madrid.

Yo no sé si él hace el viaje o no.
Yo no sé en qué vuelo vamos a salir.

The verb **saber** when followed by an infinitive means *to know how* to do something.

Yo sé tocar la guitarra.

The verb **conocer** means *to know* in the sense of *to be acquainted with*. In contrast to **saber,** it is used with something more complex, such as a person, place, art, or literature.

Yo conozco a Roberto.
Yo conozco México.

Yo conozco el arte mexicano.
Yo conozco la literatura española.

Ejercicio 1 ¿Sabes?
Contesten según el modelo.

¿Sabes todo?
¡Claro que yo sé todo!

1. ¿Sabes tu nombre?
2. ¿Sabes tu número de teléfono?
3. ¿Sabes dónde vives?
4. ¿Sabes cuántos años tienes?

5. ¿Sabes la hora?
6. ¿Sabes la fecha?

Ejercicio 2 ¿Qué saben los pasajeros?
Contesten con _sí_.

1. ¿Saben los pasajeros en qué vuelo van a salir?
2. ¿Saben ellos el número del vuelo?
3. ¿Saben también de qué puerta va a salir el avión?
4. ¿Saben ellos el número de su asiento?
5. ¿Sabe Elena a qué hora va a llegar su amiga?
6. ¿Sabe ella si va a llegar en avión?

Ejercicio 3 ¿Qué saben Uds. hacer?
Contesten según el modelo.

¡A propósito! ¿Saben Uds. tocar la guitarra?
¡Por supuesto! Sabemos tocar la guitarra.

1. ¡A propósito! ¿Saben Uds. tocar la guitarra?
2. ¡A propósito! ¿Saben Uds. cantar?
3. ¡A propósito! ¿Saben Uds. bailar?
4. ¡A propósito! ¿Saben Uds. jugar al fútbol?

Ejercicio 4 ¿A quién y qué conocen?
Contesten según el modelo.

¿Conoces a Roberto?
Sí, yo conozco a Roberto pero mi hermano no conoce a Roberto.

1. ¿Conoces a Teresa?
2. ¿Conoces Santiago de Chile?
3. ¿Conoces la música puertorriqueña?
4. ¿Conoces el arte mexicano?
5. ¿Conoces la literatura americana?
6. ¿Conoces la historia de los Estados Unidos?

Ejercicio 5 ¿A quién conoces y qué sabes de ella?
Completen la conversación con _saber_ o _conocer_.

Rosa	Elena, ¿_____ (tú) a Teresa Lebental?
Elena	Claro que _____ a Teresa. Ella y yo somos muy buenas amigas.
Rosa	¿_____ (tú) que ella va a México?
Elena	¿Ella va a México? No, yo no _____ nada de su viaje. ¿Cuándo va?
Rosa	Pues, ella no _____ exactamente qué día va a salir. Pero _____ que va a salir este mes. Ella va a hacer una reservación mañana. Yo _____ que ella quiere ir en avión.
Elena	Teresa no _____ México, ¿verdad?
Rosa	No, no lo creo. Pero yo _____ que ella _____ a mucha gente en México.
Elena	¿Cómo _____ ella a mucha gente en México?
Rosa	Pues, ¿tú no _____ que ella tiene parientes en México?
Elena	Ay, sí. Es verdad. Yo _____ que tiene familia en México porque yo _____ a su tía Marisa. Y yo _____ que ella es de México.

Los adjetivos demostrativos

A *demonstrative adjective* is one that is used to indicate where someone or something is located in comparison to yourself, as the speaker, and the person to whom you are speaking. In English, we use the adjectives *this, that* in the singular and *these, those* in the plural. In Spanish, however, there are three sets of demonstrative adjectives. As with any other adjective, a demonstrative adjective must agree with the noun it modifies. Study the following forms.

este muchacho	ese muchacho	aquel muchacho
esta muchacha	esa muchacha	aquella muchacha
estos muchachos	esos muchachos	aquellos muchachos
estas muchachas	esas muchachas	aquellas muchachas

Observe the use of the demonstrative adjectives in Spanish.

Esta camisa es azul.   *This shirt is blue.*

Esa camisa es azul.   *That shirt is blue.*

Aquella camisa es azul.   *That shirt (over there) is blue.*

Este is used to indicate that which is near the person speaking.

    Este libro que tengo yo es interesante.

Ese is used to indicate that which is close to the person spoken to.

    Ese libro que tú tienes es interesante también.

Aquel is used to indicate that which is far from both the speaker and the person spoken to.

    Aquel libro es interesante.

There are also three adverbs in Spanish to indicate distance. They are:

aquí

allí

allá

Ejercicio 6 Estas, esas y aquellas cosas que hay en la clase
Sigan el modelo.

Este muchacho es simpático.
Es verdad. Este muchacho es simpático. Pero ese muchacho y aquel muchacho son simpáticos también.

1. Este muchacho es muy listo.
2. Este libro es muy interesante.

216

3. Este disco es de jazz.
4. Estos muchachos son americanos.
5. Estos periódicos son muy buenos.
6. Estos discos son de música clásica.
7. Esta muchacha es muy inteligente.
8. Esta revista es divertida.
9. Esta camisa es blanca.
10. Estas muchachas son listas.
11. Estas tarjetas son de España.
12. Estas cajas son pequeñas.

Ejercicio 7   Aquí y allá en el aeropuerto
Completen con la forma apropiada de *este, ese* o *aquel*.

1. _____ pasajero aquí lleva mucho equipaje pero _____ pasajero allá lleva muy poco equipaje.
2. _____ boleto que tengo yo es de ida y vuelta pero _____ boleto que tú tienes es un boleto sencillo.
3. _____ asistentes de vuelo que están aquí trabajan con la línea aérea colombiana pero _____ asistentes de vuelo que esperan allá trabajan con la línea aérea española.
4. _____ tarjeta de embarque que está allá en el mostrador es amarilla pero _____ tarjeta que tengo yo es azul.
5. ¡Claro! _____ tarjeta azul que tú tienes es para la clase económica pero _____ tarjeta amarilla allá en el mostrador es para primera clase.
6. _____ avión que está aquí en la puerta va a salir en una hora pero _____ avión que está allá en la pista va a despegar en seguida. _____ aviones que están en _____ momento en el aire, yo no sé ni cuándo ni dónde van a aterrizar.
7. Tú prefieres _____ asiento que tú tienes y yo prefiero _____ asiento que yo tengo y ellos prefieren _____ asientos que tienen allá. Todos estamos contentos con los asientos que tenemos.

Pronunciación   Y—vocal y consonante

The Spanish **y** can be either a vowel or a consonant. As a vowel, it is pronounced exactly like the Spanish vowel **i**, like the *ee* in *see* or *bee*.

Juan y María
El piano y la guitarra

Y is a consonant when it begins a word or a syllable. As a consonant, **y** is pronounced similarly to the English *y* in the word *yoyo*. However, this sound has several variations throughout the Spanish-speaking world.

y
yo
ya
ayuda
desayuno

La consonante *ll*

The **ll** is considered a single consonant in Spanish. It is often pronounced like the *lli* in the English word *million*. In many areas the sound of the **ll** is very similar to or identical to the consonant **y** explained previously.

ll

l̲lama
el̲la
aquel̲la
l̲leva
l̲lega
bil̲lete
cal̲le
hornil̲lo
(l̲luvia)

Trabalenguas y dictado

Y̲o ay̲udo con el desay̲uno.
El̲la se l̲lama Lola L̲lamas.
El̲la l̲lega a la ventanil̲la con el bil̲lete.
El̲la no l̲leva el hornil̲lo por la cal̲le.

Expresiones útiles

In all languages there are certain sounds, rather than words, that are used to convey a meaning or a message. For example, in English, when we want someone to be quiet, we may merely go *shhh!* Such sounds exist in Spanish, too, but they are, of course, different from those sounds we make in English. Spanish speakers do not say *shh*. They say:

¡Chist!

Este avión va a despegar pronto, Chile

conversación

En el aeropuerto

Roberto	Marta, ¿tienes tu tarjeta de embarque?
Marta	Sí, aquí está.
Roberto	¿Sabes de qué puerta va a salir nuestro vuelo?
Marta	¡Chist!
Anunciador	Señores pasajeros, su atención, por favor. La compañía de aviación anuncia la salida de su vuelo ciento dos con destino a Santiago de Chile. Embarque inmediato por la puerta número seis.
Roberto	Es nuestro vuelo. Ahora yo sé de qué puerta sale.
Marta	Sí, pero primero tenemos que pasar por el control de seguridad.
Roberto	Allá donde están aquellos pasajeros. ¡Ay! Aquella cola es bastante larga.
Marta	Sí, ¡vamos!

Ejercicio Contesten.

1. ¿Tiene Marta su tarjeta de embarque?
2. ¿Sabe ella de qué puerta va a salir su vuelo?
3. ¿Anuncian la salida de su vuelo?
4. ¿Cuál es el número de su vuelo?
5. ¿Adónde va ella?
6. ¿Es inmediato el embarque?
7. ¿Por qué puerta van a salir Marta y Roberto?
8. ¿Por dónde tienen que pasar primero?
9. ¿Hay mucha gente en el control de seguridad?

¿Esquiar en julio?

Hoy es el veinticinco de julio. En la ciudad de Nueva York hace mucho calor. Marta, Roberto y varios amigos están muy contentos porque van de vacaciones. Ellos son muy aficionados al esquí y van a esquiar. Pero, ¿dónde van a esquiar en julio cuando hace mucho calor? Pues, ellos van a esquiar en Portillo, cerca de Santiago de Chile. Uds. saben que Chile está en el hemisferio sur, ¿no? Y saben también que cuando es el verano en el hemisferio norte, es el invierno en el hemisferio sur.

En este momento Marta, Roberto y sus amigos están en el aeropuerto internacional de Nueva York, John F. Kennedy. Dentro de poco° ellos van a abordar un avión con destino a Santiago de Chile. Primero ellos van al mostrador de la línea aérea chilena. Muestran sus boletos al agente y facturan su equipaje. El agente quiere ver también sus pasaportes porque ellos van a salir de los Estados Unidos. Todo está en orden.° El agente pone un talón en cada maleta. Su equipaje está facturado hasta Santiago. En el mostrador reciben también su tarjeta de embarque. Ellos salen a las once y veinte de la noche. Su vuelo es el número ciento dos. Tienen asientos en la fila° once en la sección de no fumar.°

°**Dentro de poco** *In a little while*   °**en orden** *in order*   °**fila** *row*
°**no fumar** *no smoking*

220

No pueden abordar el avión en seguida. Primero tienen que pasar por el control de seguridad. En Nueva York no tienen que pasar por inmigración. Van a pasar por inmigración y también por la aduana mañana por la tarde en Santiago.

— Su atención, por favor. La compañía chilena de aviación anuncia la salida de su vuelo ciento dos con destino a Santiago de Chile con escalas° intermedias en Panamá, Bogotá, Guayaquil y Lima. Embarque inmediato por la puerta número seis.

— ¡Ay! Es nuestro vuelo. ¡Vamos ya! ¡A Santiago de Chile! ¡A esquiar en julio! ¡Qué estupendo!

— ¡Adiós! ¡Buen viaje! ¡Y bienvenidos° a bordo!

Ejercicio 1 Escojan.

1. ¿Cuál es la fecha?
   a. Es el veinticinco de julio.
   b. Hoy no hay fecha.
   c. Es el verano hoy.

2. ¿Por qué están muy contentos Marta, Roberto y sus amigos?
   a. Porque hace mucho calor.
   b. Porque van de vacaciones.
   c. Porque están en Nueva York.

3. ¿Qué van a hacer ellos?
   a. Ellos van a hacer un viaje largo en tren.
   b. Ellos van a esquiar en Chile.
   c. Ellos van a pasar un día en la ciudad de Nueva York.

4. ¿Dónde están ellos ahora?
   a. Ellos están en el aeropuerto internacional de la ciudad de Nueva York.
   b. Ellos están en el centro de la ciudad de Nueva York.
   c. Ellos están en Santiago de Chile.

°**escalas** *stops*   °**bienvenidos** *welcome*

5. ¿Adónde van ellos primero en el aeropuerto?

    a. Ellos van al control de seguridad.

    b. Ellos van a la aduana.

    c. Ellos van al mostrador de la línea aérea.

6. ¿Qué facturan en el mostrador de la línea aérea?

    a. Su boleto.

    b. Su pasaporte.

    c. Su equipaje.

7. En el mostrador, ¿qué reciben del agente?

    a. Su equipaje.

    b. Su tarjeta de embarque.

    c. Su avión.

8. ¿Qué pone el agente en cada maleta?

    a. Un talón.

    b. Un boleto.

    c. Un visado.

9. ¿Cuál es el número de su vuelo?

    a. A las once y veinte.

    b. El ciento dos.

    c. El once.

10. ¿Dónde tienen sus asientos?

    a. En la fila once.

    b. En la fila en el mostrador.

    c. En la sección de fumar.

11. ¿Por qué no pueden abordar el avión en seguida?

    a. El avión tiene que despegar.

    b. Tienen que pasar por inmigración.

    c. Tienen que pasar por el control de seguridad.

12. ¿Dónde van a tener que pasar por inmigración y por la aduana?

    a. En el aeropuerto de John F. Kennedy en Nueva York.

    b. En el aeropuerto de Santiago de Chile.

    c. En el avión.

13. ¿Qué anuncia la compañía chilena de aviación?

    a. El embarque inmediato de su vuelo ciento dos.

    b. Que su vuelo va a salir mañana por la tarde.

    c. Que hoy no hay vuelo para Santiago.

Ejercicio 2 Completen.

1. Marta, Roberto y sus amigos pueden esquiar en julio en Chile porque . . .

2. En el aeropuerto ellos no pueden abordar el avión en seguida porque . . .

3. Ellos necesitan pasaporte porque . . .

4. Su vuelo a Santiago de Chile no es un vuelo sin escala porque . . .

Actividades

1 Aquí tenemos la ruta aérea del vuelo número ciento dos de la línea aérea chilena.

- ¿Dónde empieza el vuelo ciento dos?
- ¿Dónde termina?
- ¿Es un vuelo sin escala o hace escalas?
- ¿En qué ciudades hace escala?
- ¿En qué países hace escala?

2 **Habla el piloto (el comandante) del vuelo ciento dos.**

«Señores y señoras. Bienvenidos a bordo el vuelo ciento dos de la línea aérea chilena con destino a Santiago de Chile. Esta noche vamos a hacer escalas en las ciudades de Panamá, Bogotá, Guayaquil y Lima. Nuestro tiempo de vuelo entre Nueva York y nuestra primera escala, Panamá, va a ser aproximadamente de cinco horas y diez minutos. Vamos a volar a una altura de once mil metros y a una velocidad de doce mil kilómetros por hora».

- ¿A quiénes habla el comandante?
- ¿A quiénes da el comandante la bienvenida?
- ¿Adónde va el vuelo?
- ¿Dónde van a hacer escalas?

- ¿Cuál es el tiempo de vuelo entre Nueva York y Panamá?
- ¿A qué altura va a volar el avión?
- ¿A qué velocidad va a volar?

3

Aquí tenemos un boleto de avión.

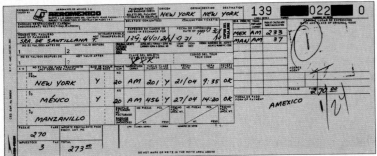

- ¿Cuál es el nombre de la pasajera?
- ¿De dónde va a salir?
- ¿A qué hora va a salir?
- ¿Cuál es el número de su vuelo?
- ¿Cuál es el nombre de la línea aérea?

- ¿A cuántas ciudades va a volar la pasajera?
- ¿Cuál es el segundo vuelo que va a hacer?
- ¿Qué día va a hacer el viaje de México a Manzanillo?

4

Role play. What do you think the passengers are saying to one another or asking one another before they board their flight?

5 Say all you can about what you see in the illustration.

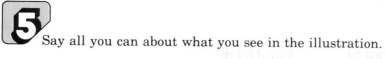

INMIGRACIÓN

PUERTA 6

Seguridad

La Aduana

Revista

¿Dónde esperan los pasajeros en el aeropuerto de Simón Bolívar en Guayaquil, Ecuador?

En el aeropuerto internacional de México, ¿a qué sala debe Ud. ir para salidas internacionales?

¿Qué toma la asistenta de vuelo de los pasajeros que abordan el avión en el aeropuerto El Dorado en Bogotá, Colombia?

El vuelo de la Mexicana para Guadalajara sale a las quince cinco. ¿A qué hora van a abordar el avión los pasajeros? ¿A qué puerta tienen que ir los pasajeros para abordar el avión?

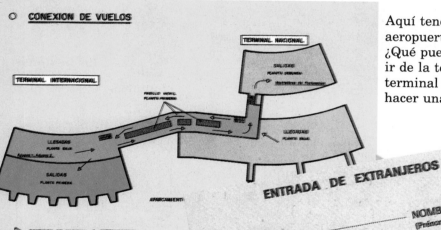

Aquí tenemos el plan del aeropuerto de Barajas en Madrid. ¿Qué puede tomar un pasajero para ir de la terminal internacional a la terminal nacional si tiene que hacer una conexión?

Si Ud. llega a Madrid, tiene que llenar *(fill out)* una tarjeta de entrada. ¿Puede Ud. contestar a las preguntas en la tarjeta?

¿De qué país es la línea aérea Viasa?

16 El esquí

En una cancha de esquí

Vocabulario

los esquís

las botas

los bastones

el anorak

Elena compra **un ticket**.
Lo compra en **la boletería**.
Lo compra para **el telesquí**.

Teresa esquía.
Ella baja **la pista**.
Ella baja **rápido**.

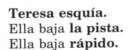

Guillermo **se cae**.
¿Se rompe la pierna?
No, no se rompe **nada**.

¿**Pierde** Tomás el bastón?
Sí, lo pierde.

228

Ejercicio 1   Elena va a subir en el telesquí.
Contesten.

1. ¿Qué compra Elena?
2. ¿Dónde lo compra?
3. ¿Para qué lo compra?
4. En el telesquí, ¿bajan o suben la montaña los esquiadores?
5. ¿Quién esquía?
6. ¿Qué pierde Tomás?
7. ¿Quién se cae?
8. ¿Se rompe la pierna?

Ejercicio 2   Lo que hago cuando esquío
Completen.

1. Antes de subir la montaña, tengo que comprar un _____ para el telesquí. Lo compro en la _____.
2. Yo sé esquiar muy bien. Yo puedo bajar la _____ muy _____.
3. Cuando yo esquío, me pongo las botas, el _____ y los _____. Para esquiar necesito también dos _____.
4. ¡Ay! El pobre Guillermo. Tiene un accidente. Él _____ _____. ¡Qué pena! Pero afortunadamente no se rompe _____.

Expresiones útiles

We have already learned that when we want to get a friend's attention and make him/her listen to what we say, we would use the expression **¡Oye!**

To get a friend's attention and have him/her look at something, Spanish speakers would say **¡Mira!** *(Look!)*.

If you wish to let someone know that you are only expressing your opinion or thoughts about something, you can preface your statement with **Me parece que.**

¡Teresa dice que no esquía!

Elena   ¡Mira! Teresa **dice** que no esquía bien.

Roberto   Sí, **dice que es principiante.** Pero no **lo creo.** Mira cómo baja la pista. **Me parece que** es experta.

Elena   **De acuerdo.** Pero cuando yo **digo** que soy principiante, es verdad. Soy principiante.

Roberto   Yo también. Yo me pongo un esquí y en seguida me caigo.

Ejercicio 3 ¿Qué dice Teresa?
¿Verdadero o falso?

1. Teresa dice que ella no sabe esquiar muy bien.
2. Teresa dice a todos sus amigos que ella es experta.
3. Roberto dice que Teresa es experta.
4. Elena y Roberto están de acuerdo. Los dos dicen que Teresa es experta.
5. Roberto dice que cuando él se pone un esquí, se cae en seguida.

Estructura

El presente del verbo *decir*

The verb **decir** has two meanings in English. It can mean *to say* or *to tell*. Study the following forms of this irregular verb in the present tense.

Infinitive	decir
yo	digo
tú	dices
él, ella, Ud.	dice
nosotros, -as	decimos
(vosotros, -as)	(decís)
ellos, ellas, Uds.	dicen

Note that when the verb **decir** is followed by either **sí** or **no,** you must always use **que.**

Digo que sí.
Él dice que no.

Ejercicio 1 ¿Qué dices? ¿Esquías o no?
Preguntas personales.

1. ¿Dices que esquías bien o no?
2. ¿Dices que eres muy aficionado(a) al esquí?
3. ¿Dices que eres principiante o experto(a)?
4. ¿Dices que quieres esquiar?
5. ¿Dices que quieres aprender a esquiar?

Ejercicio 2 ¿Dónde dice Teresa que va a esquiar?
Contesten que *sí.*

1. ¿Dice Teresa que va a esquiar?
2. ¿Dice que va a esquiar en Portillo?
3. ¿Dice que va a ir con Elena?
4. ¿Dicen que van a hacer el viaje a Chile en avión?
5. ¿Dicen que van a salir mañana?

Ejercicio 3 ¿Qué opinan? ¿Dicen Uds. que sí o que no?
Let's see if you remember the following information.

1. ¿Dicen Uds. que Portillo está cerca de Santiago de Chile?
2. ¿Dicen Uds. que Bogotá es la capital de España?
3. ¿Dicen Uds. que los alumnos en los países hispánicos toman muchos cursos en un semestre?
4. ¿Dicen Uds. que muchos alumnos que asisten a los colegios en los países hispanos trabajan después de las clases?
5. ¿Dicen Uds. que la mayoría de la gente en los países hispanos vive en casas particulares en los suburbios en las afueras de las ciudades?
6. ¿Dicen Uds. que la gente en los países hispanos compra casi todo en el supermercado?
7. ¿Dicen Uds. que cuando un joven hispano habla de su familia, habla de sus padres, de sus hermanos, de sus abuelos, de sus tíos, de sus primos y también de sus padrinos?
8. ¿Dicen Uds. que hay muchos hispanos que viven en los Estados Unidos?
9. ¿Dicen Uds. que el fútbol que juegan en los países hispanos es el mismo fútbol que jugamos en los Estados Unidos?
10. ¿Dicen Uds. que hay un tren que sale de la estación de Atocha en Madrid para ir a Toledo?

Ejercicio 4 ¿Quién dice qué?
Contesten.

Juan dice que él esquía muy bien.

1. ¿Y tú? ¿Qué dices?
2. ¿Y tus amigos? ¿Qué dicen?
3. ¿Y tu padre? ¿Qué dice?
4. ¿Y Uds.? ¿Qué dicen?

Ejercicio 5 Una discusión. Él dice que sí y yo digo que no.
Completen con *decir*.

Yo _____ que no y él _____ que sí. ¿Qué _____ Uds.? Uds. _____ que sí. Pues, Uds. y yo _____ que sí y él _____ que no. Pero, hombre, ¿de qué hablamos? Hablamos de nuestro viaje. Yo _____ que vamos a ir en avión y Uds. también _____ que vamos a ir en avión. Nosotros tres _____ que vamos en avión. Pero, ¿qué _____ él? Él _____ que vamos a ir en tren.

Los pronombres de complemento directo
Lo, la, los, las

Observe the following sentences. The underlined words are called *direct objects*. The direct object is the word in the sentence that receives the action of the verb.

Elena compra <u>el boleto</u>.	Elena <u>lo</u> compra.
Elena compra <u>los boletos</u> en la boletería.	Elena <u>los</u> compra en la boletería.

Elena pone la bota en la maleta.
Elena pone las botas en la maleta.

Ella la pone en la maleta.
Ella las pone en la maleta.

Elena conoce a Roberto.
Elena conoce a Roberto y a su
   hermano.

Ella lo conoce.
Ella los conoce.

Roberto conoce a Elena.
Roberto conoce a Elena y a su
   hermana.

Él la conoce.
Él las conoce.

The direct objects of the sentences in the first column are all nouns. Remember that a personal **a** must be used whenever the direct object is a person.

The direct objects of the sentences in the second column are pronouns. Remember that a pronoun is a word that replaces a noun. Note that in Spanish a direct object pronoun comes *before* the verb.

Elena lo compra.   *Helen buys it.*

A direct object pronoun must agree with the noun it replaces. **Lo** replaces a masculine singular noun. **Los** replaces a masculine plural noun. **La** replaces a feminine singular noun. **Las** replaces a feminine plural noun. The pronouns **lo, la, los, las** can replace either a person or a thing.

Ejercicio 6   El jugador lo lanza.
Contesten con *lo.*

1. ¿Lanza el jugador el balón?
2. ¿Para el balón el portero?
3. ¿Mete el gol González?
4. ¿Marca González el tanto?
5. ¿Indica el tablero el tanto?

Ejercicio 7   Ella la pone en la maleta.
Contesten con *la.*

1. ¿Pone Elena la ropa en la maleta?
2. ¿Pone ella la maleta en el carro?
3. ¿Ve a Teresa en el aeropuerto?
4. ¿Tiene Teresa su tarjeta de embarque?
5. ¿Anuncian la salida de su vuelo?

Ejercicio 8   Él los tiene.
Contesten con *los* o *las.*

1. ¿Tiene Carlos sus botas?
2. ¿Pone las botas en la maleta?
3. ¿Pone las maletas en el carro?
4. ¿Tiene también los esquís?
5. ¿Y tiene los bastones?
6. ¿Lleva los bastones o los pone en la maleta?
7. ¿Factura los esquís y los bastones en el aeropuerto?

Ejercicio 9 ¿Dónde compras comida?

Completen las conversaciones.

1. ¿Dónde compras la carne? _____ compro en la carnicería Machado.
2. ¿Y las legumbres? ¿Dónde _____ compras? Yo _____ compro siempre en el mercado. Están muy frescas allí.
3. ¿Dónde compras el pan? ¿El pan? _____ compro en la panadería Hurtado.
4. ¿Dónde compras los pasteles? ¿_____ compras en la panadería también? No, no _____ compro en la panadería. _____ compro en la pastelería.
5. ¿Dónde compras la leche? Pues, con frecuencia _____ compro en la lechería pero a veces _____ compro en el supermercado.
6. ¿Y dónde compras el pescado? ¿El pescado? Siempre _____ compro en la pescadería porque allí _____ tienen muy fresco.

Las palabras negativas

Observe the following sentences.

Él tiene algo en la mano.	*He has something in his hand.*
Él no tiene nada en la mano.	*He has nothing in his hand.*
Ella esquía siempre.	*She always skis.*
Ella no esquía nunca.	*She never skis.*
Ella ve a alguien.	*She sees someone.*
Ella no ve a nadie.	*She sees no one.*

The words **nada, nunca,** and **nadie** are called *negative words*. Note that since **nadie** refers to a person, it must be preceded by the **a personal** when it is the direct object of the sentence.

Unlike English, a Spanish sentence can have more than one negative word in the same sentence.

Él siempre dice algo a alguien.	*He always says something to someone.*
Él nunca dice nada a nadie.	*He never says anything to anyone.*

When we wish to tell someone that we do the same thing or have the same feelings about something, we will often say *So do I* or *So am I* in English. Spanish speakers will say:

Y yo también.

However, if a person makes a negative statement and we wish to say that the negative expression relates or applies to us too, we will frequently say *Neither do I, I don't either, Neither am I,* or *I'm not either.* Spanish speakers say either:

Ni yo tampoco.
Yo tampoco.

Juan esquía mucho. Y yo también.
Juan no esquía nunca. Ni yo tampoco.

Ejercicio 10 ¿Nada, nunca o nadie?
Contesten con *no*.

1. ¿Hay algo en la mochila?
2. ¿Tienes algo en la mano?
3. ¿Ves a alguien en la sala?
4. ¿Ves a alguien en la cocina?

5. ¿Siempre cantas?
6. ¿Siempre lees algo?
7. ¿Siempre escribes algo?

Ejercicio 11 ¿Y tú?
Agree with the following statements.

1. Yo siempre prefiero ir en avión.
2. Yo juego mucho al fútbol.
3. Yo no canto mucho.

4. Yo no conozco a Juan.
5. Yo estudio mucho.
6. Yo nunca toco la guitarra.

Pronunciación   Las consonantes *ñ, ch*

The **ñ** is considered a letter of the Spanish alphabet. The mark over it is called
a **tilde.** The **ñ** is pronounced similarly to the *ny* in the English word *canyon*.

ñ
España
montaña
campaña
compañía
otoño
año
cumpleaños
panameño
español

Trabalenguas y dictado

El señor español sube las montañas en el otoño.
La señora hondureña trabaja con una compañía panameña.

Ch is considered a separate letter of the Spanish alphabet. It is pronounced
quite similarly to the *ch* in the English word *church*.

ch
cancha
muchacha
chaqueta
noche
chico
chileno
chocolate
chuleta

Trabalenguas y dictado

El muchacho pasa la noche en una cancha de esquí en Chile.
De noche la muchacha lleva chaqueta.

Expresiones útiles

A very useful expression in Spanish is **No importa. No importa** means *It doesn't matter* or *It doesn't make any difference.*

Conversación

¿Esquías?

Anita	Elena, ¿tú dices que esquías mucho?
Elena	¿Yo? Sí, soy muy aficionada al esquí.
Anita	¿Bajas las pistas avanzadas?
Elena	Sí. ¡Cómo no!
Anita	Yo no. Yo no esquío nunca.
Elena	¿Por qué no? Es un deporte fabuloso.
Anita	Lo sé. Pero no sé esquiar.
Elena	No importa. Hay pistas para principiantes. Puedes aprender.

Ejercicio   Completen según la conversación.

Elena _____ que ella esquía mucho. Ella es muy _____ al esquí. Ella puede bajar las _____ avanzadas. Pero Anita no puede. Ella no esquía _____. Elena dice que el esquí es un _____ fabuloso. Anita está de acuerdo. Ella _____ sabe. Pero desgraciadamente, ella no _____ esquiar. Elena dice que no _____. No importa porque en las canchas de esquí hay también pistas para _____.

235

Lectura cultural

¡A las pistas!

Es un día espléndido de julio. El sol está muy fuerte pero hace frío y hay nieve por todas partes.

Después de un viaje agradable en avión, Marta, Roberto y sus amigos llegan a Portillo, Chile. Portillo está en los Andes, muy cerca de Santiago de Chile, la capital. Portillo es una cancha de esquí famosa.

Read

Después de su llegada, Marta, Roberto y sus amigos pasan por las formalidades de inmigración y de la aduana. Como ellos no tienen nada que declarar, salen casi en seguida del aeropuerto y van a Portillo. Están muy cansados pero quieren empezar a esquiar. Pueden dormir más tarde. ¡A las pistas!

Compran sus tickets para el telesquí en la boletería. Esperan en fila un poco y luego empiezan a subir. Desde las montañas hay una vista fabulosa.

Empiezan a bajar.

— ¡Ay de mí! El pobre Pablo. Él dice que sabe esquiar muy bien. ¡Qué fanfarrón!* No es nada más que un principiante y trata de* bajar una pista avanzada. ¡Mira! ¿Pierde el bastón? Sí, sí, lo pierde. ¿Se va a caer o no? Sí, se cae. Empieza a rodar por* la pista. Rueda y rueda por la pista doscientos metros hasta el pie* de la pista.

---

fanfarrón   *braggart*   *trata de*   *he tries*   *rodar (ue) por*   *to tumble down*
el pie   *foot, bottom*

Todos gritan:* —Pablo, ¿estás bien?

— Sí, sí. Estoy bien. Pero estoy cubierto* de nieve. Estoy cubierto desde los pies hasta* la cabeza.

— Eres una bola* de nieve.

— ¿Dónde está mi bastón? ¿Quién lo tiene? Voy a subir de nuevo.*

— ¿Subes de nuevo? Eres un atrevido.* ¡Buena suerte!

Ejercicio Corrijan las oraciones falsas.

1. Es un día espléndido de enero.
2. Hace mucho calor en Portillo.
3. Después de un viaje corto en tren, Marta, Roberto y sus amigos llegan a la Sierra de Guadarrama en España.
4. Portillo está en la Sierra de Guadarrama.
5. Marta, Roberto y sus amigos tienen que pasar mucho tiempo en la aduana porque tienen mucho que declarar.
6. Cuando llegan a Portillo están cansados y se acuestan en seguida.
7. Bajan la montaña en el telesquí.
8. Pablo siempre dice que no sabe esquiar.
9. Él es experto.
10. Trata de bajar una pista para principiantes.
11. Él pierde una bota.
12. Él camina hasta el pie de la montaña.
13. Cuando llega al pie de la montaña, él está cubierto de nieve desde los pies hasta la mano.
14. Él nunca va a subir la montaña.

---

gritan *shout*   **cubierto** *covered*   **desde ... hasta** *from ... to*   **bola** *ball*
de nuevo *again*   **atrevido** *daredevil*

Actividades

1 Entrevista

- ¿Dónde vives?
- ¿Vives cerca de las montañas?
- ¿Hay canchas de esquí donde tú vives?
- ¿Eres aficionado(a) a los deportes de invierno?
- ¿Eres aficionado(a) al esquí?
- ¿Esquías a veces?
- ¿Adónde vas a esquiar?
- ¿Eres experto(a) o principiante?
- Donde esquías, ¿hay pistas para los expertos y también para los principiantes?

2

Write a letter to a friend telling him/her about your skiing activities. If you do ski, tell your friend where you go, what you do at the ski slopes, and what type of skier you are. If you do not ski, tell your friend whether or not you want to learn. Tell him/her whether or not there are ski slopes near (**cerca de**) your home.

Querido(a) amigo(a) . . .

3

Describe all that you see in the illustration.

Telesquí

Revista

Aquí tenemos un anuncio de publicidad para una cancha de esquí. El anuncio es de un periódico de Buenos Aires. ¿Cómo se llama la cancha de esquí? ¿Dan clases de esquí? ¿Dan pases a las pistas? ¿Hay solamente una pista o hay muchas?

Hotel TUC BLANC H*
BAQUEIRA BERET (Lérida)

Situación: Distancia de pistas a 25 m. de los remontes.
Habitaciones: Todas dobles con baño, teléfono y exteriores.
Complementos: El hotel dispone de restaurante, salones sociales, de lectura y TV, juegos recreativos y parking cubierto.
Ver salidas y precios en hojas azules.

BAQUEIRA BERET

2.500 m.

Situación: En el Valle de Arán (Pirineo Leridano). Por ser el único valle Atlántico dentro del Pirineo posee un clima excepcional que asegura gran número de nevadas para la temporada de esquí.
Accesos: Por carretera: Huesca hasta Vilaller y Valle de Arán. Por autopista Barcelona-Lérida hasta Pont de Suert y Valle de Arán. En Ferrocarril, las estaciones más próximas son Lérida y Pobla de Segur. El Aeropuerto más próximo es Zaragoza.
Cotas: Máxima: 2.500 m. Mínima: 1.500 m. 1.000 metros de desnivel esquiable.
Area de dominio esquiable: 130 Ha. con 30 pistas balizadas y 3 itinerarios de esquí. El 55 por 100 de las pistas son para esquiadores intermedios, un 25 por 100 para debutantes y un 20 por 100 para expertos.
Medios mecánicos: 9 Telesillas y 9 Telesquís (6.000 esquiadores/hora).

Aquí tenemos algunos informes sobre Baqueira Beret, una cancha de esquí en los Pirineos en el norte de España. En Baqueira, ¿hay pistas para esquiadores intermedios, principiantes y expertos? ¿Cómo dicen «principiantes» en España? ¿Qué facilidades tiene el Hotel Tuc Blanc?

Esquiadores en Baqueira Beret

Sol y Nieve—una cancha de esquí en la Sierra Nevada, cerca de Granada

Una escena en Portillo, Chile ¿Qué mes es, enero o julio?

Repaso

¿Haces un viaje?

Carmen	José, ¿sabes que voy a hacer un viaje?
José	¿Haces un viaje? ¿Adónde?
Carmen	Voy a Chile.
José	¡A Chile! ¿Cuándo sales?
Carmen	Salgo mañana.
José	Pero, ¿qué vas a hacer en Chile?
Carmen	Voy a esquiar. Dicen que hay canchas de esquí fabulosas en Chile.
José	Sí, lo sé. ¿Vas a ir en avión?
Carmen	¡Claro! De aquí a Chile no hay tren.

Ejercicio 1 Contesten.

1. ¿Quién va a hacer un viaje?
2. ¿Adónde va?
3. ¿Cuándo sale?
4. ¿Qué va a hacer en Chile?
5. ¿Qué tiene Chile?
6. ¿Cómo va a hacer el viaje?
7. ¿Por qué no va en tren?

Los verbos con -g en el presente

Review the following irregular verbs. Note that only the **yo** form is irregular.

Infinitive	hacer	poner	traer	salir
yo	**hago**	**pongo**	**traigo**	**salgo**
tú	haces	pones	traes	sales
él, ella, Ud.	hace	pone	trae	sale
nosotros, -as	hacemos	ponemos	traemos	salimos
(vosotros, -as)	(hacéis)	(ponéis)	(traéis)	(salís)
ellos, ellas, Uds.	hacen	ponen	traen	salen

Note that in addition to having a **g** in the **yo** form, the verb **venir** also has a stem change in the present tense.

Infinitive	venir
yo	vengo
tú	vienes
él, ella, Ud.	viene
nosotros, -as	venimos
(vosotros, -as)	(venís)
ellos, ellas, Uds.	vienen

Ejercicio 2 Completen.

1. Mañana yo _____ (hacer) un viaje y mi prima lo _____ (hacer) también.
2. Nosotros _____ (salir) a las ocho de la mañana.
3. Mi prima _____ (venir) a mi casa hoy.
4. Yo la conozco bien. Cada vez que ella _____ (venir) a mi casa _____ (traer) mucho equipaje. Como vamos a hacer un viaje, no sé cuántas maletas va a _____ (traer).
5. Nosotros(as) _____ (hacer) nuestro viaje en tren.

El verbo *decir*

Review the following forms of the verb **decir**.

Infinitive	decir
yo	**digo**
tú	dices
él, ella, Ud.	dice
nosotros, -as	decimos
(vosotros, -as)	(decís)
ellos, ellas, Uds.	dicen

Ejercicio 3 Completen con *decir*.

Yo _____ que voy a hacer el viaje en tren. Mi prima _____ que va a hacer el viaje en avión. Yo le pregunto: «¿Por qué _____ (tú) que no quieres hacer el viaje en tren?» Ella _____ que no quiere hacer el viaje en tren porque se pone muy cansada. Mi hermana _____: «Si ella _____ que no quiere ir en tren y tú _____ que no quieres ir en avión, ¿por qué no van Uds. en carro?» Mi prima y yo _____ que sí. (Nosotros) _____ que es una solución muy buena. Podemos hacer el viaje en carro.

Los verbos reflexivos

Review the following forms of reflexive verbs. Pay particular attention to the additional pronoun called a *reflexive pronoun*.

Infinitive	lavarse	peinarse	sentarse	acostarse
yo	me lavo	me peino	me siento	me acuesto
tú	te lavas	te peinas	te sientas	te acuestas
él, ella, Ud.	se lava	se peina	se sienta	se acuesta
nosotros, -as	nos lavamos	nos peinamos	nos sentamos	nos acostamos
(vosotros, -as)	(os laváis)	(os peináis)	(os sentáis)	(os acostáis)
ellos, ellas, Uds.	se lavan	se peinan	se sientan	se acuestan

Ejercicio 4 Completen según el dibujo.

1. Yo _____.
   Él _____.
   Tú _____.

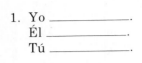

2. Ella _____.
   Tú _____.
   Yo _____.

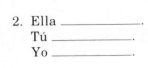

3. Nosotros _____.
   Uds. _____.
   Ellos _____.

4. Ellos _____.
   Nosotros _____.
   Uds. _____.

5. Yo _____.
   Él _____.
   Tú _____.

Los verbos *saber* y *conocer*

Review the following forms of the verbs **saber** and **conocer**. Note that only the **yo** form is irregular.

Infinitive	conocer	saber
yo	**conozco**	**sé**
tú	conoces	sabes
él, ella, Ud.	conoce	sabe
nosotros, -as	conocemos	sabemos
(vosotros, -as)	(conocéis)	(sabéis)
ellos, ellas, Uds.	conocen	saben

Remember that **saber** means *to know how* to do something or to know something relatively simple such as a fact. **Conocer** means *to know* in the sense of *to be acquainted with* and is used for more complex things such as a person, art, or history.

Ejercicio 5 Completen con *saber* o *conocer.*

Yo _____ a Roberto Iglesias. Él es un buen amigo. Él _____ esquiar muy bien. Roberto y yo queremos ir a una cancha de esquí. Nosotros no _____ a Chile pero yo _____ que en Chile hay canchas de esquí. Roberto lo _____ también. Así, él y yo decidimos que vamos a hacer un viaje a Chile.

Lo, la, los, las

Review the following forms of the direct object pronouns. Note that the pronoun precedes the verb.

¿Tienes el boleto?
Sí, lo tengo.
¿Tienes los boletos?
Sí, los tengo.
¿Tienes la maleta?
Sí, la tengo.
¿Tienes las maletas?
Sí, las tengo.

Ejercicio 6 Contesten según el dibujo.

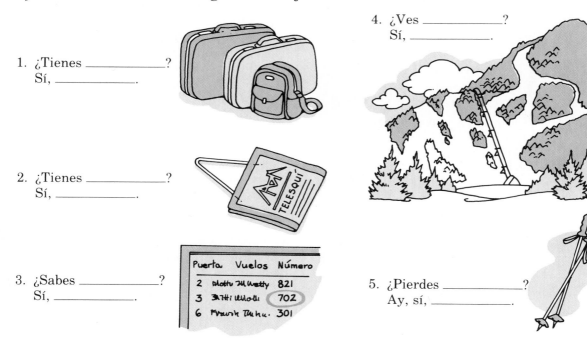

1. ¿Tienes _____?
   Sí, _____.

2. ¿Tienes _____?
   Sí, _____.

3. ¿Sabes _____?
   Sí, _____.

4. ¿Ves _____?
   Sí, _____.

5. ¿Pierdes _____?
   Ay, sí, _____.

Puerta	Vuelos	Número
2	Motu Muwatty	821
3	Athi ululoti	702
6	Frauth Tuhu.	301

245

Lectura cultural

Un poco sobre la vida porteña*

Jack es un muchacho de los Estados Unidos. Ahora él vive en Buenos Aires, la capital de la Argentina. Su padre trabaja con una compañía que tiene sucursales* en muchos países latinoamericanos.

Una noche la familia de Jack va a cenar en un restaurante. Ellos van al restaurante en taxi. Jack nota que el nombre del taxista es Andrés Sosnowski.

Cuando llegan al restaurante, ellos se sientan a la mesa. Viene el mesero.*

— Sí, señores, ¿qué desean* Uds.?

— ¿Qué recomienda Ud.?

— Pues, yo recomiendo el bife. El bife de las pampas argentinas es famoso en el mundo entero.

— Bien, el bife para todos. Término medio,* por favor.

Jack habla con su padre:

— Papá, ¿por qué no hablas inglés con el mesero?

— ¿Inglés? Pero ya sabes que estamos en la Argentina.

— Sí, lo sé. Pero él tiene su nombre en la chaqueta y se llama Tomás O'Hara.

— Pues, vamos a ver si el señor O'Hara habla inglés.

---

porteña   *de Buenos Aires*   *sucursales*   *branches*   *mesero*   *waiter*   *desean*   *want*
Término medio   *Medium*

El mesero vuelve a la mesa. ¿Habla inglés? No, el señor O'Hara no habla inglés. Habla solamente español.

La madre de Jack explica que el taxista Andrés Sosnowski y el mesero Tomás O'Hara son argentinos. En la Argentina, como en los Estados Unidos, hay mucha gente de ascendencia° europea. Buenos Aires, como muchas ciudades de los Estados Unidos es un *melting pot* de muchas nacionalidades.

La conversación continúa:

— Jack, ¿adónde vas mañana?— pregunta su papá.

— Mañana salgo para Bariloche.

— ¿Y qué vas a hacer en Bariloche?

— Pues, tú sabes que voy a esquiar. Bariloche es una cancha de esquí famosa. Tiene pistas magníficas. Pero, ¡qué extraño!° Voy a esquiar en julio.

— ¿Y con quién vas a Bariloche?— pregunta su mamá.

— Voy con mi amigo, Francisco.

— Sí, ¿y cuál es su apellido?

— D'Alessandro. Ay, sí. No es un apellido español. Es italiano.

— Sí.—dice mamá—Hay muchos argentinos de ascendencia italiana. ¿No conoces el chiste° argentino que dice que cuando hay dos argentinos en Italia y miran una guía telefónica° creen que es la guía porteña. ¿Por qué? ¡Todos los nombres son argentinos!

«El Caminito»—una calle famosa en Buenos Aires

Ejercicio Contesten.

1. ¿De dónde es Jack?
2. ¿Por qué vive ahora en la Argentina?
3. Una noche, ¿adónde va Jack con su familia?
4. ¿Cómo van al restaurante?
5. ¿Cómo se llama el taxista?
6. ¿Qué van a comer en el restaurante?
7. ¿Cómo lo quieren?
8. ¿Por qué van a comer bife?
9. ¿Qué idioma habla con el mesero el padre de Jack?
10. ¿Cree Jack que el mesero tiene que hablar inglés?
11. ¿Por qué? ¿Cómo se llama el mesero?
12. ¿Habla inglés el señor O'Hara?
13. ¿Qué hay en la Argentina?
14. ¿Adónde va Jack mañana?
15. ¿Qué va a hacer en Bariloche?
16. ¿Con quién va a Bariloche?
17. ¿Qué tipo de apellido tiene su amigo Francisco?
18. ¿Qué creen los argentinos cuando miran la guía telefónica en una ciudad italiana?

°**ascendencia** *background* °**extraño** *strange* °**chiste** *joke* °**guía telefónica** *telephone book*

opcional

Una carta del Perú

Jirón Ucayali 860
Lima, Perú
8 de junio

Queridos amigos,

Yo me llamo Fernando Gutiérrez Salazar. Mi familia y yo vivimos en un departamento* en Lima, la capital de nuestro país. Uds. saben que Lima es la capital del Perú, ¿no?

Ahora es el invierno en Lima. Aquí el invierno es de mayo a septiembre. En el invierno no hace mucho frío en Lima pero tampoco hace calor. En el invierno no nieva nunca en Lima y no llueve tampoco. Pero nunca sale el sol. No, no vemos el sol desde mayo hasta septiembre. La garúa cubre* nuestra ciudad. La garúa es un tipo de llovizna* que viene del Pacífico. Yo sé que Uds. van a decir que no pueden comprender cómo los limeños viven con cinco meses de garúa. Pues, no es muy difícil. Lima está al pie de los Andes. No muy lejos de Lima, en las montañas, está Chosica. Allí siempre hace buen tiempo. Casi siempre hace sol porque la garúa no llega a la altura de Chosica. Mi familia siempre va allá a pasar unas horas o un día entero.

Nuestra ciudad es muy bonita. ¿Por qué no vienen Uds. a hacer una visita? Si vienen, ¿por qué no vienen a mi casa? Como decimos en el Perú, «Mi casa es su casa».

Suyo afmo.

Fernando

---

departamento   *apartment*   *cubre*   *covers*   *llovizna*   *drizzle, fog*

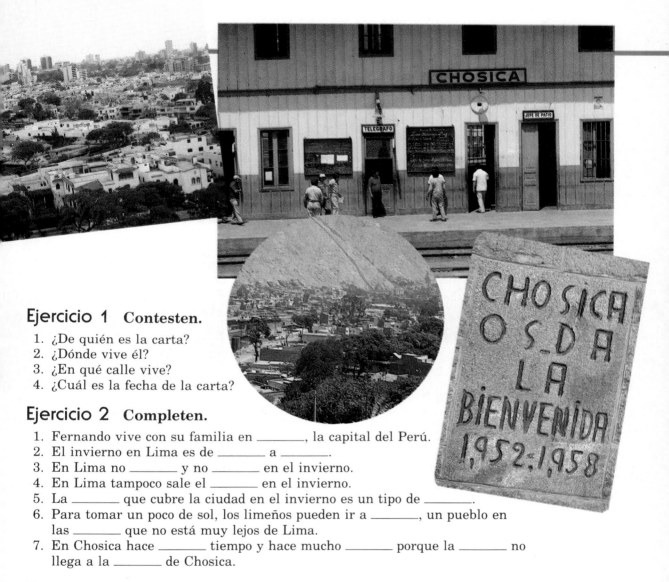

Ejercicio 1 Contesten.

1. ¿De quién es la carta?
2. ¿Dónde vive él?
3. ¿En qué calle vive?
4. ¿Cuál es la fecha de la carta?

Ejercicio 2 Completen.

1. Fernando vive con su familia en _____, la capital del Perú.
2. El invierno en Lima es de _____ a _____.
3. En Lima no _____ y no _____ en el invierno.
4. En Lima tampoco sale el _____ en el invierno.
5. La _____ que cubre la ciudad en el invierno es un tipo de _____.
6. Para tomar un poco de sol, los limeños pueden ir a _____, un pueblo en las _____ que no está muy lejos de Lima.
7. En Chosica hace _____ tiempo y hace mucho _____ porque la _____ no llega a la _____ de Chosica.

Ejercicio 3 Escojan el significado apropiado.

1. limeño
2. garúa
3. mi casa es su casa
4. departamento
5. Lima
6. el Perú
7. los Andes

a. un tipo de llovizna
b. un país en la costa del Pacífico en la América del Sur
c. montañas que van desde el norte hasta el sur del continente sudamericano
d. un habitante de Lima
e. la capital del Perú
f. apartamento en el Perú
g. una invitación a visitar a una persona en su casa

249

Un viaje interesante en tren

Algún día* si quieres hacer un viaje interesante en tren, debes* hacer el viaje
de Puno a Cuzco en el Perú. El tren tiene que ir muy despacio* porque tiene que
subir y bajar los picos andinos. (Puno está a 3.800 metros de altura y Cuzco está a
3.300 metros.) Durante el viaje hay pasajeros que tienen que usar una máscara* de
oxígeno. Necesitan oxígeno porque a estas alturas hay muy poco oxígeno en el aire
y no pueden respirar* bien. A veces los recién llegados sufren* de soroche. El
soroche no es muy serio pero causa náuseas, dolor de cabeza y a veces fiebre.
Muchos turistas beben mate, un té que beben los indios. Dicen que el mate es una
medicina muy buena contra los efectos de la altura. Cuando llegan los turistas a
estas alturas tienen que descansar un poco. No deben caminar mucho.

Pero, ¿por qué es muy interesante este viaje en tren? El tren pasa por muchos
pueblos andinos donde hay muchos mestizos y mucha gente de pura sangre* india.
Y las vistas de las montañas son fabulosas. Cerca de Cuzco está Machu Picchu. En
Machu Picchu hay las famosas ruinas de la antigua civilización de los incas. Si
tienes interés en la arqueología, tienes que visitar Machu Picchu. Las ruinas
incaicas al borde de* un cañón andino son una maravilla arqueológica. Estas ruinas
datan del siglo* dieciséis. ¿Y por qué están en una región tan remota? Son la obra*
de los incas que en el siglo dieciséis buscan* refugio durante la conquista española.

Algún día Someday   *debes* you should   *despacio* slowly   *máscara* mask
respirar breathe   *sufren* suffer   *sangre* blood   *al borde de* on the edge of
siglo century   *obra* work   *buscan* look for

AVISOS
TREN DE PASAJEROS
AREQUIPA Y PUNO
LLEGARA: 18·30 HS.
CUSCO 16·11·83

Ejercicio ¿Verdadero o falso?

1. Puno y Cuzco están en la costa del Perú.
2. El tren de Puno a Cuzco tiene que ir muy despacio porque tiene que bajar y subir los picos de los Andes.
3. Muy alto en las montañas hay mucho oxígeno en el aire y es muy fácil respirar.
4. Una persona que tiene soroche está muy bien.
5. En los pueblos andinos hay mucha gente de ascendencia europea.
6. En Machu Picchu hay muchas ruinas famosas de los incas.
7. La civilización de los incas es una civilización muy moderna.
8. Las ruinas incaicas en Machu Picchu están al borde del Océano Pacífico.
9. Estas ruinas son de los indios que buscan refugio durante los días de la invasión de los españoles.

251

17 En la playa

vocabulario

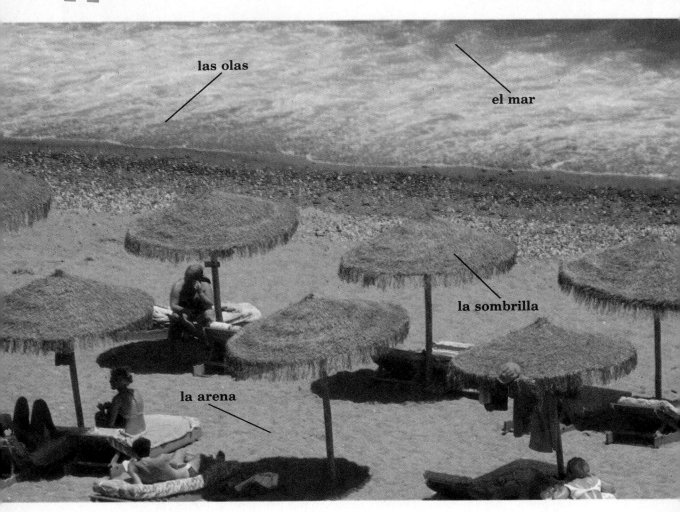

las olas

el mar

la sombrilla

la arena

la crema bronceadora

el traje de baño

los anteojos de sol

252

Ejercicio 1 En el verano
Escojan la respuesta apropiada.

1. Juanito está en la playa.

   a. Sí, lleva botas.
   b. Sí, lleva un traje de baño.
   c. Sí, lleva un anorak.

2. Hoy el sol está muy fuerte.

   a. Sí, ¿dónde está la arena?
   b. Sí, ¿dónde está mi bastón?
   c. Sí, ¿dónde está la crema bronceadora?

3. No quiero tomar el sol.

   a. Entonces, ¿por qué no te sientas en la arena?
   b. Entonces, ¿por qué no te sientas debajo de la sombrilla?
   c. Entonces, ¿por qué no te pones el traje de baño?

Ejercicio 2 ¿Qué haces en la playa?
Preguntas personales.

1. ¿Vas a la playa a veces?
2. Cuando vas a la playa, ¿te pones un traje de baño?
3. ¿Vas a la playa en el verano o en el invierno?
4. ¿Tomas el sol en la playa?
5. Cuando tomas el sol, ¿te pones una crema bronceadora?
6. Cuando no quieres estar en el sol, ¿te sientas debajo de una sombrilla?

Ayer María **pasó** el día en la playa.

Ella **nadó.**

Buceó.

Esquió en **el agua.**

Tomó el sol.

una plancha de vela

Alquiló una plancha de deslizamiento.

un barquito

Ejercicio 3 María pasó un día en la playa.
Completen según los dibujos.

1. Ayer María _____ en el mar.
2. Ella _____ en el agua.
3. Ella _____.
4. Luego ella _____ el sol.
5. Entonces ella _____ una plancha de deslizamiento.

Expresiones útiles

Very often you would like to tell people that you did something in the past. Some of the expressions you may want to use are:

el presente	el pasado
hoy	ayer
esta noche	anoche
esta tarde	ayer por la tarde
esta mañana	ayer por la mañana
este año	el año pasado
esta semana	la semana pasada

Pasé el día en la playa.

Carlos	María, ¡qué **bronceada** estás!
María	Pues, **pasé** todo el día en la playa.
Carlos	¿**Pasaste** el día en la playa? ¿Por qué no me **invitaste?**
María	Te **llamé** por teléfono anoche pero no **contestó** nadie.

Pasé todo el día en la playa.

¿Por qué no me invitaste?

Ejercicio 4 Nena, ¡qué bronceada estás!
¿Verdadero o falso?

1. María está muy bronceada.
2. Está muy bronceada porque pasó el día en la playa.
3. Ella trató de invitar a Carlos a pasar el día en la playa.
4. Ella lo llamó anoche por teléfono.
5. Carlos contestó al teléfono.

Estructura

El pretérito de los verbos en -ar

So far we have learned the present tense of Spanish verbs. Very often, however, we wish to speak about events that took place sometime in the past. The most frequently used past tense in Spanish is called the *preterite*. Study the following forms of the preterite of regular **-ar,** or first-conjugation, verbs.

Infinitive	hablar	mirar	nadar	Endings
Stem	habl-	mir-	nad-	
yo	hablé	miré	nadé	**-é**
tú	hablaste	miraste	nadaste	**-aste**
él, ella, Ud.	habló	miró	nadó	**-ó**
nosotros, -as	hablamos	miramos	nadamos	**-amos**
(vosotros, -as)	(hablasteis)	(mirasteis)	(nadasteis)	**(-asteis)**
ellos, ellas, Uds.	hablaron	miraron	nadaron	**-aron**

Note that in the preterite tense, the regular **-ar** verbs take a completely different set of endings from those used for the present tense. It is actually the ending of the verb that indicates the past time. Observe the following differences.

el presente el pasado

Infinitive		hablar	
yo	hablo		hablé
tú	hablas		hablaste
él, ella, Ud.	habla		habló
nosotros, -as	hablamos		hablamos
(vosotros, as)	(habláis)		(hablasteis)
ellos, ellas, Uds.	hablan		hablaron

Ejercicio 1 María pasó el día en la playa con sus amigos.
Contesten.

1. ¿Pasó María el día entero en la playa?
2. ¿Tomó ella el sol?
3. ¿Nadó en el mar?
4. ¿Buceó?
5. ¿Alquiló un barquito?
6. ¿Esquió en el agua?
7. ¿Habló con sus amigos?
8. ¿Tomó un refresco con sus amigos?

255

Ejercicio 2 Los amigos de María nadaron mucho.
Completen.

Ayer, María y sus amigos _____ (pasar) el día entero en la playa. Ellos lo _____ (pasar) muy bien. _____ (Nadar) en el mar y luego _____ (sentarse) en la arena y _____ (tomar) el sol. María y Elena _____ (esquiar) en el agua y Marlena y Lupita _____ (bucear).

Después ellas _____ (sentarse) a una mesa en un café. En el café, ellos _____ (tomar) un refresco y _____ (hablar) con sus amigos.

Ejercicio 3 Y tú, ¿cómo pasaste la noche?
Preguntas personales.

1. Anoche, ¿pasaste la noche en casa?
2. ¿Miraste la televisión?
3. ¿Miraste la televisión con tu familia o con tus amigos?
4. ¿Escuchaste discos?
5. ¿Estudiaste?
6. ¿Llamaste a un(a) amigo(a) por teléfono?
7. ¿Hablaste con tu amigo(a)?
8. ¿Hablaste inglés o español?

Ejercicio 4 ¿Cómo lo pasaste?
Formen una pregunta según el dibujo.

3. la semana
   pasada

1. el verano
   pasado

4.
anoche

2. el invierno pasado

5. ayer por la tarde

Ejercicio 5 Hablamos mucho en la clase de español.
Ayer en la clase de español . . .

1. ¿Hablaron Uds. con el (la) profesor(a)?
2. ¿Tomaron Uds. apuntes?
3. ¿Cantaron Uds.?
4. ¿Tocaron Uds. la guitarra?
5. ¿Escucharon Uds. un disco?

Ejercicio 6 Tomamos el autobús al mercado.
Sigan el modelo.

Ayer nosotros compramos legumbres.
Y Uds. también compraron legumbres.

1. Ayer nosotros compramos legumbres.
2. Tomamos el autobús al mercado.
3. Miramos las legumbres en el mercado.
4. Pasamos mucho tiempo allí.
5. Pagamos en la caja.

Ejercicio 7 Un día en la playa
Completen.

1. Ayer Carmen _____ (pasar) el día en la playa y yo también _____ (pasar) el día en la playa.
2. Carmen y sus amigos _____ (nadar) mucho pero yo _____ (tomar) el sol.
3. Tú _____ (alquilar) una plancha de deslizamiento, ¿no?
4. Yo _____ (esquiar) en el agua y los otros me _____ (mirar).
5. Nosotros lo _____ (pasar) muy bien en la playa y luego _____ (tomar) un refresco en un café.

Ejercicio 8 ¿Miraste la tele anoche?
Completen.

Carmen Anita, ¿_____ (mirar) la televisión anoche?

Anita No, no _____ (mirar) la televisión. _____ (Escuchar) discos.

Carmen ¡Ay! Yo también. Ayer mi hermano _____ (comprar) un disco nuevo de Julio Iglesias.

Anita ¡De Julio Iglesias! Él es fantástico. Él _____ (cantar) aquí el año pasado.

Nota

Note that in the preterite, verbs ending in **-car, -gar,** and **-zar** have a spelling change in the **yo** form. Observe the following.

¿Tocaste la guitarra en el concierto?
Sí, la toqué.
¿A qué hora llegaste al concierto?
Llegué a las siete.
¿Empezaste a tocar en seguida?
Sí, empecé en seguida.

This spelling change does not make these verbs irregular in the preterite. Remember the spelling patterns.

ca	que	qui	co	cu
ga	gue	gui	go	gu
za	ce	ci	zo	zu

Ejercicio 9 Yo llegué al estadio . . .
Escriban con _yo_.

Ayer nosotros llegamos al estadio y empezamos a jugar al fútbol. Jugamos muy bien. No tocamos el balón con las manos. Lo lanzamos con el pie o con la cabeza. Marcamos tres tantos.

Ayer yo . . .

Los complementos *me, te, nos*

The object pronouns **me, te,** and **nos** function as both direct and indirect object pronouns. As is the case with the pronouns **lo, la, los, las,** these pronouns precede the verb. Study the following.

direct object

Ella me miró
Ella nos ayudó mucho.
Ella te buscó ayer.

indirect object

Mi papá me da dinero.
Él nos escribe cartas.
¿Tus padres te dan regalos?

Ejercicio 10 ¿Quién te llamó?
Contesten.

1. Ayer, ¿te llamó Carlos por teléfono?
2. ¿Te visitó en casa?
3. ¿Te ayudó con tu lección de español?
4. ¿Te habló en español?

Ejercicio 11 ¿Te llamó o te visitó tu amigo?
Completen la conversación.

¿Quién te llamó?

Patricia Marisa, ¿_____ llamó Carlos por teléfono?

Marisa Sí, _____ llamó ayer.

Patricia ¿_____ visitó en casa?

Marisa Sí, _____ visitó.

Patricia ¿_____ habló en inglés o en español?

Marisa Él _____ habló en español. Él _____ ayudó con mi lección de español. Luego mamá _____ preparó una merienda.

Pronunciación   La consonante x

An **x** between two vowels is usually pronounced like a **ks.**

exacto
examen

When **x** is followed by a consonant, it is often pronounced like an **s.**

extranjero
Extremadura

Trabalenguas y dictado

El extranjero tomó el examen en Extremadura.

258

conversación

Te llamé y no contestaste.

Bárbara   Te llamé por teléfono ayer pero no contestaste.
Anita   ¡Ay, no! Pasé el día en la playa.
Bárbara   ¿Pasaste el día en la playa? ¿Nadaste mucho?
Anita   Sí, nadé. Y sabes, alquilé un barquito
y esquié en el agua. Lo pasé muy bien.
Bárbara   Tú siempre eres tan atlética.

Anita   Pues, tú sabes que soy muy aficionada al esquí acuático.
Bárbara   Sí, lo sé. Cuando yo voy a la playa, yo tomo el sol.
Anita   Cada uno a su gusto.

Ejercicio 1   Las actividades de Anita en la playa
Completen con una palabra apropiada.

1. Ayer ella _____ en el mar.
2. Alquiló un _____.
3. _____ en el agua.

Ejercicio 2   Cada uno a su gusto, ¿no?

Anita es muy atlética y cuando ella va a la playa, hace muchas cosas. Bárbara no es muy atlética. Ella prefiere descansar cuando va a la playa.

(Ayer) Anita pasó todo el día en la playa.

En la playa, Anita _____ en el mar pero cuando Bárbara va a la playa ella no _____.

Anita _____ un barquito pero cuando Bárbara va a la playa ella no _____ un barquito.

Anita _____ en el agua pero cuando Bárbara va a la playa ella no _____ en el agua. Ella se sienta en la playa y _____ el sol.

Ejercicio 3   Cuando tú vas a la playa, ¿eres como Anita o eres como Bárbara?

Lectura cultural

La isla del encanto

Jesús Morales vive en la ciudad de Nueva York. Pero Jesús no es de Nueva York. Él es de Puerto Rico.

Jesús pasó sus vacaciones de invierno en Puerto Rico. Después de un vuelo de tres horas y media su avión aterrizó en el aeropuerto internacional de Isla Verde en las afueras de San Juan. Cuando Jesús bajó del avión lo saludaron* sus tíos, sus primos y sus abuelos. Todos lo abrazaron,* lo besaron* y gritaron, ¡Jesús, bienvenido a casa!

---

*__saludaron__ *greeted*   *__abrazaron__ *embraced*   *__besaron__ *kissed*

260

Durante la semana que él pasó con su familia en la isla del encanto* pasó dos días en la playa. Como Puerto Rico es una isla tropical, siempre hace calor. En la playa Jesús nadó y tomó el sol. Un día él esquió en el agua. Él es muy aficionado al esquí acuático. Jesús observó que ahora hay un nuevo deporte acuático que es muy popular con los jóvenes en Puerto Rico. Es montar la plancha de vela.* Un día sus amigos lo ayudaron a montar la plancha. Pero él lo encontró* un poco difícil. No se balanceó bien y varias veces se tumbó* al agua.

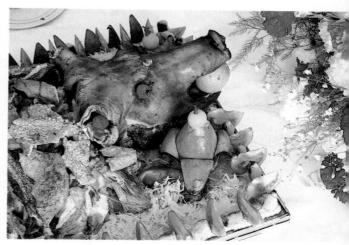

La última noche que Jesús pasó en Puerto Rico, sus tíos organizaron una fiesta en su honor. Invitaron a todos sus parientes y amigos. Todos llegaron a la casa de sus tíos. Su tía preparó una buena comida criolla (puertorriqueña)—un lechón asado* con arroz,* habichuelas* y tostones.* Todos cenaron, cantaron y bailaron. Lo pasaron muy bien. ¡Y qué despedida* para Jesús! Él disfrutó* mucho de sus ocho días en Puerto Rico. Quiere volver lo más pronto posible.*

---

isla del encanto *island of enchantment*   *hacer la plancha de vela* *to go windsurfing*
encontró *found*   *se tumbó* *he fell off*   *lechón asado* *roast suckling pig*   *arroz* *rice*
habichuelas *beans*   *tostones* *fried bananas*   *despedida* *farewell*
disfrutó *enjoyed*   *lo más pronto posible* *as soon as possible*

Ejercicio   Escojan.

1. Jesús vive en Nueva York pero es de _____.
   a. Cuba
   b. Puerto Rico
   c. México

2. Jesús llegó a Puerto Rico después de _____.
   a. un viaje largo en tren
   b. un viaje largo en carro
   c. un vuelo corto en avión

3. Sus _____ lo saludaron, lo abrazaron y lo besaron en el aeropuerto.
   a. clientes
   b. amigos
   c. parientes

4. Durante sus vacaciones con la familia en Puerto Rico, Jesús pasó dos días _____.
   a. en casa de los tíos
   b. en la playa
   c. en la escuela con los amigos

5. Siempre hace calor en Puerto Rico porque Puerto Rico _____.
   a. es una isla tropical
   b. es la isla del encanto
   c. está en Chile

6. En Puerto Rico Jesús esquió _____.
   a. en las montañas
   b. en el agua
   c. en una plancha de vela

7. Un nuevo deporte acuático popular en Puerto Rico es _____.
   a. el esquí acuático
   b. montar la plancha de vela
   c. el esquí sobre la nieve

8. Cuando Jesús montó la plancha de vela _____.
   a. él se balanceó bien
   b. él la encontró muy fácil
   c. él se tumbó al agua

9. Los tíos de Jesús organizaron _____.
   a. una fiesta de despedida
   b. una fiesta de bienvenida
   c. una fiesta en la playa

10. En la fiesta todos _____.
    a. prepararon una comida criolla
    b. lo pasaron muy bien
    c. nadaron

Actividades

1 **Entrevista**

- ¿Dónde vives?
- ¿Vives cerca de la costa?
- ¿Hay playas cerca de tu casa?
- ¿Vas a veces a la playa?
- ¿A qué playa vas?
- ¿Cuándo vas a la playa?
- ¿Qué haces en la playa?
- ¿Eres aficionado(a) a los deportes acuáticos?

2 **¿Qué soy yo?**

1. Yo tengo olas. _____
2. Yo tengo mucha arena. _____
3. Yo me deslizo sobre el agua. _____
4. Yo puedo broncear a la gente. _____

3 Answer the following questions based on what you see in the photograph.

- ¿Es el verano o el invierno?
- ¿Hace calor en la playa?
- ¿Hay mucha gente?
- ¿Llevan traje de baño?
- ¿Toman el sol?
- ¿Nadan en el mar?
- ¿Hay gente debajo de las sombrillas?
- ¿Hay una plancha de vela en el mar?
- ¿Esquía alguien en el mar?
- ¿Hay barquitos en el mar?

4 Pretend that you spent last summer on this beach and took part in all the activities shown. Tell what you did.

Luquillo,
San Juan, Puerto Rico

Mar del Plata, Argentina

Margarita, Perú

¿Qué hace la señorita
en Ensenada, México?

San Felíu, Costa
Brava, España

¿Toman el sol en
la playa de
Cartagena en
Colombia?

265

18 EN EL CINE

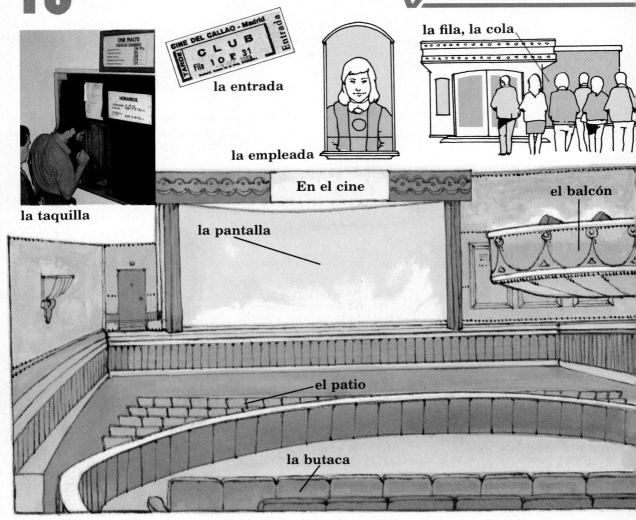

la entrada

la empleada

la fila, la cola

la taquilla

En el cine

el balcón

la pantalla

el patio

la butaca

Ejercicio 1 Anita está en la taquilla del cine.
Contesten según el dibujo.

1. ¿Está Anita en fila?
2. ¿Hace cola en la taquilla del cine?
3. ¿Compra ella entradas para el cine?
4. ¿Le vende las entradas la empleada?

5. En el cine, ¿se sienta Anita cerca de la pantalla?
6. ¿Está en el balcón o en el patio?

Ejercicio 2 Escojan el significado apropiado.

1. la taquilla
2. la entrada
3. la butaca
4. la pantalla

a. una silla (o un asiento) en un cine o en un teatro
b. donde muestran una película en el cine
c. la ventanilla donde venden las entradas para el cine o para el teatro
d. un boleto para ir al teatro o al cine

Anita **salió** anoche.
¡Ay! **Perdió el autobús.**
No importa. **Cogió (Tomó)** un taxi.

Anita **vio** una película.

Ella **comió** en **un restaurante.**
El mesero le dio **la cuenta.**
Anita le **dejó una propina.**

Ejercicio 3 Anita salió anoche.
Completen.

1. ¿Cuándo salió Anita? Ella salió _____.
2. ¿Qué perdió ella? Ella perdió _____ _____.
3. ¿Por qué no importa? No importa porque ella cogió _____ _____.
4. ¿Dónde comió ella? Ella comió en _____ _____.
5. En el restaurante, ¿qué le dio el mesero? El mesero le dio _____ _____.
6. ¿Qué dejó Anita para el mesero? Ella le dejó _____ _____.
7. ¿Qué vio Anita en el cine? Ella vio _____ _____ en el cine.

Ejercicio 4 ¿Verdadero o falso?

1. Anita pasó la noche en casa.
2. Ella perdió el taxi y cogió un autobús.
3. Anoche ella comió en casa.
4. En el restaurante el mesero le dio una entrada.
5. El mesero dejó una propina para Anita.
6. Anita vio una película en la televisión.

εstructura

El pretérito de los verbos en *-er, -ir*

We have already learned the preterite forms of regular **-ar,** or first-conjugation, verbs. Observe now the preterite forms of regular **-er** and **-ir** (second- and third-conjugation) verbs.

Infinitive	comer	comprender	vivir	escribir	Endings
yo	comí	comprendí	viví	escribí	**-í**
tú	comiste	comprendiste	viviste	escribiste	**-iste**
él, ella, Ud.	comió	comprendió	vivió	escribió	**-ió**
nosotros, -as	comimos	comprendimos	vivimos	escribimos	**-imos**
(vosotros, -as)	(comisteis)	(comprendisteis)	(vivisteis)	(escribisteis)	**(-isteis)**
ellos, ellas, Uds.	comieron	comprendieron	vivieron	escribieron	**-ieron**

Note that the preterite endings are the same for both **-er** and **-ir** verbs.

The preterite forms of **dar** and **ver** are the same as those of a regular **-er** or **-ir** verb.

Infinitive	ver	dar
yo	vi	di
tú	viste	diste
él, ella, Ud.	vio	dio
nosotros, -as	vimos	dimos
(vosotros, -as)	(visteis)	(disteis)
ellos, ellas, Uds.	vieron	dieron

Ejercicio 1 ¿Para dónde salió Anita?
Contesten según el dibujo.

1. ¿Qué perdió?

2. ¿Qué cogió?

3. ¿Dónde comió?

4. ¿Qué le dio al mesero?

5. ¿Qué vio en el cine?

Ejercicio 2   ¿Qué aprendieron los amigos?
Contesten que *sí*.

1. ¿Aprendieron a esquiar los amigos?
2. ¿Subieron la montaña en el telesquí?
3. ¿Perdió Carlos un bastón?
4. ¿Vieron sus amigos a Carlos cuando él lo perdió?
5. ¿Le dieron ayuda?
6. ¿Volvió a las pistas el atrevido?
7. ¿Subieron sus amigos con él?

Ejercicio 3   ¿Asististe a la clase de español?
Preguntas personales.

1. ¿Asististe ayer a la clase de español?
2. ¿Comprendiste la lección?
3. ¿Aprendiste mucho?
4. ¿Escribiste algo?
5. ¿Viste una película en la clase de español?

Ejercicio 4   Yo sé que tú no . . .
Sigan el modelo.

Yo lo comí.
Pero yo sé que tú no comiste nada.

1. Yo lo aprendí.
2. Yo lo comprendí.
3. Yo lo escribí.
4. Yo lo recibí.
5. Yo lo vi.

Ejercicio 5   Uds. salieron pero nosotros no salimos.
Sigan el modelo.

¿Salir?
Sí, Uds. salieron pero nosotros no salimos.

1. ¿Salir?
2. ¿Comer en el restaurante?
3. ¿Perder el autobús?
4. ¿Asistir al concierto?
5. ¿Ver la película?

Ejercicio 6   ¿Qué recibieron?
Contesten según el dibujo.

1. ¿Qué recibiste?

2. ¿Y él? ¿Qué recibió?

3. ¿Qué recibieron Uds.?

4. Y tus amigos, ¿qué recibieron?

Expresiones útiles

When you are speaking with a person and you see that something is troubling or bothering him/her, you will often ask the person *What's the matter?* or *What's happening?* In Spanish you would ask:

¿Qué te pasa?

In English, when we think we have become involved in a matter that we should not have become involved in, we often say *I put my foot in it*. It is interesting to note that the very same colloquial expression exists in Spanish. There is one slight difference, however. Instead of using the word for the foot of a person, Spanish speakers use the word for the foot of an animal. The Spanish expression is **meter la pata.**

¡Ay! Metí la pata.

Sometimes when you think a person really isn't telling you the truth or that he/she is teasing you, we often say in English *Ah, come on! You're pulling my leg*. In Spanish we use the word *hair* rather than *leg*.

¡Ay, vamos! ¿Por qué me tomas el pelo?

Ejercicio 7 ¡Teresa salió con él!
Completen en el pasado.

Pablo   José, ¿_____ (conocer) tú a Felipe?

José   ¿A Felipe? ¿El muchacho nuevo en la clase de español? Sí, lo _____ (conocer). Es un muchacho bastante simpático.

Pablo   Sí, lo es. ¿Sabes que él _____ (salir) anoche con Teresa?

José   ¿Teresa _____ (salir) con él?

Pablo   Sí, ellos _____ (comer) en un restaurante y luego _____ (ver) una película en el cine Goya.

José   ¿Me dices la verdad?

Pablo   Claro que te digo la verdad.

José   Pero, ¿cómo sabes que ella _____ (salir) con él anoche?

Pablo   Pues, yo lo sé porque Carmen y yo _____ (salir) con ellos. Nosotros _____ (comer) con ellos en el restaurante pero no _____ (ver) la película porque _____ (volver) a casa.

José   Pero, ¿tú me dices que Uds. _____ (salir) anoche con Teresa y con este Felipe?

Pablo   Sí, hombre. Pero, ¿qué te pasa?

José   No creo lo que me dices. ¿Por qué me tomas el pelo?

Pablo   No te tomo el pelo. Te digo la verdad.

José   Pero, ¿no sabes que Teresa es mi novia?

Pablo   ¿Teresa? ¿Es tu novia? ¡Ay de mí! ¡Creo que yo _____ (meter) la pata!

Los complementos indirectos *le, les*

You have already learned the direct object pronouns **lo, la, los, las.** You are now about to learn the indirect object pronouns **le, les.**

First, you must understand the difference between a direct and indirect object. Let us take two examples.

Juan lanzó el balón.

In this sentence, John threw the ball. What did he throw? The ball. Therefore, the ball is the direct object of the sentence. The direct object of a sentence is the direct receiver of the action of the verb.

Juan lanzó el balón a Carmen.

In this sentence, John threw the ball to Carmen. What did he throw? The ball. So once again the ball is the direct object of the sentence. John threw the ball to Carmen. Did John throw Carmen? No, he did not. He threw the ball. Therefore, Carmen is *not* the direct object of the sentence. Carmen is the indirect object of the sentence because she indirectly received the action of the verb *throw*.

Juan lanzó   **el balón** ⟶ **a** ⟶ **Carmen.**

Here is another example:

Carmen le escribió una carta a Juan.

See if you can answer these questions. What did Carmen write? Did she write a letter or did she write John? What is the direct object of the sentence? Who indirectly received the action of the verb *write*? What is the indirect object of the sentence?

Now observe the following sentences with indirect object pronouns.

María le dio un regalo a Juan.
Juan le dio un regalo a María.
María les dio un regalo a sus amigos.
Juan les dio un regalo a sus amigas.

Note:

a. The indirect object pronoun **le** is both masculine and feminine. **Les** is used for both the masculine and feminine plural.

b. Unlike other pronouns we have already learned, **le** and **les** can be used along with a noun phrase.

María le dio un regalo a Juan.
Juan les dio un regalo a sus amigas.

c. Since **le** and **les** can refer to more than one person, they are often clarified as follows:

Le hablé	a él.		**Les hablé**	a ellos.
	a ella.			a ellas.
	a Ud.			a Uds.

Ejercicio 8 *In each sentence select the direct and indirect objects.*

1. Carlos recibió la carta.
2. Les vendimos la casa a ellos.
3. Conocemos a Elena.
4. Le hablamos a Tomás.
5. ¿Quién tiene el periódico? Elena lo tiene.
6. El profesor nos explica la lección.
7. Ella le dio una propina al mesero.
8. Ellos vieron una película en el cine.

Ejercicio 9 **Contesten personalmente.**

1. ¿Le hablaste a Carlos?
2. ¿Le hablaste por teléfono?
3. ¿Le escribiste a María?
4. ¿Le escribiste en español o en inglés?
5. ¿Les compraste el regalo para los amigos?
6. ¿Les diste el regalo ayer?

Ejercicio 10 **En el aeropuerto**
Completen con *le* o *les*.

La señora González llegó al mostrador de la línea aérea en el aeropuerto. Ella
_____ habló al agente. _____ habló en español. No _____ habló en inglés. Ella
_____ dio su boleto y el agente lo miró. Ella _____ mostró su pasaporte también.
El agente _____ dio a la señora González su tarjeta de embarque.

Pronunciación   La acentuación

The rules of stress or accentuation in Spanish are simple. Note the following:
1. Words ending in a vowel, **n,** or **s** are accented on the next-to-last syllable. For example:

   seño<u>ri</u>ta   **<u>Car</u>men**   **pre<u>pa</u>ras**

2. Words ending in a consonant (except **n** or **s**) are accented on the last syllable:

   se<u>ñor</u>   **ca<u>lor</u>**   **Ma<u>drid</u>**   **universi<u>dad</u>**

3. Words that do not follow the above rules must have a *written* accent mark over the stressed syllable:

   <u>ár</u>bol   **<u>Ló</u>pez**   **capi<u>tán</u>**

4. The written accent mark is also used to distinguish between words that are spelled alike but have different meanings:

tú	*you*	**sí**	*yes*	**él**	*he*
tu	*your*	**si**	*if*	**el**	*the*

   A word of one syllable (monosyllabic) does not take an accent unless the same word can mean two different things.

Dictado

Listen to the pronunciation of each word. Then determine whether the word should or should not have a written accent, according to the rules of stress and accentuation. If a written accent is needed, place it over the correct letter.

limonada	primero	abril	musica	ciudad	calor
sabado	pelicula	español	ingles	educacion	adios

conversación

¿Saliste anoche?

Enrique	Anita, ¿saliste anoche?
Anita	Sí, yo salí con un grupo de amigos. Comimos en el restaurante Sol.
Enrique	¿Qué tal el restaurante?
Anita	Comimos muy bien y nos dieron un servicio muy bueno.
Enrique	¿Volviste a casa después de comer?
Anita	No, después todos nosotros vimos una película en el cine Goya.
Enrique	¿Qué película vieron?
Anita	«La guerra de las galaxias». Es una película americana fabulosa.

Ejercicio   Contesten.

1. ¿Salió Anita anoche?
2. ¿Con quiénes salió?
3. ¿Dónde comieron?
4. ¿Les dieron un servicio muy bueno en el restaurante?
5. ¿Volvió Anita a casa después de comer?
6. ¿Qué vio?
7. ¿Qué película vieron Anita y sus amigos?

Lectura cultural

¿Sola o en grupo?

Anoche Anita salió con un grupo de amigos. Ellos comieron en un restaurante económico* cerca de la universidad. El mesero les recomendó el menú turístico. Todos lo escogieron* porque no cuesta mucho. El menú turístico siempre resulta bastante barato.* El mesero les dio un servicio muy bueno y todos comieron muy bien. Es verdad que el servicio está incluído en el precio de la comida pero todos dejaron un poquito más* para el mesero.

Después de comer ellos vieron una película en el cine Goya. Compraron sus entradas en la taquilla y luego entraron en el cine. Vieron «Juegos de Guerra». Es una película americana, ¿no? Sí, en inglés se llama *War Games*. Como Anita y sus amigos vieron una película americana, ¿la comprendieron? Sí, la comprendieron sin dificultad. Las películas americanas son muy populares en los países hispanos. Pero no las presentan en inglés. Están dobladas* en español.

Cuando salieron del cine, Anita y dos amigos corrieron* a la esquina.* Desgraciadamente* perdieron el autobús y volvieron a casa en taxi.

Ahora Anita les quiere hablar un momento:

— Yo salí anoche. Comí en un restaurante y luego vi una película en el cine. Después volví a casa. ¿Salí sola,* con solamente un muchacho o con un grupo de amigos? Yo salí con un grupo de amigos de mi escuela. En mi país, las muchachas no suelen* salir por la noche con solamente un muchacho. *Dating* es una palabra que no existe en español. Por lo general, nosotras salimos con un grupo de nuestros amigos o de nuestros parientes. La palabra «novio» o «novia» es *boyfriend* o *girl*

---

económico *inexpensive*	*escogieron* *chose*	*barato* *cheap*
un poquito más *a little more*	*dobladas* *dubbed*	*corrieron* *ran*
esquina *corner*	*Desgraciadamente* *Unfortunately*	*sola* *alone*
no suelen *do not usually*		

274

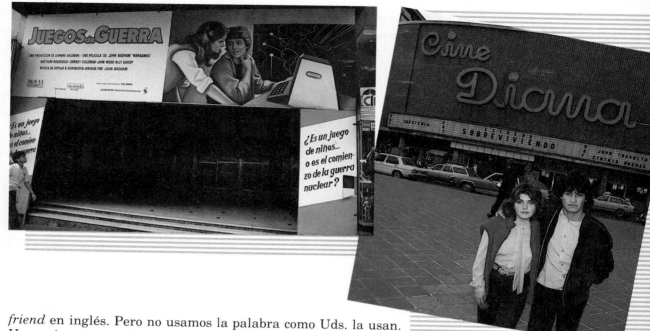

friend en inglés. Pero no usamos la palabra como Uds. la usan.
Un novio o una novia es más que* un amigo o una amiga.
Cuando nosotras decimos que tenemos novio, salimos
solamente con él. Y además, nuestra familia siempre
conoce a nuestro novio.

Ejercicio 1   Según la lectura:
Contesten en español.

1. What did Anita do last night?
2. In the restaurant, why did Anita and her friends choose the tourist menu?
3. Did Anita leave a little extra money for the waiter? Why?
4. What did Anita and her friends see after dinner?
5. What did they do before entering the movie?
6. Did they see an American movie?
7. Why did they understand the movie?
8. Why did Anita return home by cab?

Ejercicio 2   Anita nos habla. ¿Qué nos dice?

1. ¿Salió anoche?
2. ¿Dónde comió?
3. ¿Qué vio?
4. Después, ¿adónde volvió?
5. ¿Con quiénes salió Anita?
6. ¿Con quiénes salen las jóvenes en los países hispanos?

---

*más que   *more than*

Actividades

1 Entrevista

- ¿Tienes un(a) novio(a)?
- Cuando tú sales con un(a) muchacho(a), ¿siempre lo (la) tiene que conocer tu familia?
- Cuando tú dices que tienes un *boyfriend* o una *girl friend,* ¿sales solamente con esta persona?
- A veces, ¿sales con otro(a) amigo(a)?
- Cuando tú tienes un(a) novio(a), ¿sabes que él o ella va a ser tu marido o tu esposa?

2

Hay una diferencia entre *boyfriend* o *girl friend* en inglés y **novio** o **novia** en español. ¿Cuáles son algunas diferencias?

3

Write a short paragraph telling what you look for in a boyfriend or girl friend. What are some characteristics you look for?

Mi amigo (a) ideal es...

4 Say all you can about what you see in the illustration.

5 Pick out one of the people in the preceding illustration and ask him/her what he/she did last night.

Anoche...

Revista

Un cine en la Gran Vía de Madrid

Es el cine Lope de Vega en el centro de Madrid. ¿Hacen cola en la taquilla los jóvenes? ¿Qué van a comprar?

¿Qué película van a ver los jóvenes en la Ciudad de México? ¿Es una película americana?

Cines en Madrid

CINES
SESIÓN
NUMERADA

Albéniz Cinema. ☎ 222 02 00 / Paz, 11; Aparcamiento Carretas y Mayor.
—**La gran ruta hacia China.** ¡De Turquía a China había un largo camino…! Con Tom Selleck y Bess Armstrong. 4.30, 7 y 10. Tolerada.

Alcalá Palace. ☎ 435 46 08 / Alcalá, 90; Goya / Metro Goya.
—**Lo que el viento se llevó.** Clark Gable, Vivien Leigh, Leslie Howard, Olivia de Havilland. ¡La película que ha vencido al tiempo! Ganadora de 10 *oscars*. Sesión única, 5.30 tarde.

Amaya. ☎ 448 41 69 / General Martínez Campos, 9; Chamberí / Metro Iglesias.
—**Aterriza como puedas II (segunda parte).** Con Robert Hays, Julie Hagerty y Llory Briges. 4.45, 7.15 y 10.15. Para todos los públicos. Ríase cuanto quiera viendo esta película.

Arlequín. ☎ 247 31 73 / San Bernardo, 5 (semiesquina a Gran Vía); Centro / Metro Santo Domingo.
—**E. T. (El extraterrestre).** 5, 7.30 y 10. Tolerada.

Benlliure. ☎ 276 24 50 / Alcalá, 106; Salamanca / Metro Goya.
—**Tootsie.** 4.15, 7 y 10. Tolerada.

Bilbao. ☎ 447 58 97 / Fuencarral, 118; Bilbao / Metro Bilbao.
—**Dos horas menos cuarto antes de Jesucristo.** Divertidísima. 7 y 10.30. 18 años.

Bulevar. ☎ 247 28 60 / Alberto Aguilera, 56; Centro / Metro Argüelles.
—**Volver a empezar (Begin the beguine),** de J. L. Garci. Nominada para Oscar 1983 mejor película extranjera. Todos los públicos.

California. ☎ 244 00 58 / Andrés Mellado, 47; Moncloa / Metro Moncloa.
—**Candilejas.** 4.15, 7 y 10. Tolerada.

Callao. ☎ 222 58 01 / Plaza del Callao, 13; Centro / Metro Callao.
—**Gandhi.** Su triunfo cambió el mundo. Ganadora de 5 Globos de Oro. Nominada 11 *oscars*. 5 y 9.30. Tolerada.

Capitol. ☎ 222 22 29 / Gran Vía, 41; Centro / Metro Callao.
—**Monseñor.** 4, 7 y 10.

Carlos III. ☎ 276 40 52 / Goya, 5; Salamanca / Metro Serrano.
—**Gandhi.** Su triunfo cambió el mundo. Ganadora de 5 Globos de Oro. Nominada 11 *oscars*. 5 y 9.30. Tolerada.

Cartago. ☎ 447 39 30 / Bravo Murillo, 28; Chamberí / Metro Quevedo.
—**Los pajaritos.** 4.30, 7 y 10. Tolerada.

Cedaceros. ☎ 429 80 42 / Cedaceros, 7, semiesquina calle de Alcalá / Metro Sevilla.
—**El grito,** de Jerzy Skolimowski. Gran Premio de la Crítica Internacional del Festival de Cannes. Con Alan Bates, Susannah York y John Hurt. Sesiones: 4, 6, 8 y 10. Sábados y festivos, sesiones matinales a las 10, 12 y 14. Mayores de 14 años.

Cid Campeador. ☎ 276 21 61 / Príncipe de Vergara, 26; Salamanca / Metro Velázquez.
—**La colmena.** 4, 15, 7 y 10. 14 años.

Cinestudio Groucho. ☎ 246 46 97 / Cartagena, 30 / Metro Diego de León.
—**Desesperación,** de Fassbinder. 5 y 9.
—**El topo,** de Jodorowsky. 7.

Coliseum. ☎ 247 66 12 / Gran Vía, 78; Centro / Metro Plaza de España.
—**Oficial y caballero.** Richard Gere. 7 y 10. 16 años.

279

19 Mi CARRO (COCHE)

vocabulario

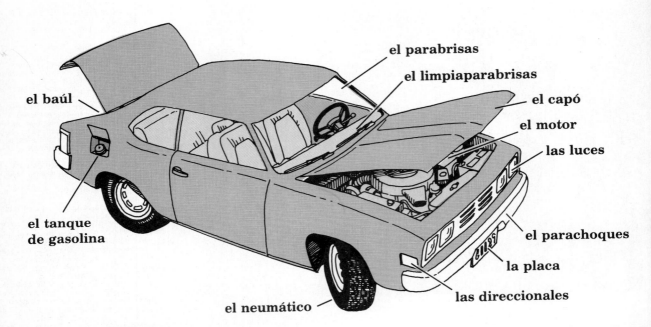

el baúl

el tanque
de gasolina

el neumático

el parabrisas

el limpiaparabrisas

el capó

el motor

las luces

el parachoques

la placa

las direccionales

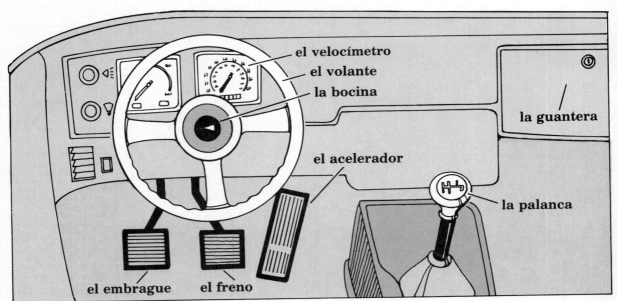

el velocímetro

el volante

la bocina

la guantera

el acelerador

la palanca

el embrague

el freno

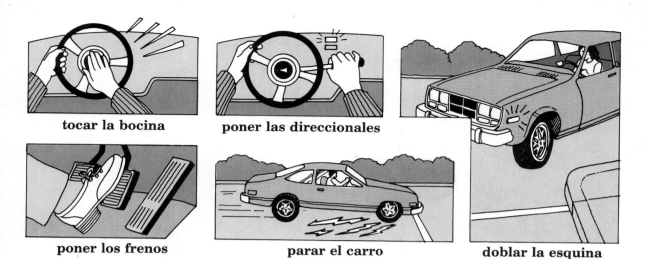

tocar la bocina

poner las direccionales

poner los frenos

parar el carro

doblar la esquina

Ejercicio 1   Identifiquen las partes exteriores de un carro.

Ejercicio 2   Identifiquen las partes interiores de un carro.

El conductor llegó al **semáforo.** Vio la luz roja.

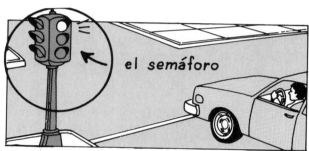

Puso los frenos y paró en **la esquina.**

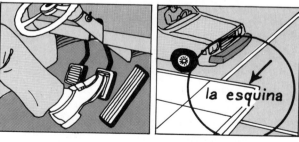

Luego, puso las direccionales porque tuvo que **doblar a la izquierda.**

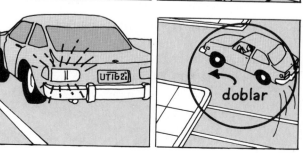

El pobre Pablo. Recibió su **permiso de conducir** ayer y hoy tuvo un accidente.

el permiso de conducir

Llegó a **un cruce.** Vio otro carro. Tocó la bocina pero no pudo parar.

el cruce

¡Qué pena! **Chocó con** otro carro. Pero los dos carros **se dañaron** muy poco.

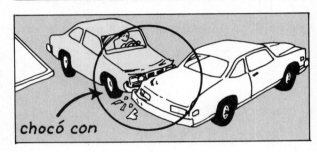

chocó con

Ejercicio 3 Es necesario conducir con cuidado.
Escojan la respuesta correcta.

1. Es necesario parar cuando la luz del semáforo está . . .
   a. verde.
   b. roja.
   c. amarilla.

2. Es necesario poner los frenos cuando uno quiere . . .
   a. parar el carro.
   b. tocar la bocina.
   c. poner las direccionales.

3. Es necesario poner las direccionales cuando uno quiere . . .
   a. recibir su permiso de conducir.
   b. llegar a un cruce.
   c. doblar la esquina.

4. Es necesario tomar un examen para recibir . . .
   a. la placa.
   b. el permiso de conducir.
   c. un carro.

Ejercicio 4   Contesten según el dibujo.

1. ¿Dónde está el semáforo?

2. ¿Qué pone el conductor?

3. ¿Dónde para?

4. ¿Qué pone el conductor ahora?

5. ¿Dobla él a la derecha o a la izquierda?

La muchacha conduce con cuidado,
Madrid

Expresiones útiles

In order to make a polite request you can use the expression **favor de** (*please, kindly*). **Favor de** is followed by the infinitive form (**-ar, -er, -ir**) of the verb. Here are some useful expressions you may have to use at the gas station.

Favor de llenar el tanque.

Favor de revisar el aceite.

Favor de poner aire en los neumáticos.

Favor de poner agua en la batería y en el radiador.

Favor de limpiar el parabrisas.

Ejercicio 5   ¿Qué vas a decir al empleado en la gasolinera en las siguientes situaciones?

1. El carro no tiene mucha gasolina. Necesitas más.
2. No puedes ver nada.
3. No sabes si el carro necesita aceite.
4. El motor está muy caliente.

¿Qué hay debajo del capó?

Estructura

El pretérito de los verbos irregulares

The verbs **estar, andar,** and **tener** are irregular in the preterite. Observe the following.

Infinitive	estar	andar	tener
yo	estuve	anduve	tuve
tú	estuviste	anduviste	tuviste
él, ella, Ud.	estuvo	anduvo	tuvo
nosotros, -as	estuvimos	anduvimos	tuvimos
(vosotros, -as)	(estuvisteis)	(anduvisteis)	(tuvisteis)
ellos, ellas, Uds.	estuvieron	anduvieron	tuvieron

The verb **andar** means *to go* but not to a specific place. To say to go to a specific place one must use the verb **ir.**

| **Él va al parque.** | *He goes to the park.* |
| **Él anda por el parque.** | *He goes through the park.* |

The verb **andar** is also used with inanimate objects.

| **El carro anda bien.** | *The car runs well.* |

The verbs **poder, poner,** and **saber** are also irregular in the preterite. Note that they have the same endings as **estar, andar,** and **tener.**

Infinitive	poder	poner	saber
yo	pude	puse	supe
tú	pudiste	pusiste	supiste
él, ella, Ud.	pudo	puso	supo
nosotros, -as	pudimos	pusimos	supimos
(vosotros, -as)	(pudisteis)	(pusisteis)	(supisteis)
ellos, ellas, Uds.	pudieron	pusieron	supieron

The verbs **poder** and **saber** are not frequently used in the preterite. When they are, they take on a special meaning. Observe the following.

Pude parar.	*(After trying very hard) I managed to stop.*
No pude parar.	*(I tried but) I couldn't stop.*
Yo lo supe ayer.	*I found it out (learned it) yesterday.*

Ejercicio 1 No pude comprar nada.
Completen.

Ayer yo _____ (estar) en el mercado de San Miguel. _____ (Andar) por todo el mercado y no _____ (poder) encontrar nada. _____ (Tener) que volver a casa sin nada.

Ejercicio 2 Carlos tuvo un accidente.
Contesten.

1. ¿Tuvo Carlos su permiso de conducir?
2. ¿Puso el carro en marcha?
3. ¿Puso los frenos cuando llegó al cruce?
4. ¿Pudo parar el carro?
5. ¿Tuvo un accidente?

Ejercicio 3 ¿Supiste que Elena tuvo un accidente también?
Completen.

José ¿Sabes que Elena _____ (tener) un accidente?

Felipe ¿Elena _____ (tener) un accidente? ¿Cómo lo _____ (saber) tú?

José ¿Cómo lo _____ (saber) yo? Pues, yo _____ (estar) con ella.

Felipe ¿Uds. _____ (estar) juntos? ¡Ay de mí! ¿Qué pasó?

José Pues, no pasó nada serio. Elena _____ (poner) las direccionales para doblar a la izquierda. Empezó a doblar cuando vio otro carro. Ella _____ (poner) los frenos en seguida pero no _____ (poder) parar el carro.

Felipe ¿Se dañó mucho el carro?

José No, se rompió una luz y el otro carro no recibió ningún daño.

Pronunciación   Los diptongos

The vowels **a, e,** and **o** are considered strong vowels in Spanish; **u** and **i** (and **y**) are weak vowels.

When two strong vowels occur together, they are pronounced separately as two syllables. Note the following.

real	**re-al**
paseo	**pa-se-o**
caer	**ca-er**
leer	**le-er**

When one weak and one strong vowel occur together (or two weak vowels), they blend together and are pronounced as one syllable. These are called *diphthongs*.

Here are some examples of words that we have already learned that contain diphthongs.

a	**e**	**i**	**o**	**u**
aire	veinte	media	hoy	cuatro
aula	Europa	diez	voy	pueblo
hay		patio		cuidado
		ciudad		

Trabalenguas y dictado

Hay seis autores en el aula.
Julia pronuncia bien.
Voy a la ciudad hoy.

Luis tiene miedo.
Luisa tiene cuidado cuando viaja en Europa.
Luego voy al pueblo antiguo.

conversación

Un cacharro

Donato, ¿dónde estuviste ayer? Te llamé y nadie estuvo en casa.

¿Dónde estuve ayer? Estuve todo el día con el mecánico.

¿Qué pasó, hombre?

No pude arrancar el motor de este cacharro que tengo y lo tuve que llevar al garaje.

¿Lo reparó el mecánico?

Sí, cambió las bujías y le puso un carburador nuevo. Anora anda muy bien.

Ejercicio   Contesten.

1. ¿Estuvo Donato en casa ayer?
2. ¿Con quién estuvo?
3. ¿Por qué tuvo que llevar su carro al garaje?
4. ¿Lo reparó el mecánico?
5. ¿Qué cambió?
6. ¿Qué puso en el carro?

Lectura cultural

El tráfico en las ciudades latinoamericanas

El año pasado yo estuve en varias ciudades de Latinoamérica. Una cosa me sorprendió° mucho. No pude creer la cantidad de carros que hay en las grandes ciudades latinoamericanas. Como todas las ciudades del mundo, las ciudades de Latinoamérica tienen mucho tráfico. Otra cosa me sorprendió también. Me sorprendió ver la cantidad enorme de carros viejos° que hay de los Estados Unidos. Todavía° hoy hay muchos modelos de los años sesenta y setenta que andan por las calles de las ciudades latinoamericanas. Muchos de estos carros están en muy buenas condiciones porque sus dueños° los cuidan bien y los reparan con frecuencia.

¿Por qué hay muchos carros viejos en Latinoamérica? Pues, los carros son muy caros. Cuestan mucho. Un Chevy, Dodge o Ford del año 65 puede costar unos diez mil dólares. ¿Quieren saber por qué? Hay varias razones.° Muy pocos países de Latinoamérica tienen fábricas° para producir carros. Por consiguiente, tienen que importar los carros. La mayoría° de los carros vienen de los Estados Unidos, del Japón o de Europa. El transporte° cuesta mucho. Además, el comprador° tiene que pagar impuestos° altos cuando compra un producto importado. Así, el precio de un carro es muy alto. Uds. pueden imaginar cuánto va a costar un carro nuevo si un carro que ya tiene unos veinte años puede costar diez mil dólares.

°**sorprendió** *surprised*   °**viejos** *old*   °**Todavía** *Still*   °**dueños** *owners*
°**razones** *reasons*   °**fábricas** *factories*   °**mayoría** *majority*   °**transporte** *transportation*
°**comprador** *buyer*   °**impuestos** *taxes, duty*

Ejercicio Contesten.

1. ¿Hay mucho tráfico en las ciudades latinoamericanas?
2. ¿Hay muchos carros viejos?
3. ¿De dónde vienen los carros?
4. ¿En qué condiciones están?
5. ¿Por qué están en buenas condiciones?
6. ¿Cuesta mucho un carro en Latinoamérica?
7. ¿Producen muchos carros en los países latinoamericanos?
8. ¿De dónde tienen que importar muchos carros?
9. ¿Qué tiene que pagar el comprador cuando compra un producto importado?

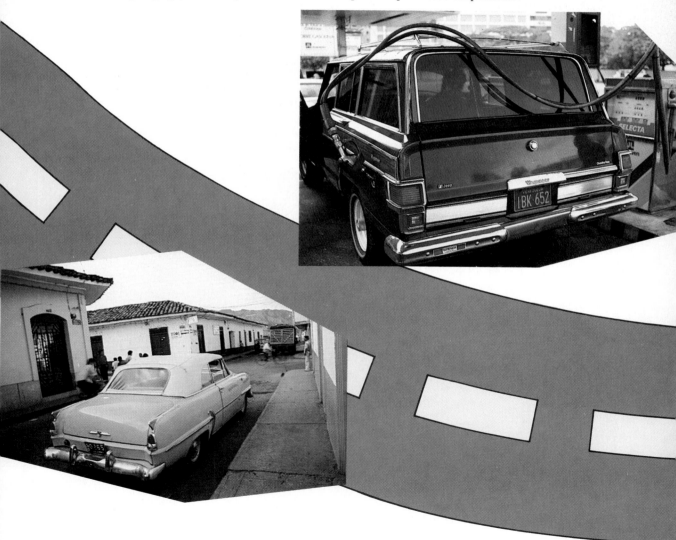

Actividades

1 **Entrevista**

- ¿Tienes tu permiso de conducir?
- ¿Quieres recibir tu permiso de conducir?
- Donde tú vives, ¿cuántos años tienes que tener para recibir un permiso de conducir?

- ¿Tienes que tomar un examen para recibir el permiso de conducir?
- ¿En qué año lo vas a recibir?

2 **¿Sí o no?**

Tell whether the following statements describe good (**Sí**) or bad (**No**) driving habits.

	Sí	No
1. Cuando veo una luz amarilla en el semáforo, acelero.	☐	☐
2. Cuando voy a doblar, pongo las direccionales.	☐	☐
3. Cuando llego a un cruce, toco la bocina y continúo.	☐	☐
4. Cuando llego a un cruce, miro a la derecha y a la izquierda.	☐	☐
5. Cuando tengo que parar, pongo el pie en el acelerador.	☐	☐
6. Cuando veo a alguien en la calle, pongo los frenos y toco la bocina.	☐	☐

3 En el dibujo, ¿qué hacen los empleados en la gasolinera?

4 Make up a conversation with one of the gas station attendants.

Revista

Aquí tenemos algunas señales de tránsito en Madrid. ¿En qué dirección tiene que doblar un conductor si quiere ir a Casa de Campo?

¿Puede entrar un conductor en esta calle de San Juan, Puerto Rico? ¿Por qué no puede entrar? ¿Es una calle de sentido único?

El conductor trató de usar el carril reservado para autobuses en esta calle de Madrid. La agente de policía le dio una multa. Nuestros agentes de policía, ¿dan multas también?

¿De quién es este permiso de conducir? ¿Es un permiso de conducir mexicano o español?

¿Quieres comprar un auto? Este anuncio apareció en el periódico *El País* de Montevideo, Uruguay. ¿De qué años son los modelos?

DIRECCION OBLIGADA

50 Km/h VELOCIDAD MAXIMA

NO ADELANTAR

NO VIRAR EN U

NO ENTRAR

NO ESTACIONAR

PARE

SENTIDO DEL TRANS...

CRUZ DE SAN ANDRES

PLYMOUTH

PLYMOUTH, año 1937. 6 cilindros manual N$ 12.000. Heber R. Sohrero S. A. Cno. Ariel 4934. Tels. 381703, 393545.

RENAULT

RENAULT Dauphine, año 1957. N$ 39.000. Avda. 8 de Octubre 2743 y Garibaldi. Tels. 802065, 803553.
RENAULT. Gordini, año 1963 N$ 27.000. Heber R. Sobrero S.A. Camino Ariel 4934. Tels. 381703 y 393545.
RENAULT 12 TS, 1981. N$ 175 mil. Martínez Penino Automotores. Rbla. de Carrasco a dos cuadras del Hotel. Tels. 508129 y 508176, abierto sábados y domingos de 9 a 13 y de 15 a 19.
RENAULT 12 TL, 1981. N$ 140 mil. Martínez Penino Automotores. Rbla. de Carrasco a dos cuadras del Hotel. Tels. 508129 y 508176, abierto sábados y domingos de 9 a 13 y de

...metaliza-...00. Se acep-...s. Automotora Ga-...aribaldi 2561. F2

...ribaldi. ...3565 y
...RCEDES BENZ L. 1113. ...Entrega inmediata. Binaguy ...Automóviles. Avda. 8 de Octu-...bre 2743 y Garibaldi. Teléfs. 802065 y 803553.

OLDSMOBILE

OLDSMOBILE, año 1948, 6 cilindros, automático, nuevos pesos 9.000. Heber R. Sobrero S.A. Camino Ariel 4934. Tels. 381703 y 393545.

OPEL

OPEL 2 0. Rekord. Año 1979. N$ 158.000. Binaguy Automóviles. Avda. 8 de Octubre 2743 y Garibaldi. Teléfs. 802065 y 803553.
OPEL Rekord, 1969, 6 cilindros. Automático, 4 puertas, N$ 65.000. Automotora Libertad. Ruta 1, Km. 51,300. Tel. 3

293

20 DON QUIJOTE DE LA MANCHA

Vocabulario

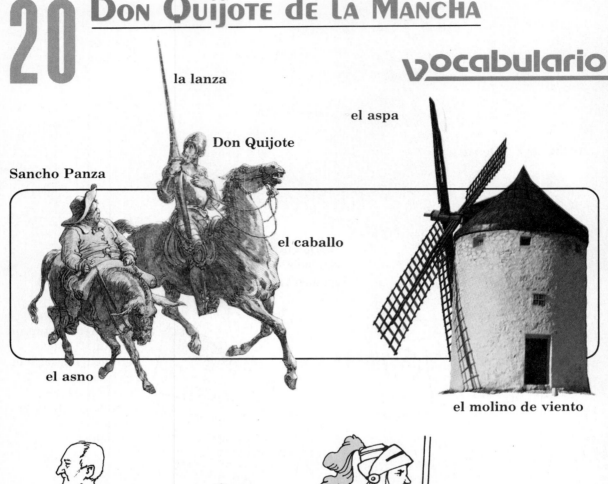

la lanza

el aspa

Don Quijote

Sancho Panza

el caballo

el asno

el molino de viento

flaco

gordo

un caballero andante

un escudero

Ejercicio 1   Contesten.

1. ¿Es don Quijote gordo o flaco?
2. ¿Quién es gordo?
3. ¿Quién es un caballero andante?
4. ¿Quién es su escudero?
5. ¿Quién tiene una lanza?
   ¿Don Quijote o Sancho Panza?
6. ¿Quién tiene un caballo?
7. ¿Y Sancho Panza? ¿Qué tiene él?
8. ¿Tiene aspas un molino de viento?

Ejercicio 2   Describa a don Quijote.

Ejercicio 3   Describa a Sancho Panza.

Read the following sentences. The words in dark type have the same meaning.

Cervantes es un autor **famoso**.
Cervantes es un autor **conocido**.

Él es muy **inteligente**.
Él es muy **sabio**.

Don Quijote **ayuda** a mucha gente.
Don Quijote **socorre** a mucha gente.

Don Quijote salió **para buscar** aventuras.
Don Quijote salió **en busca de** aventuras.

Él salió **muy rápido**.
Él salió **a toda prisa**.

Ejercicio 4   *Match the words that have the same meaning.*

1. conocido
2. socorrer
3. sabio
4. a toda prisa
5. para buscar

a. inteligente
b. en busca de
c. ayudar
d. famoso
e. rápido

Read the following paragraph in the present tense and then re-read it in the past.

Un día, don Quijote hace una expedición. Su escudero, Sancho Panza, va con él. Cuando vuelven, Sancho Panza le dice a don Quijote que no quiere hacer más expediciones. Le dice a don Quijote, —Esta expedición es la última.

Un día, don Quijote **hizo** una expedición. Su escudero, Sancho Panza, **fue** con él. Cuando volvieron, Sancho le **dijo** a don Quijote que no **quiso** hacer más expediciones. Le **dijo** a don Quijote, —Aquella expedición **fue** la última.

Ejercicio 5   *Look at the paragraphs above and find the correct preterite forms of the following verbs.*

1. hace   2. va   3. dice   4. es

Nota

As you continue with your study of Spanish, you will note that you will come across more and more cognates. Here are some words that you should be able to understand without any problem.

el gigante	la aventura	el realista	atacar	misterioso
la furia	el episodio	el idealista	convertir	imaginado
la novela	la expedición	el protagonista		

Ejercicio 6 *Once you know the meaning of one word, it is easy to guess the meaning of other words that are related to or stem from the original word. Match the word in the first column with a related word in the second column.*

1. andar
2. real
3. el aventurero
4. el misterio
5. conocer
6. imaginar
7. ideal
8. el ataque
9. saber
10. el socorro

a. atacar
b. imaginado
c. socorrer
d. andante
e. idealista
f. sabio
g. misterioso
h. realista
i. conocido
j. la aventura

Estructura

El pretérito de los verbos *hacer, querer* y *venir*

The verbs **hacer, querer,** and **venir** are also irregular in the preterite tense. Study the following forms. Note that the endings are the same as those of the irregular verbs we studied in the previous lesson.

Infinitive	hacer	querer	venir
yo	hice	quise	vine
tú	hiciste	quisiste	viniste
él, ella, Ud.	hizo	quiso	vino
nosotros, -as	hicimos	quisimos	vinimos
(vosotros, -as)	(hicisteis)	(quisisteis)	(vinisteis)
ellos, ellas, Uds.	hicieron	quisieron	vinieron

The verb **querer** also has a special meaning in the preterite.

Quise ayudar. *I tried to help.*
No quise salir. *I refused to leave.*

Ejercicio 1 ¡Qué obstinado eres!
Completen en el pretérito.

1. Yo no lo _____ (querer) hacer y no lo _____ (hacer). No sé por qué tú lo _____ (hacer).
2. Ellos no _____ (querer) hacer el viaje y no lo _____ (hacer). No comprenden por qué Ud. lo _____ (hacer).
3. Nosotros no _____ (querer) hacer el trabajo y no lo _____ (hacer). ¿Lo _____ (hacer) tú?
4. Carlos no _____ (querer) hacer la cama y no la _____ (hacer). Así, la _____ (hacer) yo.

Ejercicio 2 Sigan el modelo.

¿Vino él?
No, no quiso venir y no vino.

1. ¿Viniste tú?
2. ¿Vinieron ellos?
3. ¿Vinieron Uds.?
4. ¿Vino su amigo?

El pretérito del verbo *decir*

Study the following forms of the preterite of the verb **decir.** Note that the **ellos/ellas/Uds.** ending is **-eron,** rather than -ieron.

Infinitive	decir
yo	dije
tú	dijiste
él, ella, Ud.	dijo
nosotros, -as	dijimos
(vosotros, -as)	(dijisteis)
ellos, ellas, Uds.	dijeron

Ejercicio 3 Completen.

1. Él _____ (decir) que no lo _____ (hacer) porque no lo _____ (querer) hacer.
2. Yo te _____ (decir) que ellos no _____ (venir) porque no _____ (querer) venir.
3. Ellos _____ (decir) que Uds. nunca _____ (decir) tal cosa.
4. ¿Por qué _____ (decir) Uds. que yo no lo _____ (querer) hacer?
5. Tú _____ (decir) que él no _____ (decir) nada y que sus amigos no _____ (decir) nada tampoco.

El pretérito de los verbos *ir* y *ser*

Study the following irregular forms of the preterite of the verbs **ir** and **ser.**

Infinitive	ir	ser
yo	fui	fui
tú	fuiste	fuiste
él, ella, Ud.	fue	fue
nosotros, -as	fuimos	fuimos
(vosotros, -as)	(fuisteis)	(fuisteis)
ellos, ellas, Uds.	fueron	fueron

Note the forms of the verbs **ir** and **ser** are identical in the preterite. Their meaning is made clear by the context of the sentence. In addition, the verb **ser** is seldom used in the preterite.

Ejercicio 4 Fui al mercado.
Contesten.

1. ¿Fuiste al mercado?
2. ¿Fuiste con Paco?
3. ¿Fueron Uds. en carro?
4. ¿Fueron Uds. por la mañana?
5. ¿Fue Teresa también?

Ejercicio 5 No fui a la fiesta.
Completen con *ir*.

— ¿_____ tú a la fiesta anoche?
— No, yo no _____ pero mi hermano _____.
— ¿Por qué no _____ tú?
— Yo no _____ porque no pude.
— ¿Por qué no pudiste?
— No pude porque vinieron algunos amigos y nosotros _____ a ver a otro amigo en el hospital.

Pronunciación   Los diptongos

Note that in Spanish when a weak vowel (**u** or **i**) bears a written accent mark, the following combinations are pronounced as two separate vowels and the diphthong is broken. For example:

país   pa-ís   día   dí-a   río   rí-o   baúl   ba-úl

Dictado

Listen carefully to the pronunciation of the following groups of words.

policía   biología   frutería   farmacia   ciencia   materia

conversación

¿Qué viste en el teatro?

Sandra   ¿Qué hiciste tú anoche?

Anita   Anoche fui al teatro.

Sandra   ¿Fuiste al teatro? ¿Qué viste?

Anita   «Don Quijote de la Mancha».

Sandra   No lo creo. ¿Sabes lo que hice yo?

Anita   No, ¿qué hiciste?

Sandra   Leí un episodio del *Quijote*. Leí el episodio de los molinos de viento.

Anita   ¡Ay! Es muy divertido, ¿no?

Ejercicio   Contesten.

1. ¿Adónde fue Anita anoche?
2. ¿Qué vio en el teatro?
3. ¿Fue Sandra al teatro?
4. ¿Qué leyó ella?
5. ¿Cómo es el episodio de los molinos de viento?

Lectura cultural

El Quijote

    Una de las novelas más famosas de España y del mundo entero es *El Quijote* de Miguel de Cervantes Saavedra. El protagonista de la novela es el conocido caballero andante, don Quijote de la Mancha.

    Un día, don Quijote salió de su pueblo en la región de la Mancha. Un idealista sin par, don Quijote salió en busca de aventuras para conquistar todos los males* que existen en el mundo. Es el trabajo de un verdadero* caballero andante. Pero después de pocos días, don Quijote volvió a casa porque hizo su primera expedición sin escudero. No hay caballero andante sin escudero—sobre todo un caballero andante de la categoría de don Quijote.

    En su pueblo él buscó un escudero. Por fin encontró a un vecino,* Sancho Panza. Salió por segunda vez con Sancho, un hombre gordo y bajo. Don Quijote montó a su caballo, Rocinante. Sancho montó en un asno.

    Los dos hicieron muchas expediciones por la región de la Mancha. El idealista don Quijote hizo muchas cosas que no quiso hacer el realista Sancho Panza. Más de una vez Sancho le dijo:

Pero, don Quijote, noble caballero y fiel* compañero. Vuestra Merced está loco. ¿Por qué no dejamos* con estas tonterías?* ¿Por qué no volvemos a casa? Yo quiero comer y quiero dormir en mi cama.*

---

   males *evils*   **verdadero** *true*   **vecino** *neighbor*   **fiel** *faithful*   **dejamos** *stop*

   tonterías *silly, stupid things*   **cama** *bed*

Don Quijote no les hizo mucho caso° a los consejos° de Sancho. Uno de los episodios más famosos de nuestro estimado caballero es el episodio de los molinos de viento.

Un día, en un lugar° de la Mancha, don Quijote vio algo misterioso. Le dijo a Sancho:

°**hizo mucho caso** *paid much attention*   °**consejos** *advice*   °**lugar** *place*

¿Adónde fue don Quijote? Él fue a atacar a los terribles gigantes. Gigantes como éstos no pueden existir en el mundo. En el nombre de Dulcinea, la dama de sus pensamientos,* don Quijote los atacó. Puso su lanza en el aspa de uno de los molinos. En aquel mismo instante vino un viento fuerte. El viento movió el aspa. El viento la revolvió con tanta furia que hizo pedazos* de la lanza y levantó a don Quijote en el aire.

A toda prisa el pobre Sancho fue a socorrer a su caballero andante. Lo encontró en el suelo* muy mal herido.*

Sancho levantó a don Quijote del suelo. Don Quijote subió de nuevo sobre Rocinante. Habló más de la pasada aventura pero Sancho no le hizo caso. Siguieron* el camino* de Puerto Lápice en busca de otras jamás* imaginadas aventuras.

Adapted from Miguel de Cervantes Saavedra

dama de sus pensamientos *lady of his dreams*	*pedazos* *pieces*
suelo *ground* *herido* *injured*	*guerra* *war* *Siguieron* *They followed*
camino *route* *jamás* *ever*	

Ejercicio 1 Escojan.

1. *El Quijote* es _____ española.
   a. una novela
   b. una lectura
   c. una poesía

2. El autor del *Quijote* es _____.
   a. Miguel de Unamuno
   b. Miguel de Cervantes Saavedra
   c. Sancho Panza

3. El protagonista o el personaje más importante de la novela es _____.
   a. el escudero, Sancho Panza
   b. el caballo, Rocinante
   c. el caballero andante, don Quijote de la Mancha

4. Don Quijote es de la región de la Mancha en _____.
   a. España
   b. Colombia
   c. México

5. Don Quijote es un _____ que quiere conquistar todos los males que existen en el mundo.
   a. idealista
   b. realista
   c. enemigo

6. Durante su primera expedición, don Quijote volvió a casa porque hizo su primera expedición sin _____.
   a. caballo
   b. escudero
   c. lanza

7. _____ decidió ser su escudero.
   a. Una amiga de don Quijote
   b. Un vecino de don Quijote
   c. Un hombre alto y flaco

8. Cuando don Quijote y Sancho Panza salieron de su pueblo, Sancho montó en
   _____.
   a. un caballo
   b. un carro
   c. un asno

9. Don Quijote y Sancho Panza hicieron _____.
   a. solamente una expedición
   b. muchas expediciones por la región de la Mancha
   c. muchas cosas que los dos no quisieron hacer

10. Más de una vez Sancho le dice a don Quijote que _____.

    a. es muy sabio
    b. está loco
    c. es un escudero muy bueno

11. Sancho Panza es realista y quiere _____.

    a. hacer muchas expediciones más
    b. conquistar los males del mundo
    c. volver a casa a dormir en su cama

Ejercicio 2   ¿Verdadero o falso?

1. Don Quijote les hizo caso a los consejos de Sancho Panza y los dos volvieron a casa.
2. Uno de los episodios más famosos del Quijote es el episodio de Rocinante.
3. Un día, Sancho ve a algunos gigantes y los quiere atacar.
4. Sancho le dice a don Quijote que lo que ve son molinos de viento.
5. Don Quijote cree lo que le dice Sancho y no ataca los molinos de viento.
6. Don Quijote atacó los molinos en nombre de su caballo, Rocinante.
7. Don Quijote puso su lanza en el pie de uno de los gigantes.
8. Un viento fuerte vino y movió el aspa del molino.
9. El viento levantó a don Quijote en el aire.
10. Dulcinea encontró a don Quijote muy mal herido en el suelo y lo socorrió.

Ejercicio 3   Contesten.

1. Después de este episodio, ¿admite don Quijote que los gigantes son molinos?
2. ¿Sabe Sancho Panza lo que dice?
3. ¿Quién es el enemigo de don Quijote?
4. ¿A quién le dice don Quijote las cosas malas que hizo Frestón?
5. ¿Quién convirtió a los gigantes en molinos de viento?
6. ¿Lo cree Sancho Panza?
7. ¿Sabe Sancho Panza lo que hizo el enemigo Frestón?
8. ¿Sabe Sancho lo que hizo el molino de viento?
9. Cuando Sancho levantó a don Quijote del suelo, ¿volvieron a casa?
10. ¿Siguieron el camino don Quijote y Sancho Panza en busca de otras aventuras?

Los molinos de viento en la Mancha, España

Actividades

1 Prepare a play based on the conversations in the **Lectura cultural** between don Quijote and Sancho Panza.

2 **Composición.** Rewrite the following story in the past tense.

Un día, don Quijote, el famoso caballero andante, sale de su pueblo en la Mancha. Va en busca de aventuras. Busca un escudero. Sancho Panza decide acompañar a don Quijote como escudero. Don Quijote monta a caballo y Sancho monta en un asno. Los dos salen juntos de su pueblo.

Andan por la región de la Mancha. Hacen muchas expediciones. Una vez, don Quijote ve algo misterioso. Le pregunta a Sancho Panza si él también ve a los gigantes. Sancho le dice que no ve a gigantes pero sí,

ve unos molinos de viento. Don Quijote no le hace caso y va a atacar a los gigantes. Pone su lanza en el aspa del molino en el momento que viene un viento fuerte. El viento mueve el aspa y levanta a don Quijote en el aire.

Sancho Panza va a socorrer a su caballero. Lo encuentra en el suelo. Lo levanta y le empieza a hablar. Pero don Quijote no quiere hablar más. En seguida sale en busca de otras aventuras. Va a conquistar los males del mundo.

3 Make up a story based on what you see in the illustration.

Revista

El famoso novelista español, Miguel de Cervantes Saavedra

El ilustre hidalgo don Quijote en una venta de La Mancha

Una pintura del artista francés, Honoré Daumier. ¡El pobre Sancho! ¿Está cansado él?

¿Cómo se llama esta venta (hotel pequeño)? ¿Dónde está la venta?

Al buen comer
llaman Sancho;
A la buena cocina...

VENTA DEL QUIJOTE

...ERTO LAPICE (C. Real) · LA MANCHA
...retera Andalucía, Km. 136 · Teléf. (926) 57 61 10

Aún hoy muchos madrileños ven a don Quijote casi todos los días en esta estatua de don Quijote, Sancho Panza y Cervantes. La estatua se encuentra en la Plaza de España, en el centro mismo de Madrid.

Repaso

Lo pasé muy bien.

Clara   ¿Qué hiciste ayer?

Ramón   ¿Ayer? Yo pasé todo el día en la playa. Nadé, tomé el sol y luego alquilé una plancha de vela.

Clara   Me parece que lo pasaste muy bien.

Ramón   Sí, y me puse muy bronceado. Luego, por la noche, fui al cine con un grupo de amigos.

Clara   ¿Qué película viste?

Ramón   «La guerra de las galaxias».

Clara   ¿Cómo fueron al cine?

Ramón   Pues, anoche el padre de Paco le dio el carro y él nos llevó.

Ejercicio 1   ¿Qué hizo Ramón ayer?
Completen los verbos.

Ayer Ramón pas____ el día entero en la playa. Él nad____, tom____ el sol y alquil____ una plancha de vela. Él lo pas____ muy bien en la playa. Luego, de noche él fu____ al cine con algunos amigos. En el cine ellos v____ una película muy buena. Ellos fu____ al cine en carro porque el padre de Paco le d____ el carro y Paco los llev____ al cine.

El pretérito de los verbos regulares

Review the following preterite or past tense forms of regular **-ar, -er,** and **-ir** verbs.

Infinitive	mirar	comer	vivir
yo	miré	comí	viví
tú	miraste	comiste	viviste
él, ella, Ud.	miró	comió	vivió
nosotros, -as	miramos	comimos	vivimos
(vosotros, -as)	(mirasteis)	(comisteis)	(vivisteis)
ellos, ellas, Uds.	miraron	comieron	vivieron

Note the difference between the present and the preterite of regular verbs.

el presente   el pretérito

Infinitive	mirar	
yo	mir**o**	mir**é**
tú	mir**as**	mir**aste**
él, ella, Ud.	mir**a**	mir**ó**
nosotros, -as	mir**amos**	mir**amos**
(vosotros, -as)	(mir**áis**)	(mir**asteis**)
ellos, ellas, Uds.	mir**an**	mir**aron**

Infinitive	comer	
yo	com**o**	com**í**
tú	com**es**	com**iste**
él, ella, Ud.	com**e**	com**ió**
nosotros, -as	com**emos**	com**imos**
(vosotros, -as)	(com**éis**)	(com**isteis**)
ellos, ellas, Uds.	com**en**	com**ieron**

Infinitive	vivir	
yo	viv**o**	viv**í**
tú	viv**es**	viv**iste**
él, ella, Ud.	viv**e**	viv**ió**
nosotros, -as	viv**imos**	viv**imos**
(vosotros, -as)	(viv**ís**)	(viv**isteis**)
ellos, ellas, Uds.	viv**en**	viv**ieron**

Ejercicio 2 Completen.

1. Anoche nosotros _____ a las seis y media. **comer**
2. Luego yo _____ un partido de fútbol en la televisión. **mirar**
3. Mi equipo favorito no _____. **ganar**
4. Ellos _____. **perder**
5. ¿_____ tú algo en la televisión o _____? **ver, estudiar**

Ejercicio 3 Entrevista

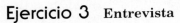

1. ¿Saliste anoche o pasaste la noche en casa?
2. ¿Cenaron Uds. en casa o comieron Uds. en un restaurante?
3. ¿Preparaste la comida? Si tú no la preparaste, ¿quién la preparó?

Ejercicio 4 Completen.

1. Anoche yo comí en casa. Después de comer, escribí una composición para la clase de inglés. Luego llamé por teléfono a un amigo.

   Anoche mi hermano . . .

2. Él pasó el verano pasado en la playa. Él nadó y tomó mucho sol. Volvió a casa muy bronceado. También aprendió a hacer la plancha de vela. La primera vez que trató de montar la plancha, se tumbó al agua.

   Yo . . .

El pretérito de los verbos irregulares

Review the preterite forms of the following irregular verbs.

Infinitive	estar	andar	tener
yo	estuve	anduve	tuve
tú	estuviste	anduviste	tuviste
él, ella, Ud.	estuvo	anduvo	tuvo
nosotros, -as	estuvimos	anduvimos	tuvimos
(vosotros, -as)	(estuvisteis)	(anduvisteis)	(tuvisteis)
ellos, ellas, Uds.	estuvieron	anduvieron	tuvieron

Infinitive	poner	poder	saber
yo	puse	pude	supe
tú	pusiste	pudiste	supiste
él, ella, Ud.	puso	pudo	supo
nosotros, -as	pusimos	pudimos	supimos
(vosotros, -as)	(pusisteis)	(pudisteis)	(supisteis)
elios, ellas, Uds.	pusieron	pudieron	supieron

Infinitive	querer	hacer	venir
yo	quise	hice	vine
tú	quisiste	hiciste	viniste
él, ella, Ud.	quiso	hizo	vino
nosotros, -as	quisimos	hicimos	vinimos
(vosotros, -as)	(quisisteis)	(hicisteis)	(vinisteis)
ellos, ellas, Uds.	quisieron	hicieron	vinieron

Infinitive	decir
yo	dije
tú	dijiste
él, ella, Ud.	dijo
nosotros, -as	dijimos
(vosotros, -as)	(dijisteis)
ellos, ellas, Uds.	dijeron

ir, ser
fui
fuiste
fue
fuimos
(fuisteis)
fueron

Ejercicio 5 Completen las conversaciones.

1. Anita nos habla. Nos dice lo que no quiso hacer su hermano.
   Anita Mi hermano _____ (decir) que no _____ (querer) ir a la playa y no _____ (ir).

2. Carlos nos habla. Nos dice por qué tuvo que estar en casa anoche.
   Carlos Yo no _____ (poder) salir anoche porque _____ (tener) que estar en casa. Algunos amigos _____ (venir) y ellos me _____ (decir) todo lo que _____ (hacer) durante su viaje a Puerto Rico.

3. El Sr. Flores nos habla. Nos dice por qué su amigo Antonio estuvo en el garaje.
   Sr. Flores Antonio me _____ (decir) que _____ (tener) que llevar su carro al garaje porque no lo _____ (poder) arrancar. En el garaje los mecánicos _____ (tener) que cambiar las bujías y _____ (poner) una batería nueva.

4. Clarita nos dice lo que hicieron su hermana y ella anoche.
   Clarita Anoche nosotras no _____ (querer) salir. Nosotras _____ (estar) toda la noche en casa. _____ (Poner) la televisión y _____ (ver) una película fabulosa.

5. Enrique te habla. Él quisiera saber por qué no saliste con él y sus amigos.
   Enrique ¿Qué _____ (hacer) tú anoche? ¿Por qué no _____ (venir) (tú) con nosotros? Nosotros _____ (ir) a un restaurante muy bueno y luego _____ (andar) un poco por el parque del Retiro. Después _____ (ir) al cine Goya donde _____ (ver) una película estupenda.

Los pronombres de complemento

Both the direct and indirect object pronouns precede the verb in Spanish. The object pronouns **me**, **te**, and **nos** can function as either direct or indirect object pronouns.

direct object

Él me vio.
¿Te visitó Elena?
Nos visitó Carlos.

indirect object

Él me dio un regalo.
¿Te habló mucho?
Él nos dijo lo que pasó.

Lo, los, la, and **las** function as direct object pronouns only.

Él paró el carro.
Ella puso los frenos.
Él dobló la esquina.
Ella puso las direccionales.

Él lo paró.
Ella los puso.
Él la dobló.
Ella las puso.

Le and **les** function as indirect object pronouns only. Remember that the pronouns **le** and **les** can also be used with a prepositional phrase.

Él le habló (a él, a ella, a Ud.).
Ella les habló (a ellos, a ellas, a Uds.).

Ejercicio 6   ¿Lo invitaste?
Contesten con pronombres de complemento.

1. ¿Invitaste **a Juan** a la fiesta?
2. ¿Aceptó él **la invitación**?
3. ¿**Te** dio un regalo?
4. ¿Conoció él **a tus amigos**?
5. ¿**Les** habló?
6. ¿Preparaste **los refrescos** para la fiesta?
7. ¿**Te** ayudó Juan?

Ejercicio 7   ¿Qué hicieron en el garaje?
Contesten con pronombres de complemento.

1. ¿**Le** hablaste **al mecánico**?
2. ¿Reparó él **tu cacharro**?
3. ¿Cambió **las bujías**?
4. ¿**Te** limpió el parabrisas?
5. ¿Llenó **el tanque** de gasolina?
6. ¿Revisó **el aceite**?
7. ¿Reparó **las direccionales**?
8. ¿Revisó **los frenos**?

ʟectura cultural

opcional

tapas o entremeses

el jamón

las aceitunas

**la tortilla
a la española**

el queso

las sardinas

Una noche en Madrid

Anoche Maripaz salió con un grupo de amigos. Ella salió con algunos estudiantes de la Universidad de Madrid donde ella también es estudiante.

En seguida ellos se dirigieron° al Viejo Madrid. En el Viejo Madrid hay muchos mesones. Un mesón es un tipo de taberna. Por lo general, los mesones están en la planta baja o en el subsuelo° de un edificio antiguo. Los mesones son muy populares con los jóvenes madrileños.

Cuando Maripaz y sus amigos entraron en el mesón, vieron a muchos amigos. Todos empezaron a hablar. Tomaron un refresco. Y también comieron tapas. Pero, ¿qué son tapas? Pues, en el mostrador de cada mesón hay muchos platillos.° En cada platillo hay cositas° para comer. Hay por ejemplo jamón, queso, aceitunas, sardinas y tortillas. Uno escoge lo que quiere comer con su chato de vino.° Come, por ejemplo, un pedacito° de jamón o un pedacito de una tortilla.

Después de media hora Maripaz y sus amigos salieron del primer mesón y se dirigieron a otro. Entró un grupo de tunos.° Los tunos son universitarios que llevan trajes de la Edad Media.° Ellos cantan y tocan la guitarra. Muchas veces los jóvenes que están en el mesón cantan con ellos.

Anoche cuando los tunos empezaron a cantar, José Antonio, un amigo de Maripaz, empezó a cantar con ellos. Él es de Andalucía, una región del sur de España. Como muchos andaluces, él canta muy bien el flamenco y sabe dar palmadas.°

Todos lo pasaron muy bien en el mesón. Tomaron sus refrescos, comieron tapas, cantaron y hablaron con sus amigos. Pasaron una típica noche madrileña y todos volvieron a casa bastante cansados.

° **se dirigieron** *went to, headed for*   ° **el subsuelo** *basement*   ° **platillos** *small plates, saucers*
° **cositas** *little things*   ° **chato de vino** *small glass of wine*   ° **pedacito** *small piece*
° **tunos** *minstrels*   ° **la Edad Media** *Middle Ages*   ° **dar palmadas** *to clap (his hands)*

Ejercicio Completen.

1. Anoche Maripaz salió con . . .
2. Ella salió en . . .
3. Los amigos de Maripaz se dirigieron a . . .
4. Un mesón es . . .
5. Los mesones están en . . .
6. En el mesón Maripaz y sus amigos . . .
7. Las tapas son . . .
8. Los tunos son . . .
9. Los tunos cantan y . . .
10. Cuando los tunos empezaron a cantar, José Antonio . . .
11. José Antonio es . . .
12. Como muchos andaluces, él . . .
13. Todos pasaron una típica noche madrileña y volvieron a casa . . .

314

Lectura cultural

un jarro de vino

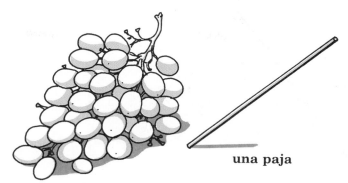

un racimo de uvas

una paja

La venta es un tipo de hotel. Por lo general
es pequeña y no es muy elegante.
Un ciego es una persona que no puede ver.

Ejercicio   Usen el vocabulario nuevo.

1. Las _____ producen vino.
2. Las uvas crecen en _____.
3. Él puso el vino en un _____.
4. Él no bebió el vino de una _____.
5. No, él no puede ver. Es _____.
6. En las grandes ciudades hay hoteles.
   En los pueblos pequeños del campo hay _____.

Lazarillo de Tormes

   Lazarillo de Tormes es una novela famosa de la literatura española. No sabemos
quién la escribió. Un autor anónimo la escribió en el siglo dieciséis. Es la historia
de un muchacho de origen humilde—un pícaro.
   Lazarillo nació* en Salamanca. Su madre viuda trabajó en una venta. Un día,
un ciego llegó a la venta y la madre le dio a su hijo al ciego.
   Lazarillo le dijo «adiós» a su madre y salió de la venta con el ciego. Él aprendió
pronto a no tener confianza* en este señor. El ciego lo trató* muy mal.
   Un día el ciego decidió tomar un poco de vino de su jarro. ¿Le dio vino a
Lazarillo? No, no le dio nada. Lazarillo metió una paja en el jarro y él también
bebió. De repente,* se acabó* el vino.

---

*nació   *was born*   *tener confianza   *to have confidence*   *trató   *treated*
*De repente   *Suddenly*   *se acabó   *was all gone (finished)*

315

De repente el ciego rompió el jarro sobre la cabeza de Lazarillo.

Una vez los dos pasaron por un pueblo. Alguien le dio al ciego un racimo de uvas.

Lazarillo le dijo que sí.

El ciego tomó las uvas. Pero no comió una. Comió dos. Luego Lazarillo tomó las uvas. ¿Y cuántas comió? Él comió tres.

---

* **Prometes** *Do you promise*

—Lazarillo, no me dices la verdad. Comiste tres. Yo lo sé porque yo comí dos y tú no dijiste nada. Tú rompiste nuestra promesa.

—Sí, señor. Pero Ud. la rompió primero cuando comió dos uvas a la vez.

¿Qué opinas? ¿Quién tiene razón?* ¿Lazarillo o el ciego?

Ejercicio 1   Corrijan las oraciones falsas.

1. *Lazarillo de Tormes* es una novela famosa de la literatura mexicana.
2. Cervantes escribió *Lazarillo de Tormes*.
3. *Lazarillo de Tormes* es la historia de un muchacho rico de origen aristocrático.
4. Lazarillo nació en Madrid, la capital de España.
5. Su padre viudo trabajó en una venta.
6. Un día su madre le dio a Lazarillo a una señora ciega. La ciega trató muy bien a Lazarillo.
7. Un día el ciego decidió tomar vino y le dio un poco de vino a Lazarillo.
8. El ciego bebió el vino con una paja.

Ejercicio 2   Contesten.

1. ¿Por qué se acabó el vino?
2. ¿Confesó Lazarillo al ciego que él también bebió?
3. ¿Qué le hizo el ciego a Lazarillo?
4. En un pueblo, ¿qué le dio alguien al ciego?
5. ¿Cuántas uvas comió el ciego a la vez?
6. ¿Y cuántas uvas comió Lazarillo?
7. ¿Cómo prometió Lazarillo comer las uvas?
8. Luego, ¿por qué comió tres?
9. ¿Quién rompió la promesa primero?

---

*tiene razón   *is right*

Lectura cultural

opcional

la esquina

el limpiabotas

el lápiz

los cacahuates

los peatones

El barrio es una parte o una zona de una ciudad. Es generalmente humilde.

Ejercicio   Usen el vocabulario nuevo.

1. ¿Trabaja en la esquina el muchacho?
2. ¿Trabaja de limpiabotas?
3. El otro muchacho, ¿les vende lápices y cacahuates a los peatones?
4. ¿Van por las calles de la ciudad los peatones?

Los pícaros de hoy

Lazarillo de Tormes es un pícaro ficticio de una novela del siglo dieciséis. Pero muchos pícaros no son ficticios. No tenemos que leer una novela antigua para conocer a un pícaro. Los vemos todos los días en muchas ciudades hispánicas. Los pícaros son niños de origen humilde que salen de casa temprano* por la mañana.

---

* **temprano**   *early*

318

Salen de casa si tienen casa. Muchos no tienen casa y viven en las calles. En autobús o a pie salen de su barrio y van al centro de la ciudad. Allí les venden lápices o cacahuates a los peatones. Muchos trabajan de limpiabotas. Los vemos en las esquinas de las calles donde les limpian los zapatos a sus clientes. Vamos a hablar con uno de estos pícaros.

— Hola, Paquito. ¿Cómo estás? No te vi ayer.

— No, ayer trabajé en otro barrio.

— ¿Vendiste mucho?

— No, no mucho. Le vendí dos lápices a una señora.

— ¿Y a quién le diste el dinero que recibiste?

— Le di el dinero a mamá. Sabe, ella necesita el dinero. Con el dinero que yo le doy, ella compra comida. En casa tengo seis hermanos y ellos tienen que comer.

El pícaro no es nada nuevo. Lazarillo vivió en el siglo dieciséis y Paquito vive hoy. El pícaro representa un fenómeno universal—la pobreza. *

Ejercicio Completen.

1. Hoy podemos ver a muchos pícaros en . . .
2. Los pícaros son . . .
3. Algunos pícaros tienen una casa en un barrio pobre pero muchos no tienen casa y . . .
4. En el centro de las ciudades los pícaros venden . . .
5. Muchos pícaros trabajan de . . .
6. Ayer Paco vendió . . .
7. Le dio el dinero . . .
8. Con el dinero que él le da, su mamá . . .
9. En la casa de Paquito hay . . .

---

*la pobreza   *poverty*

21 ¿TE GUSTA COMER?

vocabulario

Carnes y aves

la carne de res

 las chuletas de cordero

el lechón

 la salchicha

las chuletas de cerdo

el pollo

Legumbres y frutas

el maíz

las alcachofas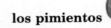

los frijoles

el arroz

los pimientos

los plátanos

los guisantes

el ajo

las aceitunas

Pescados y mariscos

las almejas

los mejillones

los camarones

la langosta

la merluza

Otros alimentos

la sal

la pimienta

el queso

la salsa de tomate

la tortilla

la enchilada

el aceite
(de oliva)

¿Cómo se prepara la comida?

El señor
dobla la tortilla.

hierve el agua
en **una olla.**

rellena el taco.

asa el lechón en
el horno.

fríe el pescado
en **una sartén.**

asa las chuletas
a la parrilla.

Ejercicio 1   ¿De qué color son las legumbres y las frutas?

1. El _____ es amarillo.
2. Los _____ son rojos.
3. Los _____ y las _____ son verdes.
4. El _____ es blanco.

5. Los _____ son negros.
6. Los _____ pueden ser amarillos o verdes.

321

Ejercicio 2   ¿Qué es?

1.
2.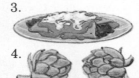
3. 

5.
7.

6.
8.

Ejercicio 3   Vamos a cocinar.
Contesten según el dibujo.

1. ¿De qué rellena el señor el taco?

2. ¿En qué asa el señor el lechón?

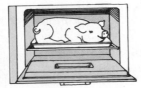

3. ¿Qué fríe el señor en la sartén?

4. ¿Cómo asa el señor las chuletas?

5. ¿En qué hierve el señor el agua?

distinto	diferente
las legumbres	los vegetales
la cocina	1. el cuarto de una casa donde se preparan las comidas
	2. la manera en que se preparan las comidas

Ejercicio 4   *Give the correct definition for the word* **cocina.**

1. Preparamos las comidas en la cocina.
2. La cocina mexicana es muy buena.
3. El horno está en la cocina.
4. La cocina es distinta en cada país.

Nota

Here are some more cognates. Can you guess their meanings in English?

extenso	**típico**	**el tipo**	**la especialidad**
variado	**la base**	**el panqueque**	**los condimentos**

Ejercicio 5   Usen el vocabulario nuevo.

1. Muchos restaurantes tienen su _____.
2. La sal y la pimienta son _____.
3. A veces nosotros comemos _____ para el desayuno.
4. La cocina de los Estados Unidos es muy _____.
5. La _____ de la cocina de muchos países es el arroz.

Estructura

La voz pasiva con *se*

The *passive voice* means that the subject of the sentence does and receives the action of the verb. The passive construction in English is as follows.

> *Fish is sold at the fish market.*

In Spanish the pronoun **se** can be used to express the passive voice.

Se vende pescado en la pescadería.
Se venden mariscos en la marisquería.

Note that if the subject is singular, the verb is singular. If the subject is plural, the verb is plural.

Se can also be used to convey the general subject *one, they, people* in English.

Aquí se habla español. }
Spanish is spoken here.
One speaks Spanish here.
They speak Spanish here.
People speak Spanish here.

Ejercicio 1 ¿Cómo se prepara un taco?
Contesten.

1. ¿Se dobla la tortilla?
2. ¿Se fríe la tortilla?
3. ¿Se rellena el taco?
4. ¿De qué se rellena el taco?
5. ¿Se come el taco con una salsa picante?

Ejercicio 2 ¿Qué se come? ¿Dónde?
Contesten con *sí*.

1. ¿Se comen muchas tortillas en México?
2. ¿Se come mucha carne de res en la Argentina?
3. ¿Se comen muchos mariscos en España?
4. ¿Se usa mucho aceite en España?
5. ¿Se usan muchas salsas picantes en México?

Ejercicio 3 ¿Qué se vende? ¿Dónde?
Contesten.

1. ¿Se venden alcachofas en una frutería o en una panadería?
2. ¿Se vende carne en una carnicería o en una marisquería?
3. ¿Se venden mariscos en una pastelería o en una marisquería?
4. ¿Se vende leche en una lechería o en una pescadería?

Ejercicio 4 ¿Cuáles son cinco países donde se habla español?

El verbo *gustar*

The verb **gustar** means *to like*. However, its literal meaning is *to please* or *to be pleasing to*. Observe the following sentences.

¿Te gusta la carne?   Sí, me gusta mucho.
¿Te gustan los mariscos?   Sí, me gustan mucho.

In the above sentences, **me** and **te** are indirect objects. The subjects are **la carne** and **los mariscos**. Note that **gustar**, like any other verb, agrees with the subject.

Note the use of the verb **gustar** with other pronouns.

¿Les gusta (a Uds.) el pescado?   Sí, nos gusta.
¿Les gustan (a Uds.) las papas?   Sí, nos gustan.
A Juan le gusta el pescado y a María le gustan los mariscos.
A mis padres les gusta el pescado pero a mis hermanos les gustan los mariscos.

Me gusta más means *I prefer*.

Me gusta el pescado pero me gusta más la carne.

Ejercicio 5   ¿Te gusta o no te gusta?

Contesten.

1. ¿Te gusta el cerdo?
2. ¿Te gusta el pollo?
3. ¿Te gusta el maíz?
4. ¿Te gusta el arroz?
5. ¿Te gusta la langosta?
6. ¿Te gustan las papas?
7. ¿Te gustan los frijoles?
8. ¿Te gustan los plátanos?
9. ¿Te gustan las almejas?
10. ¿Te gustan los camarones?

Ejercicio 6   Sigan el modelo.

¿Te gusta el ajo?
Me gusta pero a Juan no le gusta.

1. ¿Te gusta la carne de res?
2. ¿Te gusta la salchicha?
3. ¿Te gusta el queso?
4. ¿Te gusta la salsa de tomate?
5. ¿Te gustan las legumbres?
6. ¿Te gustan los mariscos?
7. ¿Te gustan los guisantes?
8. ¿Te gustan las alcachofas?

Ejercicio 7   ¿Te gusta?

Ask a friend if he/she likes . . .

1. el fútbol
2. los deportes
3. el tenis
4. los deportes de equipo
5. la música clásica
6. la música popular
7. los discos de rock
8. el cine

Ejercicio 8 Sigan el modelo.

A tus amigos, ¿qué les gusta hacer?
A mis amigos les gusta cantar.

1.

3.

5.

2.

4.

6.

Ejercicio 9 *Tell five things you like.*

Ejercicio 10 *Tell five things you like to do.*

conversación

You are in a restaurant with a friend. He/She is asking you what you like or prefer to eat. Answer his/her questions about your food preferences.

¿Qué te gusta?

Amigo(a)	¿Qué te gusta más, la carne o el pescado?
Tú	_____
Amigo(a)	¿Y las legumbres? ¿Te gustan?
Tú	_____
Amigo(a)	¿Te gusta más comer en casa o en un restaurante?
Tú	_____
Amigo(a)	¿Por qué?
Tú	_____

Lectura cultural

La cocina hispana

Ya sabemos que el español es un idioma que se habla en muchas partes del mundo. Como el mundo hispano es muy extenso, también es muy variada su cocina. Aquí tenemos ejemplos de algunos platos típicos de varios países de habla española.

México

Muchas comidas mexicanas tienen como base la tortilla. La tortilla es un tipo de panqueque que se hace de maíz. A los mexicanos les gusta hacer muchas cosas interesantes con la tortilla. El taco es una tortilla dura. Se dobla, se fríe y luego se rellena de carne de res, pollo, queso o frijoles. Una enchilada es una tortilla blanda° que se rellena de carne, pollo, queso o frijoles y luego se enrolla.° La comida mexicana es generalmente picante.° A los mexicanos les gustan mucho las salsas picantes.

España

La comida española es muy distinta a la mexicana. Muy pocos platos españoles son picantes. A los españoles les gusta mucho el aceite de oliva y lo usan frecuentemente cuando cocinan. Como España es una península, el mar nunca está lejos.° Así, los españoles comen mucho pescado y mariscos. Una especialidad de la cocina española es la paella valenciana. La paella lleva arroz condimentado con sal, pimienta, ajo y azafrán.°

°**blanda** *soft*		°**se enrolla** *is rolled*	
°**picante** *hot, spicy, piquant*			
°**lejos** *far away*		°**azafrán** *saffron*	

El azafrán le da al arroz un color amarillo. Al arroz se le agregan° pollo, almejas, camarones, langosta y mejillones. Encima° se ponen guisantes, alcachofas y pimientos. La paella es un plato muy bonito de muchos colores—el amarillo del arroz, el verde de los guisantes, el rojo del pimiento y el negro de las conchas° de los mejillones.

Las islas del Caribe

En las islas del Caribe preparan mucho arroz al estilo del arroz de la paella. Al arroz se le agregan aceitunas o frijoles y a veces un poco de salsa de tomate. Y en el Caribe comen muchos plátanos también. Comen plátanos duros que se cortan y luego se fríen. Los pedazos fritos se llaman tostones. Los puertorriqueños y los cubanos comen tostones como nosotros comemos papas. Con el arroz y los tostones no hay nada más delicioso que un buen lechón asado. El lechón se cocina todo el día en un horno al aire libre.

La Argentina

La Argentina es famosa por sus pampas. En las pampas argentinas hay mucho ganado.° Así, en la Argentina la gente come mucha carne de res. Un churrasco es una barbacoa del famoso biftec argentino. El churrasco se prepara a la parrilla.

°**se le agregan** *are added*   °**Encima** *On top*   °**conchas** *shells*
°**ganado** *cattle*

327

Ejercicio 1 Contesten.

1. ¿Qué tienen como base muchas comidas mexicanas?
2. ¿Qué es una tortilla en México?
3. ¿Qué es un taco?
4. ¿De qué se rellena un taco o una enchilada?
5. Generalmente, ¿cómo es la comida mexicana?
6. A los mexicanos, ¿qué les gusta?
7. ¿Te gusta la comida mexicana?

Ejercicio 2 ¿Verdadero o falso?

1. La comida española, como la mexicana, es muy picante.
2. A los españoles les gusta mucho la salsa de tomate y la usan frecuentemente en su cocina.
3. Como España es una península, los españoles comen mucha carne.
4. Una especialidad de la cocina española es la paella.
5. El ajo le da un color amarillo al arroz de la paella.

Ejercicio 3 Completen.

1. Algunos mariscos que lleva una paella son ———, ——— y ———.
2. Algunas legumbres que lleva una paella son ———, ——— y ———.
3. Algunos condimentos que lleva una paella son ———, ——— y ———.

Ejercicio 4 Contesten.

1. ¿Qué se le agrega al arroz en los países del Caribe?
2. ¿Qué son tostones?
3. ¿Cómo se prepara el lechón asado?
4. ¿Por qué comen los argentinos mucha carne de res?
5. ¿Qué es un churrasco?

En un restaurante en
Ensenada, México

Actividades

1 ¿Quién habla, un(a) español(a), un(a) mexicano(a), un(a) puertorriqueño(a) o un(a) argentino(a)?

1. Me gusta mucho la carne de res y la como mucho.
2. ¡Cuánto me gustan las salsas picantes!
3. Cuando preparo la comida, me gusta poner por lo menos un poco de aceite.
4. Como mucho pescado y mariscos.
5. Me gustan mucho los tostones.
6. Me gusta mucho el arroz con frijoles negros.

2 Preparen una lista de sus alimentos favoritos.

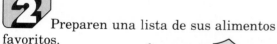

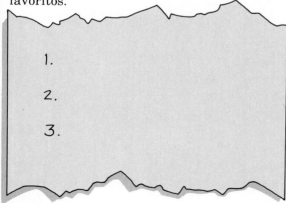

1.

2.

3.

3 Describan lo que lleva este plato.

Revista

```
        MENÚ  DE  HOY
SOPA  DE  LENTEJAS          $
ARROZ
TERNERA  ENCHILADA  Y  EN-
                        SALADA
CHILE  RELLENO  Ó
MILANESAS
CAFE  O  THE
★★★COMIDA  CORRIDA    120
★★TACOS  AL  PASTOR★★

   TOSTADAS ★       —  30

   TORTAS :
        JAMON
        QUESILLO
        POLLO
      TASAJO

   ¿ CUADOS
     REFRESCOS

  DMIDA PA  A  LLEVAR ★ ★
```

Este señor está en Mérida, México. ¿Qué prepara él?

¿Es el menú de un pequeño restaurante español, mexicano o puertorriqueño?

El señor prepara una parrillada fabulosa. ¡Qué delicioso está el biftec o bife! ¿Qué opinas? ¿En qué país está este señor?

En este restaurante de Madrid los jóvenes miran los cochinillos y el cordero que pronto va a asar el cocinero en un gran horno. En Puerto Rico se come también el cochinillo. Pero, en Puerto Rico no dicen «cochinillo». Dicen «lechón», ¿no?

Este es un restaurante elegante de la Ciudad de México. En la mesa, ¿de qué hay un surtido fabuloso?

22 EN El RESTAURANTE

vocabulario

En el restaurante

el cocinero

la cuenta

la propina

el mesero

la mesa

el menú

Ejercicio 1 ¡A la mesa!

Contesten.

1. ¿Cuántas personas hay a la mesa?
2. ¿Leen el menú?
3. ¿Quiénes trabajan en el restaurante?
4. Después de la comida, ¿trae el mesero la cuenta?
5. ¿Dejan los clientes una propina?

El mesero **sirve** a los clientes.

¿Qué **pide** Anita?
Ella pide

una ensalada de lechuga y tomates

un biftec

papas fritas

¿Cómo le gusta el biftec?

casi crudo

término medio

bien cocido

Ejercicio 2 En el restaurante
Preguntas personales.

1. ¿Comes a veces en un restaurante?
2. ¿Quién te sirve en el restaurante?
3. A veces, ¿pides un biftec?
4. ¿Cómo te gusta el biftec, casi crudo, a término medio o bien cocido?
5. ¿Te gusta la ensalada?
6. ¿Pides una ensalada con el biftec?

Estructura

El presente de los verbos de cambio radical $e \rightarrow i$

The verbs **pedir, servir, repetir, freír,** and **seguir** are also stem-changing verbs. The **e** of the infinitive stem (**ped-ir, serv-ir**) changes from **e** to **i** in all forms of the present tense except the **nosotros** (and **vosotros**) form. Observe the following.

Infinitive	pedir	servir	repetir	freír
yo	pido	sirvo	repito	frío
tú	pides	sirves	repites	fríes
él, ella, Ud.	pide	sirve	repite	fríe
nosotros, -as	pedimos	servimos	repetimos	freímos
(vosotros, -as)	(pedís)	(servís)	(repetís)	(freís)
ellos, ellas, Uds.	piden	sirven	repiten	fríen

Note that the verb **seguir** has a silent **u** before **e** or **i**. Remember the spelling pattern **ga, gue, gui, go, gu.**

Infinitive	seguir
yo	sigo
tú	sigues
él, ella, Ud.	sigue
nosotros, -as	seguimos
(vosotros, -as)	(seguís)
ellos, ellas, Uds.	siguen

Ejercicio 1 Lo que pedimos en un restaurante
Sigan el modelo.

A Juan le gusta el pescado. ¿Qué pide él?
Él pide pescado.

1. A Teresa le gusta la langosta. ¿Qué pide ella?
2. A Carlos le gusta mucho el biftec. ¿Qué pide él?
3. A mis amigos les gustan mucho los mariscos. ¿Qué piden ellos?
4. A mis padres les gusta mucho la ensalada. ¿Qué piden ellos?
5. Me gustan mucho las almejas. ¿Qué pido yo?
6. Me gusta mucho la paella. ¿Qué pido yo?

334

Ejercicio 2 Teresa va a un restaurante.
Completen.

Cuando Teresa y yo vamos a un restaurante, nosotros(as) siempre _____ (pedir) un biftec. Ella _____ (pedir) el biftec bien cocido. Yo lo _____ (pedir) casi crudo. A Teresa le gustan las papas fritas y ella las _____ (pedir) siempre. Ella me dice que le gustan mucho cuando el cocinero las _____ (freír) en aceite de oliva. A veces si yo _____ (pedir) un plato que me gusta mucho, yo lo _____ (repetir). Yo soy muy comilón(ona). Me gusta comer. Hay gente que come para vivir pero yo vivo para comer.

El pretérito de los verbos de cambio radical *e → i*

The verbs **pedir, servir, repetir, freír,** and **seguir** also have a stem change in the preterite. The **e** of the infinitive stem changes to **i** in the **él** and **ellos** forms.

Infinitive	pedir	servir	repetir	freír
yo	pedí	serví	repetí	freí
tú	pediste	serviste	repetiste	freíste
él, ella, Ud.	pidió	sirvió	repitió	frió
nosotros, -as	pedimos	servimos	repetimos	freímos
(vosotros, -as)	(pedisteis)	(servisteis)	(repetisteis)	(freísteis)
ellos, ellas, Uds.	pidieron	sirvieron	repitieron	frieron

The verbs **preferir** and **dormir** also have a stem change in the preterite. The **e** in **preferir** changes to **i** and the **o** in **dormir** changes to **u** in the **él** and **ellos** forms.

Infinitive	preferir	dormir
yo	preferí	dormí
tú	preferiste	dormiste
él, ella, Ud.	prefirió	durmió
nosotros, -as	preferimos	dormimos
(vosotros, -as)	(preferisteis)	(dormisteis)
ellos, ellas, Uds.	prefirieron	durmieron

Ejercicio 3 Anoche fuimos a comer en un restaurante mexicano.
Contesten.

1. ¿Quién pidió tacos, tú o tu amigo?
2. ¿Quién pidió enchiladas?
3. ¿Sirvieron las enchiladas con una salsa picante?

4. ¿Pediste arroz y frijoles también?
5. ¿Frió el cocinero los frijoles?
6. ¿Sirvió el mesero una ensalada con la comida?
7. ¿Repitieron Uds. el plato?
8. Después de comer, ¿dormiste?
9. ¿Durmió tu amigo?

Ejercicio 4   Preferí comer en casa. ¿Qué hice?
Completen.

Anoche mi mamá me dijo, —¿Por qué no comemos en un restaurante?— Pero yo le dije, —¡Ay, no! Quiero comer en casa—. Así, yo decidí preparar la comida. Yo _____ (freír) un pescado y mi hermano _____ (freír) unas papas y preparó una ensalada. Papá nos _____ (servir) la comida. Todo salió delicioso. Todos nosotros _____ (repetir) el pescado y la ensalada. Después de comer mi hermano se _____ (dormir) en seguida. Pero yo lo desperté. No es una buena idea dormir inmediatamente después de comer una comida grande.

Me lo, te lo, nos lo

We have now learned all the direct and indirect object pronouns in Spanish. In many sentences both a direct and an indirect object pronoun are used. In Spanish the indirect object pronoun always precedes the direct object. Both pronouns precede the conjugated form of the verb.

Elena me lo dio.	*Helen gave it to me.*
El profesor te los enseñó.	*The professor showed them to you.*
Carlos me la preparó.	*Charles prepared it for me.*
Papá nos las compró.	*Dad bought them for us.*

Ejercicio 5   ¿Qué me enseñó la profesora?
Sigan el modelo.

¿Te enseñó la regla?
Sí, me la enseñó.

1. ¿Te enseñó el vocabulario?
2. ¿Te enseñó la gramática?
3. ¿Te enseñó los verbos?
4. ¿Te enseñó las palabras?

Ejercicio 6   ¿Quién te sirvió en el restaurante?
Sigan el modelo.

¿Quién te dio el menú?
El mesero me lo dio.

1. ¿Quién te dio el menú?
2. ¿Quién te dio la cuenta?
3. ¿Quién te sirvió los platos?
4. ¿Quién te sirvió las legumbres?

Ejercicio 7   ¡Mira lo que tengo!
Sigan el modelo.

Tengo un disco.
¿Quién te lo compró?

1. Tengo un disco.
2. Tengo un camper.
3. Tengo una plancha de vela.
4. Tengo una tienda de campaña.

5. Tengo esquís.
6. Tengo anteojos de sol.
7. Tengo botas.
8. Tengo tarjetas.

conversación

En el restaurante

Anita	¿Tiene Ud. una mesa para dos personas?
Maître	Sí, señorita. Por aquí, por favor. Aquí tienen Uds. el menú.
	(Viene el mesero.)
Mesero	¿Desean Uds. pedir?
Anita	Sí, un biftec, por favor.
Mesero	¿Cómo lo desea Ud.?
Anita	Término medio, por favor.
Mesero	Con el biftec, ¿prefiere Ud. arroz o papas fritas?
Anita	Arroz, por favor. Y una ensalada de lechuga y tomates.
Sarita	Yo quisiera la merluza, por favor. Con papas fritas y una ensalada también.
	(Después de comer)
Mesero	¿Desean Uds. algo más?
Anita	No, nada más, gracias. La cuenta, por favor.

Ejercicio   Contesten.

1. ¿Dónde están Anita y su amiga?
2. ¿Tiene una mesa para dos personas el maître?
3. ¿Qué les dio a Anita y a Sarita el maître?

4. ¿Qué pidió Anita?
5. ¿Y Sarita? ¿Qué pidió ella?
6. Después de comer, ¿quién pidió la cuenta?

Lectura cultural

¿Dónde prefiere Ud. comer?

¿A quién no le gusta salir de casa de vez en cuando para ir a comer a un restaurante? En todas las ciudades de Latinoamérica y de España hay muchos restaurantes adonde va la gente a comer. Hay muchos restaurantes económicos donde no es necesario gastar* mucho dinero para comer bien. Por eso la gente suele* comer en un restaurante con bastante frecuencia.

Hay algunas diferencias interesantes entre los restaurantes de los Estados Unidos y los restaurantes de los países de habla española. ¿Cuáles son algunas de estas diferencias? La primera diferencia es la hora cuando llegan los clientes al restaurante. En Latinoamérica hay muy poca gente en un restaurante antes de las ocho o las ocho y media de la noche. En España no hay casi nadie antes de las diez o las once de la noche.

En los restaurantes de los Estados Unidos hay muchos meseros pero hay también muchas señoras que trabajan como meseras. En España o Latinoamérica hay pocas señoras que trabajan como meseras. En los Estados Unidos hay también muchos jóvenes que tienen un *part-time job*. Muchos estudiantes de nuestras universidades trabajan como meseros para ganar* algunos

---

gastar   *to spend*   *suele*   *tend*   *ganar*   *to earn*

dólares extra. En España y en Latinoamérica el ser mesero es una carrera° y hay muy pocos que trabajan *part time*.

Cuando nosotros le queremos llamar la atención a nuestro mesero le hacemos un gesto° con las manos o con los ojos.° En Latinoamérica suelen hacer un ruido°— «Psst». En España, si uno quiere su cuenta y no le puede llamar la atención al mesero, da algunas palmadas.°

Cuando la gente va a un restaurante suelen pedir más de un plato. Empiezan con un entremés° como un coctel de camarones o quizás° una sopa. En España sirven aún las legumbres como un plato separado. Y la ensalada se come después del plato principal, no antes. Y nunca se toma el café con la comida. El café es para después de la comida.

Cuando uno pide la cuenta, la cuenta llega con el servicio incluído. No es necesario dejar una propina para el mesero pero la verdad es que mucha gente le deja un poco más.

Ejercicio ¿Es un restaurante estadounidense o hispano?

1. Mucha gente llega al restaurante a las seis.
2. Hay muchas meseras en el restaurante.
3. Si la gente le quiere llamar la atención al mesero, hace un ruido.
4. La carne y muchas otras cosas se sirven en el mismo plato.
5. Se sirve la ensalada después del plato principal.
6. Mucha gente toma café con la comida.
7. El servicio está incluído en la cuenta.

°**carrera** *career*   °**gesto** *gesture*   °**ojos** *eyes*   °**ruido** *noise*   °**palmadas** *claps*
°**entremés** *appetizer*   °**quizás** *perhaps*

339

Actividades

1 Entrevista

- ¿Comes de vez en cuando en un restaurante?
- ¿Te gusta comer en un restaurante o prefieres comer en casa?
- ¿Por qué?
- Cuando vas a un restaurante, ¿pides algo especial?

- ¿Qué pides?
- ¿Tienes un restaurante favorito?
- ¿Cuál es? ¿Dónde está?
- ¿Por qué te gusta mucho?

2 Preguntas personales

- ¿Te gusta comer?
- ¿Comes para vivir o vives para comer?
- ¿Cuántas veces comes al día?

3

Aquí tenemos el menú de un restaurante español. ¿Qué vas a pedir?

RESTAVRANTE ANTIGVA CASA SOBRINO DE BOTIN (1725)
TELÉFONO 2664217
—MADRID—
CVCHILLEROS, 17

AL MÉRITO TURÍSTICO
MINISTERIO DE INFORMACIÓN Y TURISMO ESPAÑA

VINOS
Valdepeñas o Aragón
Tinto y Blanco

Botella	150	Ptas.
1/2 Botella	80	"
Sangría	275	"
1/2 Sangría	160	"
Rosado	150	"
1/2 Rosado	80	"

ENTREMESES Y JUGOS DE FRUTA

Pomelo	115
Jugos de Frutas, Piña, Tomate, Naranja	120
Entremeses variados	425
Jamón Serrano	875
Melón con Jamón	600
Melón con Jamón	315
Ensalada Riojana	370
Ensalada BOTIN (con pollo y jamón)	150
MORCILLA DE BURGOS	
SALMON AHUMADO	870
SURTIDO DE AHUMADOS	590

SOPAS

Sopa al cuarto de hora (de pescados y mariscos)	430
Sopa de Ajo con huevo	235
Caldo de Ave	190

HUEVOS

Huevos revueltos con champiñón	260
Huevos a la Flamenca	260
Tortilla con gambas	260
Tortilla con jamón	260
Tortilla con chorizo	260
Tortilla con espárragos	260
Tortilla con escabeche	260

LEGUMBRES

Espárragos con mahonesa	535
Guisantes con jamón	320
Alcachofas salteadas con jamón	320
Judías verdes con tomate y jamón	190
Ensalada de lechuga y tomate	190
Champiñón salteado	320
Patatas fritas	100
Patatas asadas	100
Endivias de Bélgica	340

PESCADOS

Angulas	1.300
Almejas BOTIN	595
Langostinos con Mahonesa	1.350
Cazuela de Pescados a la Marinera	540
Gambas a la plancha	605
Merluza rebozada	935
Merluza al Horno	935
Merluza con salsa Mahonesa	935
Calamares fritos	430
Lenguado frito, al horno o a la plancha (pieza)	935
Trucha a la Navarra	430
Chipirones en su tinta (Arroz blanco)	455

CARTA
SERVICIO E IMPUESTOS INCLUIDOS

RESTAURANT
3.ª categoría

ASADOS Y PARRILLAS

COCHINILLO ASADO	1.050
CORDERO ASADO	1.200
Pollo Asado 1/2	330
Pollo en cacerola 1/2	405
Pechuga "Villeroy"	410
Perdiz estofada 1/2	695
Chuletas de cerdo adobadas	520
Filete de ternera con patatas	875
Escalope de ternera con patatas	770
Ternera Asada con guisantes	740
Solomillo con patatas	1.040
Solomillo con champiñón	1.040
Entrecot a la plancha, con guarnición	840
Ternera a la Riojana	795

POSTRES

Cuajada	180
Tarta helada	220
Tarta de crema	220
Tarta de manzana	200
Flan	150
Flan con nata	240
Helado de vainilla, chocolate o caramelo	180
Espuma de Chocolate	180
Dulce de Membrillo	125
Melocotón en Almíbar	180
Melocotón con nata	250
Compota de Frutas en Almíbar	110
Fruta del Tiempo	210
Queso	300
Piña en Almíbar	130
Piña natural al Dry-Sack	245
Fresón al gusto	345
Sorbete de limón	225
Sorbete de frambuesa	225
Melón	140

MENU DE LA CASA
(Otoño - Invierno)

Precio: 1.570,— Pts.

Sopa de Ajo con huevo

Cochinillo asado

Helado

Vino o cerveza o agua mineral

CAFE 65 – PAN 25 – MANTEQUILLA 45   HAY HOJAS DE RECLAMACION
HORAS DE SERVICIO: ALMUERZO, de 1:00 A 4:00 – CENA, de 8:00 A 12:00
ABIERTO TODOS LOS DIAS

Preparen una conversación entre el mesero y los clientes.

 Describan todo lo que ven en el dibujo.

Revista

El interior de un típico
restaurante-mesón en Madrid

RESTAURANTE
El Descubrimiento

Un restaurante
en México

Cafés al aire libre en España

¿Qué sirve el camarero o mesero en el dibujo? ¿En qué restaurante lo sirve o lo sirvió? ¿Es viejo el restaurante? ¿Dónde está?

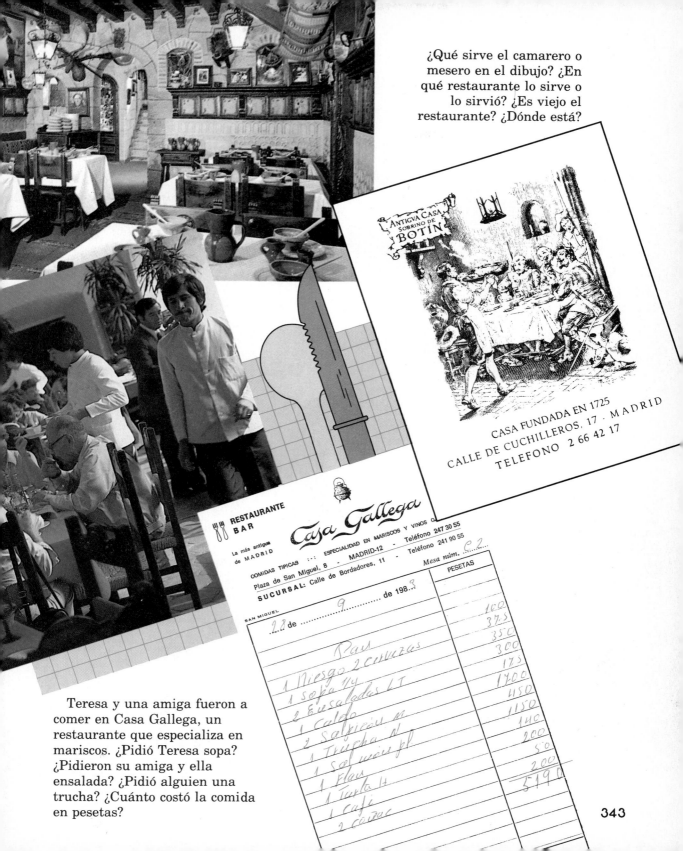

ANTIGVA CASA
SOBRINO DE
BOTÍN

CASA FUNDADA EN 1725
CALLE DE CUCHILLEROS, 17 · MADRID
TELEFONO 2 66 42 17

RESTAURANTE
BAR

Casa Gallega

La más antigua de MADRID

COMIDAS TIPICAS ::: ESPECIALIDAD EN MARISCOS Y VINOS G — Teléfono 247 30 55

Plaza de San Miguel, 8 - MADRID-12 - Teléfono 241 90 55

SUCURSAL: Calle de Bordadores, 11

Mesa núm. C 2

	PESETAS
SAN MIGUEL	
28 de .... 9 .... de 198.?	
	100
	37.5
	350
Pau	300
1 Riesgo 2 cervezas 4/4	175
1 sopa 4/4	1700
2 Ensaladas LT	450
1 Caldo	1150
2 salpicón M	140
1 Trucha N	200
1 Salmón pl	50
1 Flan	200
1 Tarta H	5190
1 café	
2 coñac	

Teresa y una amiga fueron a comer en Casa Gallega, un restaurante que especializa en mariscos. ¿Pidió Teresa sopa? ¿Pidieron su amiga y ella ensalada? ¿Pidió alguien una trucha? ¿Cuánto costó la comida en pesetas?

343

23 LA LENGUA ESPAÑOLA

vocabulario

¿Qué palabras usarán?

María Guzmán es mexicana.

Carlos Flores es español.

Rita Delgado es puertorriqueña.

María tomará **el camión.**
Carlos tomará **el autobús.**
Rita tomará **la guagua.**

María irá de compras en **la tienda de abarrotes.**
Carlos irá de compras en **la tienda de ultramarinos.**
Rita irá de compras en **una bodega.**

María comerá **cacahuates**.
Carlos comerá **cacahuetes**.
Rita comerá **maní**.

México: **la frazada**
España: **la manta**
Puerto Rico: **la frisa**

México: **la recámara**
España: **el dormitorio**
Puerto Rico: **el cuarto (de dormir)**

México: **el ejote**
España: **la judía verde**
Puerto Rico: **la habichuela tierna**

México: **el jugo de naranja**
España: **el zumo de naranja**
Puerto Rico: **el jugo de china**

Ejercicio 1   ¿Quién nos habla? ¿María, Carlos o Rita?

1. a. Yo iré en autobús.
   b. Yo iré en guagua.
   c. Yo iré en camión.

2. a. Yo compraré una lata de ejotes en la tienda de abarrotes.
   b. Yo compraré una lata de habichuelas tiernas en la bodega.
   c. Yo compraré una lata de judías verdes en la tienda de ultramarinos.

3. a. Estoy muy cansada. Voy a mi cuarto.
   b. Estoy muy cansada. Voy a mi recámara.
   c. Estoy muy cansada. Voy a mi dormitorio.

4. a. ¿Quieres un vaso de jugo de naranja?
   b. ¿Quieres un vaso de zumo de naranja?
   c. ¿Quieres un vaso de jugo de china?

Ejercicio 2   ¿Cómo se dice en español?
   ¿Dónde se dice?

1. En Puerto Rico la llaman una _____.
   En España la llaman una _____.
   En México la llaman una _____.

2. En España son _____.
   En México son _____.
   En Puerto Rico son _____.

345

Ejercicio 3 Imagina. Este verano estarás en México. ¿Qué pedirás?

1.

2.

3.

4.

Ejercicio 4 Carlos, un muchacho español, está de vacaciones en Puerto Rico. Él habla con Rita. A veces ella no comprende lo que él dice.

Completen.

1. **Carlos** ¿Dónde puedo tomar el autobús?
   Rita Ay, Carlos. Es verdad. En España Uds. dicen «autobús». Yo sé lo que es. Pero aquí en Puerto Rico nosotros decimos _____.

2. **Carlos** Quiero beber algo. ¿Por qué no tomamos un vaso de zumo de naranja?
   Rita ¿Qué quieres, Carlos?
   Carlos Un zumo de naranja.
   Rita «Zumo». Aquí no lo decimos así. Tú quieres un _____ _____.

3. **Carlos** Sabes, Rita, el otro día estuve en un café y yo le pedí al camarero unos cacahuetes. Él no me comprendió. ¿Cómo los llaman Uds.?
   Rita Nosotros decimos _____.

Expresiones útiles

We have already learned many time expressions for the present and the past. Sometimes we want to tell someone something about the future. Below is a list of some time expressions for present, past, and future events.

el presente	el pasado	el futuro
hoy	ayer	mañana
esta noche	anoche	mañana por la noche
esta mañana	ayer por la mañana	mañana por la mañana
este año	el año pasado	el año que viene
esta semana	la semana pasada	la semana que viene

Ejercicio 5 ¿Cuándo lo hace?

Completen.

1. Juan no vio la película ayer. Él la va a ver _____. Él la verá en el cine Colón.
2. Mi amigo me llamó anoche pero no estuve. Y no voy a estar esta noche tampoco. Yo lo llamaré _____.
3. Esta mañana llegué tarde a la escuela. _____ no llegaré tarde. Llegaré a tiempo.
4. El verano pasado no hice nada. _____ yo voy a hacer un viaje a España.

Estructura

El futuro de los verbos regulares

The future tense is used to tell what will take place in the future. To form the future tense of regular verbs, the future verb endings are added to the entire infinitive form of the verb. Study the following forms.

Infinitive	hablar	comer	vivir	Endings
yo	hablaré	comeré	viviré	-é
tú	hablarás	comerás	vivirás	-ás
él, ella, Ud.	hablará	comerá	vivirá	-á
nosotros, -as	hablaremos	comeremos	viviremos	-emos
(vosotros, -as)	(hablaréis)	(comeréis)	(viviréis)	(-éis)
ellos, ellas, Uds.	hablarán	comerán	vivirán	-án

You have already learned the construction **ir a** + *the infinitive* to express the future. In everyday conversation, this construction is used more frequently than the actual future tense.

Yo voy a viajar a España con mi hermano.
Viajaré a España con mi hermano.

Él va a comer mucha comida española.
Comerá mucha comida española.

Nosotros vamos a vivir con una familia.
Viviremos con una familia.

Ejercicio 1 ¿Adónde irá Paco?
Practiquen la conversación.

— Paco, ¿estarás aquí durante el verano?
— No, estaré en la playa con la familia.
— ¡Qué suerte tienes! ¿A qué playa irán Uds.?
— Iremos a Marbella donde tenemos una casita.

Ejercicio 2 ¿Dónde estará Paco?
Contesten.

1. ¿Estará Paco en casa durante el verano?
2. ¿Dónde estará?
3. ¿A qué playa irán Paco y su familia?
4. ¿Por qué irán ellos a Marbella?

Ejercicio 3 ¿Cómo lo pasará Paco?
Completen.

1. Paco . . .

2.

3.

4.

5.

6.

7.

8.

Ejercicio 4 Pronto terminarán las clases.
Contesten personalmente.

1. ¿Cuándo terminarán las clases?
2. Durante el verano, ¿estarás en casa o irás a la playa?
3. ¿Nadarás o esquiarás en las montañas?
4. ¿Leerás algunos libros?
5. ¿Siempre comerás en casa o comerás a veces en un restaurante?
6. Si comes en un restaurante, ¿qué pedirás?
7. De vez en cuando, ¿irás al cine con tus amigos?
8. ¿Verán Uds. películas americanas o españolas?
9. Después del cine, ¿irán Uds. a un café?
10. ¿Tomarán Uds. un refresco en el café?

Ejercicio 5 Vamos a hablar con un(a) amigo(a).
Completen las conversaciones.

1. **Yo**   ¿————————————————————————?

   Mi amigo(a) No, no pasaré el verano en casa. Iré de camping.

2. **Yo**   ¿————————————————————————?

   Mi amigo(a) No, no esquiaré en el agua pero nadaré mucho.

3. **Yo**   ¿————————————————————————?

   Mi amigo(a) No, no me gusta comer en el restaurante. Comeré en casa.

4. **Yo**   ¿————————————————————————?

   Mi amigo(a) Sí, prepararé las comidas en un hornillo que compré.

5. **Yo**   ¿————————————————————————?

   Mi amigo(a) Dormiré en un saco de dormir en nuestra tienda de campaña.

Ejercicio 6 Escojan.

1. Nuestras clases _____ el quince de junio.
   a. terminarás
   b. terminarán
   c. terminará

2. Mis amigos y yo _____ algunos días en una playa cerca de Valencia.
   a. pasaré
   b. pasará
   c. pasaremos

3. Yo sé que mi amiga Elena _____ un barquito.
   a. alquilará
   b. alquilarán
   c. alquilaré

4. Yo _____ y ella esquiará en el agua.
   a. nadará
   b. nadaremos
   c. nadaré

5. Un día, nosotros _____ a mi restaurante favorito.
   a. iremos
   b. irán
   c. irás

6. Como siempre, yo _____ una paella.
   a. pedirá
   b. pediré
   c. pedirás

Dos complementos con *se*

We have already learned that when a sentence has both a direct and an indirect object pronoun, the indirect object always precedes the direct object pronoun. Review the following.

> **El mesero me lo dio.**
> **Él nos la sirvió.**
> **¿Quién te lo dijo?**

One must pay particular attention to the indirect object pronouns **le** and **les. Le** and **les** cannot be used with the direct object pronouns **lo, la, los, las.** Since both pronouns begin with an **l**, it sounds very awkward in Spanish to use both of them together. For this reason **le** and **les** change to **se** when they are used with **lo, la, los, las.** Study the following examples.

El mesero les dio el menú.	**El mesero se lo dio.**
El señor Vargas le dejó la propina.	**El señor Vargas se la dejó.**

Just as the pronouns **le** and **les** are often accompanied by a prepositional phrase, so is the pronoun **se**. **Se** can mean **a él, a ella, a Ud., a ellos, a ellas, a Uds.** These phrases are often used to clarify the meaning of **se**.

Study the following.

La señora **le** dio el regalo a él.	La señora **se** lo dio a él.
La señora **le** dio el boleto a ella.	La señora **se** lo dio a ella.
La señora **le** dio los libros a Ud.	La señora **se** los dio a Ud.
La señora **les** dio la novela a ellos.	La señora **se** la dio a ellos.
La señora **les** dio los esquís a ellas.	La señora **se** los dio a ellas.
La señora **les** dio las revistas a Uds.	La señora **se** las dio a Uds.

Ejercicio 7 ¿Quién se lo dio? Su tía se lo dio.
Sigan el modelo.

1. ¿Quién le dio el disco a Teresa?
2. ¿Quién le dio la maleta a Juan?
3. ¿Quién le dio los esquís a Teresa?
4. ¿Quién le dio las botas a Juan?
5. ¿Quién les dio los boletos a Juan y a Teresa?
6. ¿Quién les dio las entradas a Juan y a Teresa?

Ejercicio 8 ¿Quién le vendió la ropa? El empleado se la vendió.
Sigan el modelo.

1. ¿Quién le vendió la camisa?
2. ¿Quién le vendió el suéter?
3. ¿Quién le vendió los zapatos?
4. ¿Quién le vendió las corbatas?

Ejercicio 9 ¿Quién les compró los regalos? Carlos se los compró.
Sigan el modelo.

1. ¿Quién les compró los discos?
2. ¿Quién les compró el carro?
3. ¿Quién les compró las botas?
4. ¿Quién les compró la plancha de vela?

Ejercicio 10 Escriban las siguientes oraciones con los pronombres apropiados.

1. Le escribí las cartas a ella.
2. Les di el regalo a ellos.
3. Él le trajo la cuenta a Ud.
4. Ella les explicó la lección a Uds.
5. Ella le vendió el carro a él.
6. Nosotros les dimos las entradas a ellas.

conversación

Ejercicio   Completen con el futuro.

Este verano Carlos no _____ a su amigo. Él no está enfadado con su amigo. Es que él no _____ en casa durante el verano. Él _____ en México. _____ el mes de julio con una familia y _____ por todo México durante el mes de agosto. ¿Qué crees? ¿_____ Carlos a su amigo? ¿_____ su amigo sus maletas?

El español cambia de un país a otro.

Pronto empezarán las vacaciones de verano. Vamos a imaginar algo un momentito. Hay varios alumnos en la clase de español que viajarán a algunos países de habla española. Bob irá a la Argentina. Debbie irá a México. Don pasará el verano en Puerto Rico y Sonia lo pasará en España. ¿Comprenderán ellos el español de los argentinos, de los mexicanos, de los puertorriqueños y de los españoles? Claro que lo comprenderán. Ya sabemos que el español es el idioma de muchos países del mundo. Lo maravilloso es que hay muy pocas diferencias entre el español que se habla en la Argentina, el Perú, México, Puerto Rico o España. Hay algunas cosas que cambiarán un poco. ¿Cuáles son? Pues, la pronunciación, por ejemplo. La pronunciación cambiará un poco de un país a otro. Vamos a escuchar algunas oraciones. Nos hablarán un argentino, un mexicano, un puertorriqueño y un español. Uds. oirán una diferencia en su pronunciación. Vamos a ver si Uds. comprenderán lo que dicen.

«José González llegó a la ventanilla a las once y cinco».

Si Uds. creen que es solamente la gente de habla española que cambia su pronunciación, no es verdad. Ahora vamos a escuchar algunas oraciones de gente de habla inglesa. Vamos a ver si notarán Uds. algunas diferencias.

Don parked his car in the lot at dawn and then locked the door.

Otra cosa que cambiará son algunas palabras. Aquí tenemos algunos ejemplos.

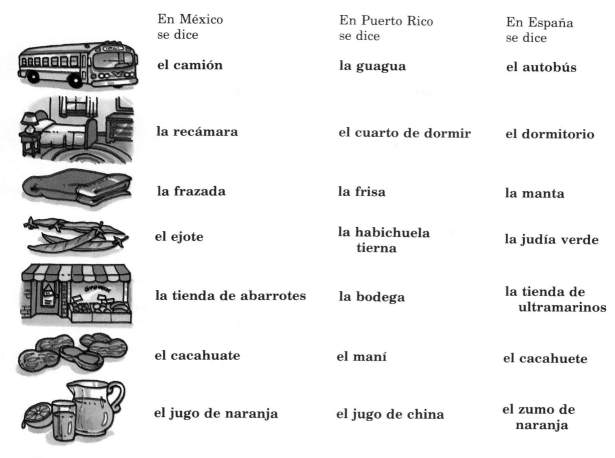

	En México se dice	En Puerto Rico se dice	En España se dice
	el camión	**la guagua**	**el autobús**
	la recámara	**el cuarto de dormir**	**el dormitorio**
	la frazada	**la frisa**	**la manta**
	el ejote	**la habichuela tierna**	**la judía verde**
	la tienda de abarrotes	**la bodega**	**la tienda de ultramarinos**
	el cacahuate	**el maní**	**el cacahuete**
	el jugo de naranja	**el jugo de china**	**el zumo de naranja**

Este fenómeno existe también en inglés. ¿Quieres ver algunos ejemplos?

bag, sack   *soda, pop, tonic*
elevator, lift   *eggplant, aubergine*
truck, lorry   *sidewalk, pavement*
apartment, flat   *parking lot, carpark*

Ejercicio Contesten. *(Refer to the* **Lectura cultural.***)*

1. ¿Qué empezarán pronto?
2. ¿Viajarán algunos alumnos de la clase de español?
3. ¿Adónde irá Bob?
4. ¿Y Debbie? ¿Adónde irá?
5. ¿Dónde pasarán Don y Sonia el verano?
6. ¿Hay muchas diferencias en el español que se habla en los varios países de habla española?
7. ¿Cambiará un poco la pronunciación?
8. ¿Cambiarán algunas palabras?
9. ¿Hay diferencias también en el inglés que se habla en las varias regiones de habla inglesa?

Actividades

1 You have now acquired a substantial amount of vocabulary in Spanish. You will note that a few of the words that you have already learned do vary a bit between Spain and Latin America. However, there are very few in comparison to the many words you now know. Complete this list with the words you have already learned.

España	Latinoamérica
1. el coche	_____
2. el billete	_____
3. el piso	_____
4. el camarero	_____
5. el cochinillo asado	_____
6. la fila	_____
7. el bloc	_____
8. _____	el saco
9. la patata	_____

354

2

Complete these short conversations. Select the proper words for the country indicated.

En Puerto Rico

— Quiero comprar una lata de _____.
  a. cacahuetes
  b. cacahuates
  c. maní
— ¿Por qué no vas a la _____ allí en la esquina?
  a. tienda de ultramarinos
  b. bodega
  c. tienda de abarrotes

En México

— Tengo sed. Quiero beber algo.
— ¿Por qué no tomas un vaso de _____. Es muy bueno para la salud. Tiene mucha vitamina C.
  a. jugo de china
  b. jugo de naranja
  c. zumo de naranja

En España

— ¡Ay! ¡Qué frío! No puedo dormir.
— Pues, ¿por qué no pones otra _____ en la cama?
  a. frazada
  b. frisa
  c. manta

En Puerto Rico

— No quiero ir a pie.
— Pues, puedes tomar _____.
  a. el autobús
  b. la guagua
  c. el camión

Revista

100% ZUMOS NATURALES

100% ZUMO VEGETALES

Glup Glup Glup

Zumo Alta Calidad

Garantía de productos naturales

La gama de 100 % Zumos Naturales está compuesta por Zumo de Naranja, Zumo de Manzana y Zumo de Vegetales.

Por sus propiedades naturales y nutritivas, los 100 % Zumos Naturales son imprescindibles en toda alimentación sana y equilibrada. Son muy adecuados para tomarlos durante todo el año, en cualquier momento del día.

¿De qué país es la publicidad?

Aquí vemos una calle de Madrid. ¿Qué hay en la calle?

¿Qué espera la gente en una plaza del viejo San Juan en Puerto Rico?

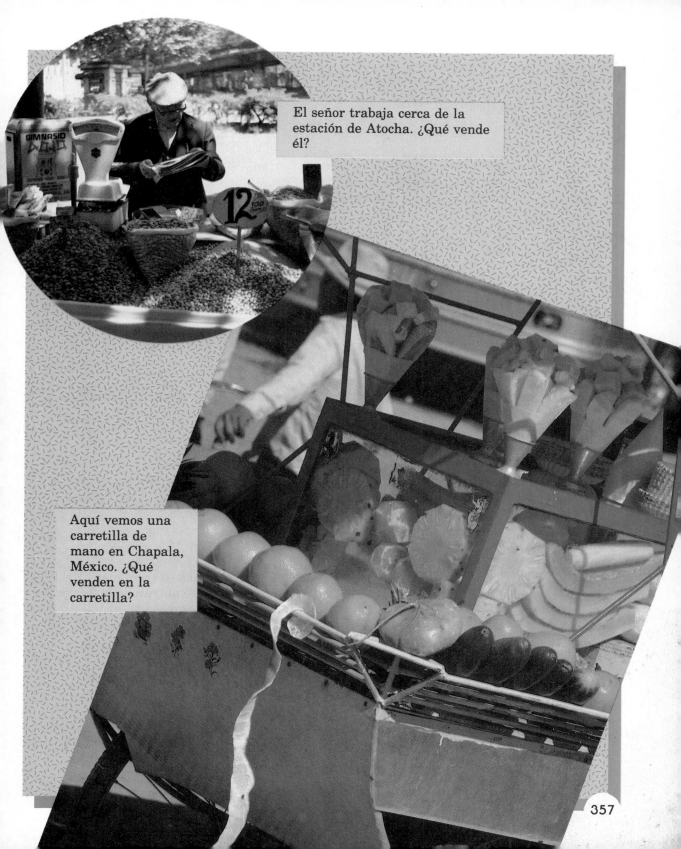

El señor trabaja cerca de la estación de Atocha. ¿Qué vende él?

Aquí vemos una carretilla de mano en Chapala, México. ¿Qué venden en la carretilla?

24 La vida escolar

el aula   la estudiante   el uniforme   el estudiante   la tarea

Ejercicio 1   Miren las fotos y contesten.

1. ¿Están en la escuela los estudiantes?
2. ¿Llevan uniforme a la escuela?
3. ¿Están en un aula los estudiantes?

4. ¿Están Uds. en un aula?
5. ¿Llevan Uds. uniforme a la escuela?

Mañana las clases **terminarán.**
Los estudiantes **saldrán** de la escuela.
No **harán** más tareas.
Los estudiantes **tendrán** dos meses de
vacaciones.

Ejercicio 2   Las vacaciones empiezan.

Completen.   *(Refer to the sentences above.)*

Mañana los estudiantes _____ de la escuela y no volverán hasta septiembre.
Ellos _____ dos meses de vacaciones. Durante las vacaciones ellos no _____ más
tareas.

Estructura

El futuro de los verbos irregulares—*tener, salir, venir, poner, poder, saber*

Study the following irregular verbs in the future tense. Note that the endings are the same as the endings for the regular verbs.

Infinitive	tener	salir	venir	poner
Stem	tendr-	saldr-	vendr-	pondr-
yo	tendré	saldré	vendré	pondré
tú	tendrás	saldrás	vendrás	pondrás
él, ella, Ud.	tendrá	saldrá	vendrá	pondrá
nosotros, -as	tendremos	saldremos	vendremos	pondremos
(vosotros, -as)	(tendréis)	(saldréis)	(vendréis)	(pondréis)
ellos, ellas, Uds.	tendrán	saldrán	vendrán	pondrán

Infinitive	saber	poder
Stem	sabr-	podr-
yo	sabré	podré
tú	sabrás	podrás
él, ella, Ud.	sabrá	podrá
nosotros, -as	sabremos	podremos
(vosotros, -as)	(sabréis)	(podréis)
ellos, ellas, Uds.	sabrán	podrán

The future of **hay** is **habrá**.

In addition to expressing future time, the future tense is used in Spanish to express probability.

> **Él tendrá dieciséis años.**   *He's probably 16 years old.*
> **Elena lo sabrá.**   *Elena will probably know it.*

Ejercicio 1   Las vacaciones

Contesten. *(Refer to the sentences on page 358.)*

1. ¿Tendrán dos meses de vacaciones los estudiantes?
2. ¿Saldrán ellos de la escuela mañana?
3. ¿Tendrán clases de verano?
4. ¿Podrán ir a la playa?

Ejercicio 2   ¿Quién lo sabrá?
Sigan el modelo.

Probablemente Anita lo sabe.
¡Ay, sí! Es verdad. Anita lo sabrá.

1. Probablemente Anita sabe dónde están.
2. Probablemente Anita tiene los boletos.
3. Probablemente Anita lo puede reparar.
4. Probablemente Anita viene con ellos.

Ejercicio 3   Completen las conversaciones.

1. — Carlos, ¿cuántos meses de vacaciones _____ (tener)?
   — Yo _____ (tener) dos meses de vacaciones.
2. — ¿Pasarás todo el verano en casa o _____ (salir) para la playa en Marbella?
   — En julio yo _____ (salir) para la playa.
3. — ¿Estarás en Marbella todo el mes o _____ (venir) a casa de vez en cuando?
   — No, no _____ (venir) a casa. Pasaré todo el mes en Marbella.
4. — ¿_____ (Pasar) mucho tiempo en la playa?
   — Sí, yo _____ (pasar) todos los días en la playa y me _____ (poner) muy bronceado.

El futuro de los verbos *decir, hacer, querer*

Study the following future forms of the irregular verbs **decir, hacer,** and **querer.**

Infinitive	decir	hacer	querer
Stem	dir-	har-	querr-
yo	diré	haré	querré
tú	dirás	harás	querrás
él, ella, Ud.	dirá	hará	querrá
nosotros, -as	diremos	haremos	querremos
(vosotros, -as)	(diréis)	(haréis)	(querréis)
ellos, ellas, Uds.	dirán	harán	querrán

The verb **querer** is rarely used in the future.

Ejercicio 4   Haré un viaje.
Completen con el futuro de *hacer*.

Este verano yo _____ un viaje. Mi hermano _____ un viaje también. Pero nosotros no _____ el viaje juntos. Mi hermano y sus amigos _____ un viaje a México. Ellos _____ el viaje en tren y en autobús. Yo _____ un viaje a España. Como no hay tren de aquí a España, yo _____ el viaje en avión.

Ejercicio 5 Te diré un secreto.
Completen con el futuro de *decir.*

— Yo te _____ algo si prometes no repetir nada a nadie.

— Sí, sí. Te lo prometo. Yo no _____ nada a nadie. ¿Qué me _____? ¿Me _____ un secreto?

— Sí, es un secreto. Alberto _____ que no es verdad pero yo sé que es verdad.

— Pues, ¿cuándo me lo _____ (tú)?

— ¡Ay! Ahora no puedo. Aquí viene Alberto. Te lo _____ más tarde.

Ejercicio 6 ¿Cuál será el secreto?

conversación

¿Qué harás?

Josefa	¿Me dirás lo que harás durante las vacaciones?
Rafael	No te podré decir nada hasta la semana que viene.
Josefa	¿Por qué tendré que esperar una semana más?
Rafael	Porque yo no sabré si podré hacer lo que quiero hacer hasta entonces.
Josefa	Pues, yo te diré lo que voy a hacer yo. Voy a hacer un viaje a España.
Rafael	¿Vas a España? No lo creo. Es lo que quiero hacer yo.

Ejercicio Completen según la conversación.

Josefa no comprende por qué Rafael no le _____ lo que _____ durante sus vacaciones. Rafael le dice a Josefa que ella _____ que esperar una semana más porque él no _____ nada hasta la semana que viene. Él no le _____ nada porque hasta entonces él no _____ si _____ hacer lo que quiere hacer.

Rafael no lo puede creer. Josefa le dice que ella _____ un viaje a España. Es increíble. Es lo que quiere hacer él también. ¿_____ ellos el viaje juntos? ¿_____ ellos en el mismo avión?

Lectura cultural

¿Irán a la escuela en el verano?

Mañana, sábado, es el seis de julio. Yolanda se levantará temprano por la mañana, se pondrá el uniforme y saldrá para la escuela. Pero, ¿por qué irá a la escuela un sábado en el verano? Pues, Yolanda vive en el Perú. Como en la mayoría de los países latinoamericanos, hay clases los sábados y hay clases también durante lo que nosotros llamamos el verano. Yolanda tendrá sus vacaciones pero no las tendrá hasta diciembre. Como nosotros tenemos nuestras vacaciones durante los meses de julio y agosto, nuestros amigos latinoamericanos tienen sus vacaciones durante la época de Navidad*—en diciembre y enero.

Ésta no es la única diferencia entre nuestro sistema escolar* y el sistema en los países latinoamericanos. Yolanda y su hermano, Alejandro, saldrán de casa juntos. Pero ella irá a una escuela y él irá a otra. Como muchos alumnos latinoamericanos, ellos van a una escuela privada. Las escuelas privadas no suelen tener muchachos y muchachas juntos en la escuela. Probablemente Yolanda pasará la mayor parte del día en la misma aula. Los profesores de las distintas asignaturas vendrán a su aula para dar su lección. Yolanda tendrá que saber muy bien sus lecciones. Sin duda* ella sabrá de memoria las respuestas* a algunas preguntas que le harán sus profesores. En Latinoamérica los profesores creen que los estudiantes deben aprender muchos hechos.* No aceptarán opiniones sin hechos.

Como mañana es sábado, ¿habrá un juego de fútbol por la tarde? ¿Habrá una reunión de un club? ¿Habrá un baile por la noche? ¡No! Hay muy pocas actividades sociales en las escuelas. Los alumnos van a la escuela para aprender. Para los jóvenes hispanos la vida social es entre la familia y los amigos.

---

* **Navidad** *Christmas*   * **sistema escolar** *school system*   * **Sin duda** *Without a doubt*
* **respuestas** *answers*   * **hechos** *facts*

Ejercicio ¿Quién nos habla? ¿Un alumno latinoamericano o un alumno norteamericano?

1. Yo siempre llevo uniforme a la escuela.
2. Yo nunca llevo uniforme a la escuela.
3. Hay muchas cosas que yo aprendo de memoria.
4. Para muchas asignaturas, el (la) profesor(a) viene a mi aula para dar su lección.
5. Durante todo el día yo voy de un aula a otra.
6. Esta noche yo voy a un baile en mi escuela.
7. Yo tengo clases los sábados.
8. Mi escuela tiene muchos clubes.
9. Tenemos nuestras vacaciones en julio y agosto.
10. Hay solamente muchachas en mi escuela.

Actividades

1 Entrevista

Mi escuela

- ¿Asistes a una escuela pública o privada?
- ¿Cómo se llama la escuela?
- ¿Hay muchachos y muchachas en la escuela?
- ¿Tienen Uds. que trabajar duro en la escuela?
- ¿Hay también actividades sociales en su escuela?
- ¿Hay clubes?
- ¿De qué club eres miembro(a)?
- ¿Hay equipos deportivos?
- ¿Juegas con un equipo?
- ¿Con qué equipo juegas?
- ¿Tendrán Uds. vacaciones de verano?
- ¿Cuándo empezarán las vacaciones?

2 ¿Qué haré durante mis vacaciones? Tell what you will do during your summer vacation. Some expressions you may want to use are:

- **estar en casa**
- **jugar a . . .**
- **asistir a las clases de verano**
- **trabajar en . . .**
- **ir a la playa**
- **hacer un viaje**
- **visitar a . . .**

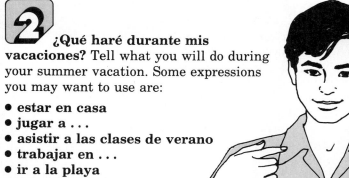

Revista

La señora Ribera de Muñoz da una clase de español en una escuela secundaria de San José, Costa Rica. ¿Escribió mucho en la pizarra la señora Ribera de Muñoz?

La señora Salas da una clase de inglés en un instituto en Madrid. ¿Llevan uniforme a la escuela los alumnos de esta escuela?

Estos alumnos asisten a una escuela en México. ¿Tienen ellos que llevar uniforme a la escuela?

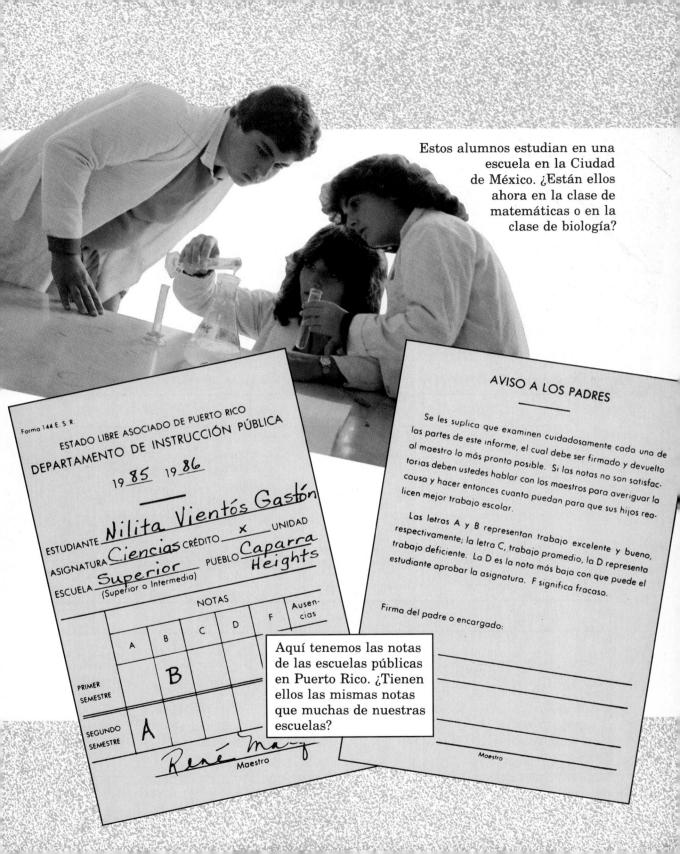

Estos alumnos estudian en una escuela en la Ciudad de México. ¿Están ellos ahora en la clase de matemáticas o en la clase de biología?

AVISO A LOS PADRES

Se les suplica que examinen cuidadosamente cada una de las partes de este informe, el cual debe ser firmado y devuelto al maestro lo más pronto posible. Si las notas no son satisfactorias deben ustedes hablar con los maestros para averiguar la causa y hacer entonces cuanto puedan para que sus hijos realicen mejor trabajo escolar.

Las letras A y B representan trabajo excelente y bueno, respectivamente; la letra C, trabajo promedio, la D representa trabajo deficiente. La D es la nota más baja con que puede el estudiante aprobar la asignatura. F significa fracaso.

Firma del padre o encargado:

_____

_____

_____

_____

Maestro

Forma 144 E. S. R.

ESTADO LIBRE ASOCIADO DE PUERTO RICO
DEPARTAMENTO DE INSTRUCCIÓN PÚBLICA

19 85   19 86
—

ESTUDIANTE Nilita Vientós Gastón
ASIGNATURA Ciencias CRÉDITO x UNIDAD
ESCUELA Superior PUEBLO Caparra Heights
(Superior o Intermedia)

NOTAS

	A	B	C	D	F	Ausencias
PRIMER SEMESTRE		B				
SEGUNDO SEMESTRE	A					

René Ma_____ Maestro

Aquí tenemos las notas de las escuelas públicas en Puerto Rico. ¿Tienen ellos las mismas notas que muchas de nuestras escuelas?

Repaso

¿Qué harás?

Lisa   ¿Qué harás este verano?

Max   Pues, voy a hacer un viaje a Puerto Rico.

Lisa   ¿Irás a Puerto Rico? ¡Qué suerte tienes! ¿Qué harás en Puerto Rico?

Max   Pasaré algunos días en la playa y visitaré a algunos amigos que tengo allí.

Lisa   Te gusta mucho Puerto Rico, ¿no?

Max   Sí, sí. Me gusta mucho. ¡Y la comida puertorriqueña! ¡Cuánto me gusta!

Ejercicio 1 Contesten.

1. ¿Adónde hará un viaje Max?
2. ¿Dónde pasará algunos días?
3. ¿A quiénes visitará?
4. A Max, ¿le gusta Puerto Rico?
5. ¿Le gusta la comida puertorriqueña?

El repaso del futuro

The entire infinitive serves as the root for the future tense of *regular* verbs.

Infinitive	hablar	comer	vivir
yo	hablaré	comeré	viviré
tú	hablarás	comerás	vivirás
él, ella, Ud.	hablará	comerá	vivirá
nosotros, -as	hablaremos	comeremos	viviremos
(vosotros, -as)	(hablaréis)	(comeréis)	(viviréis)
ellos, ellas, Uds.	hablarán	comerán	vivirán

Review the following *irregular* verbs in the future.

Infinitive	tener	poner	venir	salir
yo	tendré	pondré	vendré	saldré
tú	tendrás	pondrás	vendrás	saldrás
él, ella, Ud.	tendrá	pondrá	vendrá	saldrá
nosotros, -as	tendremos	pondremos	vendremos	saldremos
(vosotros, -as)	(tendréis)	(pondréis)	(vendréis)	(saldréis)
ellos, ellas, Uds.	tendrán	pondrán	vendrán	saldrán

Infinitive	saber	poder
yo	sabré	podré
tú	sabrás	podrás
él, ella, Ud.	sabrá	podrá
nosotros, -as	sabremos	podremos
(vosotros, -as)	(sabréis)	(podréis)
ellos, ellas, Uds.	sabrán	podrán

Infinitive	decir	hacer	querer
yo	diré	haré	querré
tú	dirás	harás	querrás
él, ella, Ud.	dirá	hará	querrá
nosotros, -as	diremos	haremos	querremos
(vosotros, -as)	(diréis)	(haréis)	(querréis)
ellos, ellas, Uds.	dirán	harán	querrán

Ejercicio 2   Estaremos en México.
Completen con el futuro.

Carlos y yo _____ (pasar) el mes de agosto en México. Nosotros _____ (hacer) el viaje de Chicago a México en avión. Nosotros _____ (alquilar) un carro por dos semanas y _____ (viajar) por el país.

Yo _____ (estar) algunos días en Puerto Vallarta. Me gusta mucho Puerto Vallarta. Soy muy aficionado ai sol y Puerto Vallarta tiene una playa fabulosa. En Puerto Vallarta yo _____ (vivir) con la familia Duarte. Así yo _____ (poder) practicar el español y ellos _____ (poder) practicar el inglés conmigo.

Carlos no _____ (ir) a Puerto Vallarta. Él es muy aficionado al arte y _____ (pasar) una semana en San Miguel de Allende. En San Miguel él _____ (asistir) a un curso de arte. San Miguel es un paraíso para los artistas.

Nosotros _____ (estar) la última semana en la Ciudad de México. En la capital yo sé que Carlos _____ (querer) visitar los museos. De noche, nosotros _____ (comer) en los muchos restaurantes que hay en la Zona Rosa de la capital. Me gusta mucho la comida mexicana y a Carlos le gusta mucho también.

El verbo *gustar*

Remember that the verb **gustar** literally means *to be pleasing to*. For this reason the subject of the English sentence becomes an indirect object in Spanish.

Me gusta el pescado.	**Me gustan los mariscos.**
Te gusta la ensalada.	**Te gustan las legumbres.**
Le gusta la paella.	**Le gustan los tacos.**
Nos gusta el arroz.	**Nos gustan las papas.**
Les gusta la langosta.	**Les gustan los camarones.**

Remember that **le** and **les** are often accompanied by a prepositional phrase to clarify their meanings.

le—a él, a ella, a Ud.   les—a ellos, a ellas, a Uds.

Ejercicio 3   *Tell who likes what.*

Me gusta mucho el pescado y a Elena . . .
Me gusta mucho el pescado y a Elena le
  gusta mucho también.

1. Me gusta mucho la paella y a Juan . . .
2. Me gustan mucho las salsas picantes y a los mexicanos . . .
3. Me gustan mucho los mariscos y a Teresa . . .
4. Me gusta mucho el arroz con frijoles negros y a mis padres . . .

Ejercicio 4   **Siempre pedimos lo que nos gusta.**
Completen.

1. Siempre pido tacos porque . . .
2. Juan siempre pide langosta porque . . .
3. Mis hermanos siempre piden papas porque . . .
4. Teresa y yo siempre pedimos un biftec porque . . .
5. Tú siempre pides ensalada porque . . .

Los verbos de cambio radical—e → i, o → u

Study the following present tense forms of these stem-changing verbs.

Infinitive	pedir	servir	repetir	freír
yo	pido	sirvo	repito	frío
tú	pides	sirves	repites	fríes
él, ella, Ud.	pide	sirve	repite	fríe
nosotros, -as	pedimos	servimos	repetimos	freímos
(vosotros, -as)	(pedís)	(servís)	(repetís)	(freís)
ellos, ellas, Uds.	piden	sirven	repiten	fríen

Review the preterite forms of the same verbs.

Infinitive	pedir	servir	repetir	freír
yo	pedí	serví	repetí	freí
tú	pediste	serviste	repetiste	freíste
él, ella, Ud.	pidió	sirvió	repitió	frió
nosotros, -as	pedimos	servimos	repetimos	freímos
(vosotros, -as)	(pedisteis)	(servisteis)	(repetisteis)	(freísteis)
ellos, ellas, Uds.	pidieron	sirvieron	repitieron	frieron

The preterite forms of the following stem-changing verbs are:

Infinitive	preferir	dormir
yo	preferí	dormí
tú	preferiste	dormiste
él, ella, Ud.	prefirió	durmió
nosotros, -as	preferimos	dormimos
(vosotros, -as)	(preferisteis)	(dormisteis)
ellos, ellas, Uds.	prefirieron	durmieron

Ejercicio 5 Completen la conversación.

El Restaurante Cóndor

— ¿Qué _____ (pedir) (tú) en el restaurante?
— Yo _____ (pedir) un pescado y el cocinero lo _____ (freír) a la perfección.
— ¿Qué tal fue el servicio?
— El mesero nos _____ (servir) muy bien. Pero como sabes, (ellos) siempre _____ (servir) muy bien en el Cóndor.
— Cuando vas al Cóndor, ¿siempre _____ (pedir) (tú) la misma cosa?
— No, Elena y yo nunca _____ (repetir) un plato. Siempre _____ (pedir) algo distinto porque tienen un menú muy variado.

Los pronombres de complemento directo e indirecto

Remember that when both a direct and indirect object pronoun appear in the same sentence, the indirect object pronoun always precedes the direct object pronoun. Both pronouns precede the conjugated form of the verb.

Remember that the pronouns **le** and **les** change to **se** when they are used with **lo, la, los,** or **las. Se** is often clarified with a prepositional phrase—**a él, a ella, a Ud., a ellos, a ellas, a Uds.**

Él me lo vendió.
Él te la enseñó.
Él se lo compró.
Él nos la vendió.
Él se las compró.

Ejercicio 6 Preparen una conversación.

un disco

— *¿Quién te lo compró?*
— *¿Quién me lo compró? Yo me lo compré.*
— *Pero se lo di a mi hermano.*

1. un balón
2. anteojos de sol
3. una plancha de vela
4. entradas
5. esquís

Lectura cultural
opcional

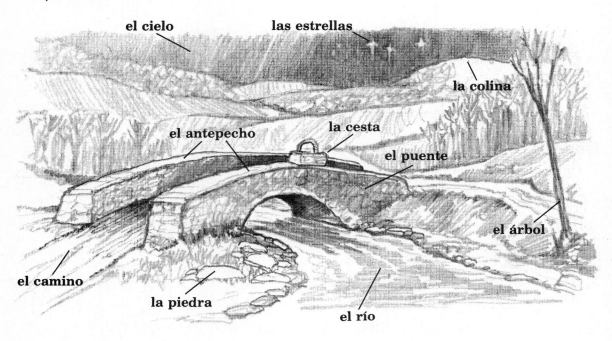

el cielo

las estrellas

la colina

el antepecho

la cesta

el puente

el árbol

el camino

la piedra

el río

Ejercicio 1   ¿Verdadero o falso?

1. El puente cruza el río.
2. El puente cruza el camino.
3. El camino anda por muchas colinas.
4. Hay piedras en el río.

5. Hay piedras en la cesta.
6. La cesta está en el antepecho del puente.
7. Las estrellas brillan en el cielo de noche.

a lo lejos	en la distancia
la voz	lo que se usa para hablar
menor	más joven
un rato	poco tiempo, no mucho tiempo
tener éxito	salir bien
despacio	el contrario de **rápido**
llorar	lo que hace una persona cuando está muy triste

Ejercicio 2   Completen las conversaciones con palabras apropiadas.

1. — ¿Vas a estar mucho tiempo?
   — No, voy a estar sólo un _____.
2. — Ella canta muy bien, ¿verdad?
   — Sí, tiene una _____ muy bonita.

3. — Él siempre gana. Nunca pierde.
   — Es verdad. Él siempre tiene
   mucho _____.

4. — ¿Cuántos años tiene tu hermano?
   — Quince.
   — ¿Y tú? ¿Cuántos años tienes?
   — Trece.
   — Ah, tú eres _____ que tu hermano.
5. — ¿Por qué _____ Roberto?
   — Él está muy triste. Su madre está muy enferma.
6. — ¿De dónde viene aquel ruido?
   — Viene de allá, _____ _____ _____.
7. — ¿Por qué vas en avión?
   — Pues, es muy rápido. El tren va
   muy _____.

Marianela

1ª parte

Un día se acercó° cierto Teodoro Golfín
al pueblo de Socartes. En el camino, él se
perdió. Un joven, Pablo Penáguilas, y su
perro, Choto, encontraron al señor y lo
ayudaron. Como el pueblo de Socartes está
situado en la región de las minas, es difícil
el camino que va al pueblo. Para llegar a Socartes fue necesario bajar y subir
muchas colinas y pasar por una cueva° subterránea.

Cuando Pablo y el señor Golfín salieron de la cueva, el señor notó algo raro en
el muchacho y le preguntó:

—Chico, ¿eres ciego?

—Sí, no tengo vista. Soy ciego desde mi nacimiento°— contestó Pablo.

—¡Qué lástima! —pensó el señor Golfín.

Los dos siguieron el camino de Socartes. A lo lejos oyeron° una voz—la voz de
Marianela. Pablo le explicó al señor Golfín que Marianela siempre lo acompaña por
la región de las minas. Es una muchacha muy buena y lo ayuda mucho.

Cuando el señor Golfín vio a Marianela, notó en seguida lo fea que era° la
pobre muchacha. Tiene una estatura° muy pequeña. Sus ojos negros le dan una
expresión de mujer pero su cuerpo° es de una niña joven. Marianela tiene dieciséis
años pero parece° menor.

Por fin Pablo salió para volver a casa. Marianela continuó el viaje con el señor
Golfín. Durante el viaje Marianela le habló de su vida. Dijo:

°**se acercó** *approached*   °**cueva** *cave*   °**desde mi nacimiento** *since my birth*
°**oyeron** *they heard*   °**era** *was*   °**estatura** *height*   °**cuerpo** *body*
°**parece** *seems*

—Soy una muchacha pobre. Soy fea. No tengo ni padre ni madre. Mi padre fue el primero que encendió faroles * en este pueblo. Un día mi padre me puso en una cesta. Subió a un farol en un puente. Puso la cesta sobre el antepecho del puente. Yo me salí de la cesta y me caí al río. Caí sobre unas piedras. Antes de este accidente yo era bonita pero ahora soy fea. Luego mi padre se puso enfermo y él murió * en el hospital. Mi madre empezó a trabajar en las minas. Un día ella se cayó en una cueva y murió. Ahora yo vivo con los Centeno. Ellos tienen una casa aquí en las minas.

Después de un rato, los dos llegaron a la casa del hermano de Teodoro Golfín. Su hermano es Carlos. Es el ingeniero * de las minas. Marianela le dice «adiós» al señor Golfín y vuelve a la casa de los Centeno. Antes de salir el señor le da una moneda. *

Ejercicio 1 ¿Quién es?

Contesten.

1. un señor que un día se perdió en el camino de Socartes
2. un muchacho ciego que vive en Socartes y que ayudó al señor que se perdió
3. una muchacha fea que siempre ayuda al muchacho ciego y que ayudó también al señor que se perdió

Ejercicio 2 El camino de Socartes es un camino difícil. ¿Por qué es difícil?

Ejercicio 3 ¿Qué oraciones describen a Marianela?

1. Ella es una muchacha muy buena.
2. Ella es ciega.
3. Su padre y su madre trabajan en las minas de Socartes.
4. Ella es una muchacha muy fea.
5. Ella tiene veinte años.
6. Ella tiene ojos azules.
7. Ella es muy alta.
8. Ella tiene una estatura muy baja.
9. Ella ayuda mucho al muchacho ciego.
10. Ella tuvo un accidente cuando era niña.

2ª parte

Cuando salió el señor Golfín, Marianela, que se llama también la Nela, fue a la casa de los Centeno.

La casa de los Centeno no es nada elegante. Es una casa pequeña donde viven el señor Centeno, la señora Centeno, sus cuatro hijos y la pobre Marianela. La

---

* **encendió faroles** *lit lamplights*   * **murió** *died*   * **ingeniero** *engineer*   * **moneda** *coin*

372

señora Centeno es una señora bastante cruel.
Siempre cuenta* su dinero pero no se lo da a
nadie. Trata* a la Nela como a un animal. La
pobre Nela tiene que dormir en la cocina.
Ella duerme en una cesta en un rincón* de la
cocina. Pero la Nela es una muchacha muy
generosa. En cuanto* vuelve a casa, ella le da
la moneda del señor Golfín a Celipín.

Celipín es el hijo menor de los Centeno.
Él quiere salir de Socartes. Él no quiere vivir
como tiene que vivir ahora. Quiere ir a
Madrid a estudiar. Un día, él quiere ser un
hombre importante. Marianela le dice que
siempre tiene que ser bueno con sus padres y
les tiene que escribir mucho.

El día siguiente,* como todos los días,
Marianela sale de casa y va a la casa de
Pablo Penáguilas. Pablo es un muchacho que
tiene unos veinte años. Es un muchacho muy
guapo. Su padre es un hombre bueno y rico.*
Desgraciadamente* el muchacho es ciego.
Mientras Pablo y Marianela andan por los
campos discuten muchas tonterías.* La pobre
Marianela no tiene educación pero siempre
quiere explicar a Pablo como son las cosas

---

*cuenta   *she counts*   *Trata   *She treats*
*rincón   *corner*   *En cuanto   *As soon as*
*El día siguiente   *On the following day*
*rico   *rich*   *Desgraciadamente   *Unfortunately*
*tonterías   *foolish things*

del mundo. La Nela le dice que las estrellas* en el cielo son las sonrisas* de las personas muertas* que están en el cielo.

Pablo promete que un día va a casarse* con Marianela. Como ella es una muchacha muy buena, tiene que ser bonita también. Cada vez que Pablo le dice que es bonita, Marianela se mira en el agua y de nuevo ve que es fea.

Por coincidencia, el señor Teodoro Golfín es médico. Va a operarle de los ojos a Pablo. No sabe si la operación va a tener éxito o no. Pablo le dice a Marianela que después de la operación él va a casarse con ella.

Todos se preparan para la operación. Viene a Socartes Florentina, la prima de Pablo. Florentina es una muchacha muy bonita. Es también una persona muy buena. Cuando ve a Marianela se pone triste. No comprende cómo algunas personas pueden tener mucho y otras no tienen nada. La pobre Marianela no tiene zapatos. Florentina le dice a Marianela que ella le comprará un vestido y un par de zapatos. Marianela cree que Florentina es una santa. Sí, una persona tan buena tiene que ser santa.

Ejercicio 1 ¿Quién es?

1. un señor que es médico y que le puede operar de los ojos a Pablo
2. un joven de unos veinte años que es muy guapo y de una familia rica
3. el hijo menor de su familia que no quiere vivir como tiene que vivir ahora
4. una muchacha generosa que no tiene nada pero que siempre quiere ayudar a todos
5. una muchacha bonita y generosa que viene a visitar a Pablo antes de la operación
6. una señora muy cruel que nunca le da nada a nadie

Ejercicio 2 Contesten.

1. ¿Con quiénes vive Marianela?
2. ¿Cómo la trata la señora?
3. ¿En qué cuarto de la casa duerme Marianela?
4. ¿En qué duerme ella?
5. ¿A quién le da Marianela la moneda del señor Golfín?
6. ¿Quién es Celipín?
7. ¿Por qué quiere él ir a Madrid?
8. ¿Qué le dice siempre Marianela?

Ejercicio 3 ¿Por qué?

1. ¿Por qué le dice Marianela muchas tonterías a Pablo?
2. ¿Por qué puede el señor Golfín operarle de los ojos a Pablo?
3. ¿Por qué cree Marianela que Florentina es una santa?

3ª parte

Llega el día de la operación. Todo el mundo espera los resultados. ¿Pablo va a ver o no? Es la cuestión. Después de unos días el médico le quita˙ las vendas˙ y Pablo puede ver. ¡Qué alegría!˙ Todos están muy contentos.

La única˙ persona que no es feliz˙ es la Nela. Está contenta porque Pablo tiene vista pero está triste porque sabe que ahora Pablo no va a casarse con ella. Va a casarse con Florentina.

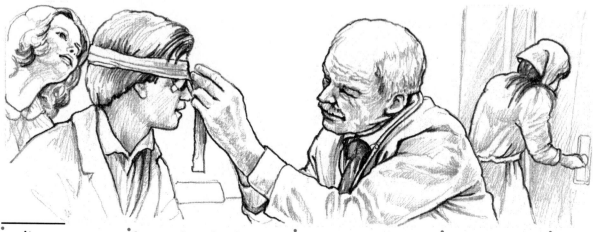

˙**quita** *removes*   ˙**las vendas** *bandages*   ˙**alegría** *happiness*   ˙**única** *only*   ˙**feliz** *happy*

La pobre Marianela no sabe qué hacer. Decide andar por los campos. No quiere estar con nadie. Quiere estar sola.

A lo lejos Marianela oye un ruido. ¿Quién es? Es Florentina.

Florentina habla con Marianela.

—Pero, Nela, ¿dónde estuviste? ¿No sabes que Pablo tiene vista?

—Sí, lo sé—contesta la Nela.

—Pablo te quiere ver. Siempre pregunta dónde está la Nela. Tú sabes que él te quiere mucho. Pablo te adora—continuó Florentina.

La pobre Nela se cayó en el suelo.

—Florentina, yo la quiero mucho y quiero a Pablo también. Pero no puedo, no puedo.

—¿No puedes qué?—preguntó Florentina.

La Nela se levantó y empezó a correr. Gritó*—No, no puedo, Florentina. No puedo hablar más con Ud. Adiós, adiós.

La Nela desapareció* entre los árboles. Decidió salir. No quiso pasar más tiempo en Socartes.

Durante la noche la Nela oyó otro ruido. Esta vez oyó la voz de Celipín, el hijo de los Centeno.

—¿Adónde vas, Celipín?—preguntó Marianela.

—Nela, por fin voy a Madrid. Pero me tienes que hacer una promesa. No vas a decir nada a mis padres.

---

*Gritó   *She shouted*   *desapareció   *disappeared*

376

—De acuerdo, Celipín. No les voy a decir nada. Pero les escribirás, ¿no? Tienes que ser bueno con tus padres.

—Sí, les voy a escribir—contestó Celipín. —Nela, ¿por qué no vienes conmigo* a Madrid? Podemos ir en tren.

—¡Buena idea!—contestó la Nela.

Luego empezó a pensar. La Nela pensó en su madre enterrada* en una cueva de Socartes. Por fin dijo: —Celipín, no puedo ir. No puedo salir de Socartes. Tú tienes que ir solo. Tienes que escribir mucho. Adiós, Celipín, y buena suerte.

Ejercicio 1 ¿Por qué?

1. Unos días después de la operación, el médico le quita las vendas a Pablo. Todos están contentos. ¿Por qué?
2. La única persona que no es feliz es la Nela. ¿Por qué?
3. Florentina le dice a Marianela que Pablo la quiere ver. ¿Por qué la quiere ver?
4. La pobre Marianela no puede hablar más con Florentina. ¿Por qué?
5. Cuando Celipín invita a Marianela a ir con él a Madrid, Marianela cree que es una buena idea. Luego dice que no. Ella no puede ir con él. ¿Por qué no?

Ejercicio 2 ¿Verdadero o falso?

1. Marianela no quiere ir a la casa de Pablo porque todos están contentos.
2. Marianela está triste porque Pablo tiene vista.
3. Marianela quiere estar sola porque está muy triste.
4. Está muy triste porque sabe que Pablo va a casarse con Florentina.

Ejercicio 3 ¿Qué opinas?

¿Va a casarse Pablo con Florentina o no?

*conmigo *with me*   *enterrada *buried*

4ª parte

Celipín salió y otra vez la Nela se encontró° sola. Fue a la cueva a visitar la tumba de su madre. La pobre empezó a llorar. En seguida° oyó a un perro. Era Choto, el perro de Pablo.

Choto volvió a la casa de Pablo. Ladró° y ladró. Salió el doctor Golfín. El perro ladró tanto que el doctor Golfín lo siguió hasta la tumba de la madre de Marianela.

El doctor gritó: —Nela, ¿qué haces allí? Te quiero hablar.

—No puedo—contestó la Nela.

—Sí—insistió el doctor. —Te quiero decir solamente una palabra.

—¿Solamente una palabra?—preguntó la Nela.

—Sí, solamente una palabra.

Marianela subió de la cueva y empezó a hablar con el doctor. Le dice al doctor que quiere estar con su madre. No quiere ver a Pablo porque él cree que ella es bonita.

°**se encontró**   *found herself*   °**En seguida**   *Immediately*   °**Ladró**   *It barked*

378

Por fin el doctor levantó a la Nela. La llevó a la casa de Pablo. —¡Ay!, Marianela. ¡Qué enferma estás!—piensa el médico.

Cuando llegaron a la casa, el doctor puso a la Nela en el sofá. Todos la cuidaron •—Florentina, el padre de Pablo, el doctor Golfín.

Al día siguiente Pablo salió de su dormitorio para hablar con Florentina. Consideró a Florentina la muchacha más bonita del mundo. Cuando entró en la sala, vio a Florentina. Pablo empezó a hablar con ella.

—Florentina, no te vi esta mañana. ¿Por qué no viniste a hablar conmigo?

Pablo no vio a nadie más, sólo a Florentina. Luego miró hacia el sofá y vio la cara • de una pobre muchacha fea con los ojos cerrados • y la boca abierta. •

—¡Ay!—dijo Pablo. —Florentina encontró a una pobre fea y la quiere ayudar. ¡Qué buena es Florentina!

Pablo se acercó al sofá. Extendió su mano. Vio una expresión triste en la cara de la pobre muchacha. La muchacha movió los ojos y miró a Pablo. Le tomó la mano. En seguida, Pablo dio un grito triste y melancólico y dijo: —¡Ay, es la mano de la Nela!

Con una voz triste y débil, • la Nela dijo:

—Sí, Pablo, yo soy la Nela—. Muy despacio ella levantó la mano de Pablo, la llevó hasta su boca y le dio un beso. • Luego su cabeza se inclinó y cayó sobre las almohadas. •

La Nela, la Nela—dijo Pablo con una voz solemne. —La Nela, la muchacha que me ayudó tanto. • Y ahora está muerta. Adiós, Marianela. Adiós.

Adapted from Benito Pérez Galdós

Ejercicio 1 Contesten.

1. Cuando salió Celipín, ¿adónde fue Marianela?
2. ¿A quién oyó Marianela?
3. ¿Adónde fue el perro?
4. ¿Qué hizo el perro cuando llegó a la casa de Pablo?
5. ¿Quién siguió al perro?
6. ¿Habló Marianela con el doctor?
7. ¿Qué le dijo?
8. ¿Quién la llevó a casa?
9. En casa, ¿dónde puso el doctor a Marianela?
10. Al día siguiente, ¿quién salió de su cuarto?
11. ¿Con quién habló Pablo?

Ejercicio 2 ¿Verdadero o falso?

1. Cuando Pablo mira hacia el sofá, él sabe en seguida que la muchacha en el sofá es Marianela.
2. Él cree que la muchacha en el sofá es una pobre que encontró Florentina.
3. Pablo sabe que es Marianela cuando ella le toma la mano.

•**cuidaron** *took care of*   •**cara** *face*   •**cerrados** *closed*   •**la boca abierta** *mouth open*
•**débil** *weak*   •**beso** *kiss*   •**almohadas** *pillows*   •**tanto** *so much*

Appendix

Los números

Cardinal numbers

1 uno
2 dos
3 tres
4 cuatro
5 cinco
6 seis
7 siete
8 ocho
9 nueve
10 diez
11 once
12 doce
13 trece
14 catorce
15 quince
16 dieciséis
17 diecisiete
18 dieciocho
19 diecinueve
20 veinte
21 veintiuno
22 veintidós
23 veintitrés
24 veinticuatro
25 veinticinco
26 veintiséis
27 veintisiete
28 veintiocho
29 veintinueve
30 treinta
31 treinta y uno
32 treinta y dos
33 treinta y tres
34 treinta y cuatro
35 treinta y cinco
36 treinta y seis
37 treinta y siete
38 treinta y ocho
39 treinta y nueve
40 cuarenta
50 cincuenta
60 sesenta
70 setenta
80 ochenta
90 noventa

100 ciento (cien)
105 ciento cinco
113 ciento trece
117 ciento diecisiete
122 ciento veintidós
134 ciento treinta y cuatro
148 ciento cuarenta y ocho
160 ciento sesenta
200 doscientos
250 doscientos cincuenta
277 doscientos setenta y siete
300 trescientos
400 cuatrocientos
500 quinientos
600 seiscientos
700 setecientos
800 ochocientos
900 novecientos
1000 mil
1004 mil cuatro
1015 mil quince
1031 mil treinta y uno
1492 mil cuatrocientos noventa
    y dos
1861 mil ochocientos sesenta
    y uno
1970 mil novecientos setenta
2000 dos mil
10.000 diez mil
40.139 cuarenta mil ciento treinta
    y nueve
100.000 cien mil
785.026 setecientos ochenta
    y cinco mil veintiséis
1.000.000 un millón
50.000.000 cincuenta millones

Ordinal numbers

primero(a)
segundo(a)
tercero(a)
cuarto(a)
quinto(a)
sexto(a)
séptimo(a)
octavo(a)
noveno(a)
décimo(a)

Las horas

1:00 Es la una.
2:00 Son las dos.
3:00 Son las tres.
4:00 Son las cuatro.
5:00 Son las cinco.
6:00 Son las seis.
7:00 Son las siete.
8:00 Son las ocho.
9:00 Son las nueve.
10:00 Son las diez.
11:00 Son las once.
12:00 Son las doce.
3:15 Son las tres y cuarto.
2:45 Son las tres menos cuarto.
4:30 Son las cuatro y media.
5:30 Son las cinco y media.
2:10 Son las dos y diez.
1:50 Son las dos menos diez.
1:10 Es la una y diez.
12:50 Es la una menos diez.
1:15 Es la una y cuarto.
1:30 Es la una y media.

Los días

lunes
martes
miércoles
jueves
viernes
sábado
domingo

Los meses

enero
febrero
marzo
abril
mayo
junio
julio
agosto
septiembre
octubre
noviembre
diciembre

Los verbos
Regular verbs

present	**hablar**	**comer**	**escribir**
	to speak	*to eat*	*to write*
	hablo	como	escribo
	hablas	comes	escribes
	habla	come	escribe
	hablamos	comemos	escribimos
	(habláis)	(coméis)	(escribís)
	hablan	comen	escriben
preterite	hablé	comí	escribí
	hablaste	comiste	escribiste
	habló	comió	escribió
	hablamos	comimos	escribimos
	(hablasteis)	(comisteis)	(escribisteis)
	hablaron	comieron	escribieron
future	hablaré	comeré	escribiré
	hablarás	comerás	escribirás
	hablará	comerá	escribirá
	hablaremos	comeremos	escribiremos
	(hablaréis)	(comeréis)	(escribiréis)
	hablarán	comerán	escribirán

Present tense of stem-changing verbs

First class stem-changing verbs

-ar *verbs*

$e \rightarrow ie$	$o \rightarrow ue$
sentar[1]	**mostrar**[2]
to seat	*to show*
siento	muestro
sientas	muestras
sienta	muestra
sentamos	mostramos
(sentáis)	(mostráis)
sientan	muestran

-er *verbs*

$e \rightarrow ie$	$o \rightarrow ue$
perder[3]	**volver**[4]
to lose	*to return*
pierdo	vuelvo
pierdes	vuelves
pierde	vuelve
perdemos	volvemos
(perdéis)	(volvéis)
pierden	vuelven

-ir *verbs*

Second class

$e \rightarrow ie$	$o \rightarrow ue$
preferir	**morir**[5]
to prefer	*to die*
prefiero	muero
prefieres	mueres
prefiere	muere
preferimos	morimos
(preferís)	(morís)
prefieren	mueren

Third class

$e \rightarrow i$
pedir[6]
to ask for
pido
pides
pide
pedimos
(pedís)
piden

[1] *cerrar, comenzar, empezar,* and *pensar* are similar
[2] *acostar* and *costar* as well as *jugar (u → ue)* are similar
[3] *defender* and *entender* are similar
[4] *llover* is similar
[5] *dormir* is similar
[6] *reír, repetir, seguir, servir,* and *vestir* are similar

Irregular verbs

andar *to walk, to go*
preterite anduve, anduviste, anduvo, anduvimos, anduvisteis, anduvieron

conocer *to know, to be acquainted with*
present conozco, conoces, conoce, conocemos, conocéis, conocen

dar *to give*
present doy, das, da, damos, dais, dan
preterite di, diste, dio, dimos, disteis, dieron

decir *to say, to tell*
present digo, dices, dice, decimos, decís, dicen
preterite dije, dijiste, dijo, dijimos, dijisteis, dijeron
future diré, dirás, dirá, diremos, diréis, dirán

estar *to be*
present estoy, estás, está, estamos, estáis, están
preterite estuve, estuviste, estuvo, estuvimos, estuvisteis, estuvieron

hacer *to do, to make*
present hago, haces, hace, hacemos, hacéis, hacen
preterite hice, hiciste, hizo, hicimos, hicisteis, hicieron
future haré, harás, hará, haremos, haréis, harán

ir *to go*
present voy, vas, va, vamos, vais, van
preterite fui, fuiste, fue, fuimos, fuisteis, fueron

poder *to be able*
present puedo, puedes, puede, podemos, podéis, pueden
preterite pude, pudiste, pudo, pudimos, pudisteis, pudieron
future podré, podrás, podrá, podremos, podréis, podrán

poner *to put, to place*
present pongo, pones, pone, ponemos, ponéis, ponen
preterite puse, pusiste, puso, pusimos, pusisteis, pusieron
future pondré, pondrás, pondrá, pondremos, pondréis, pondrán

querer *to wish, to want*
present quiero, quieres, quiere, queremos, queréis, quieren
preterite quise, quisiste, quiso, quisimos, quisisteis, quisieron
future querré, querrás, querrá, querremos, querréis, querrán

saber *to know*
present sé, sabes, sabe, sabemos, sabéis, saben
preterite supe, supiste, supo, supimos, supisteis, supieron
future sabré, sabrás, sabrá, sabremos, sabréis, sabrán

salir *to leave, to go out*
present salgo, sales, sale, salimos, salís, salen
future saldré, saldrás, saldrá, saldremos, saldréis, saldrán

ser *to be*
present soy, eres, es, somos, sois, son
preterite fui, fuiste, fue, fuimos, fuisteis, fueron

tener   *to have*

present	tengo, tienes, tiene, tenemos, tenéis, tienen
preterite	tuve, tuviste, tuvo, tuvimos, tuvisteis, tuvieron
future	tendré, tendrás, tendrá, tendremos, tendréis, tendrán

traer   *to bring*

present	traigo, traes, trae, traemos, traéis, traen
preterite	traje, trajiste, trajo, trajimos, trajisteis, trajeron

venir   *to come*

present	vengo, vienes, viene, venimos, venís, vienen
preterite	vine, viniste, vino, vinimos, vinisteis, vinieron
future	vendré, vendrás, vendrá, vendremos, vendréis, vendrán

The following Spanish-English and English-Spanish Vocabularies contain all the words and expressions that appear in this Spanish text. The numbers or letters after each entry indicate the lesson in which the word or expression is first presented. Note that the following abbreviations are used throughout: *A* to *G* refers to **Lección preliminar A** to **G** and *LCO* refers to the **Lectura cultural opcional.**

Spanish-English Vocabulary

A

a to, at, by *3*
  a bordo on board *13*
  a casa at home *6*
  a eso de about *8*
  a lo lejos far, in the distance *LCO*
  a pie on foot *LCO*
  a propósito by the way *15*
  a toda prisa at full speed *20*
abierto, -a open *LCO*
abordar to board, to get on *15*
abrazar to hug, to embrace *17*
el abrigo coat *11*
abril April *E*
la abuela grandmother *9*
el abuelo grandfather *9*
  los abuelos grandparents *9*
aburrido, -a boring *2*
acabar to finish *LCO*
el accidente accident *16*
el aceite oil *LCO, 19*
  el aceite (de oliva) olive oil *21*
  revisar el aceite to check the oil *19*
la aceituna olive *LCO, 21*
el acelerador accelerator *19*
acelerar to accelerate *19*
aceptar to accept *24*
acercarse to approach *LCO*
acompañar to accompany *LCO*
acostarse (ue) to go to bed *14*
acuático, -a pertaining to water *17*
  el esquí acuático water skiing *17*

el acuerdo agreement *16*
  de acuerdo OK, agreed *16*
además moreover, besides *3*
adiós good-bye *B*
admitir to admit *LCO*
¿adónde? where? *6*
adorable adorable *9*
la aduana customs *15*
aérea pertaining to the air *15*
  la línea aérea airline *15*
  la ruta aérea air route *15*
el aeropuerto airport *15*
aficionado, -a fond of *3*
afortunadamente fortunately *16*
afuera outside *8*
  las afueras outskirts, environs *8*
el, la agente agent *15*
agosto August *E*
agradable pleasant *14*
agradecer to thank *11*
el agua water *7*
  el agua mineral mineral water *7*
la ahijada goddaughter *11*
el ahijado godson *11*
ahora now *7*
el aire air *LCO, 19*
  al aire libre outdoor *LCO*
  el mercado al aire libre open-air (outdoor) market *LCO*
el ajo garlic *21*
la alcachofa artichoke *21*
el alcázar fortress; royal palace *13*
la alegría happiness *LCO*
alemán, -ana German *10*
el álgebra algebra *F*

algo something, anything *7*
alguien someone, somebody *16*
algunos, -as some *10*
el alimento food *7*
  los alimentos enlatados canned foods *7*
la almeja clam *21*
la almohada pillow *LCO*
el almuerzo lunch *8*
alquilar to rent *17*
alto, -a tall, high *1*
  de tacón alto high-heeled *11*
la altura height, altitude *15*
la alumna student *1*
el alumno student *1*
allá over there *15*
allí there *15*
amarillo, -a yellow *11*
americano, -a American *1*
la amiga girl friend *2*
el amigo boyfriend *2*
anaranjado, -a orange *11*
andaluz, -za of or from Andalucía *LCO*
andar por to go around *19*
el andén platform *13*
andino, -a of or from the Andes *LCO*
el animal animal *LCO*
anoche last night *17*
anónimo, -a anonymous *LCO*
el anorak ski jacket *16*
los anteojos eyeglasses *17*
  los anteojos de sol sunglasses *17*
el antepecho bridge rail, guardrail *LCO*
antes (de) before *10*

antiguo, -a old, ancient *13*

anunciar to announce *15*

añadir to add *21*

el año year *9*

    el año pasado last year *17*

    cumplir ... años to turn ... years old *11*

    tener ... años to be ... years old *9*

el apartamento apartment *8*

el apellido last name, surname *9*

aprender to learn *8*

aproximadamente approximately *15*

el apunte note *5*

    aquel, -la that *15*

    aquí here *9*

    árabe Arab, Arabic *13*

el árbol tree *LCO*

la arena sand *17*

    argentino, -a Argentinean *5*

    aristocrático, -a aristocratic *LCO*

armar to load; to equip *14*

    armar una tienda to pitch a tent *14*

la arqueología archaeology *LCO*

    arqueológico, -a archaeological *LCO*

la arquitectura architecture *10*

el arte art *5*

    arrancar to start (a car) *19*

el arroyo brook, creek *14*

el arroz rice *17*

    asado, -a roasted *17*

    el lechón asado roast suckling pig *17*

    asar to roast, to broil *21*

la ascendencia origin, background *LCO*

    así so *A*

el asiento seat *15*

la asignatura (school) subject *5*

el, la asistente, -a attendant *15*

    el, la asistente, -a de vuelo flight attendant *15*

asistir to attend *8*

el asno donkey, ass *20*

el aspa vane (of a windmill) *20*

    atacar to attack *20*

el ataque attack *20*

la atención attention *15*

    aterrizar to land *15*

    atlético, -a athletic *3*

el atletismo track *12*

el, la atrevido, -a daredevil *16*

el aula classroom *24*

el autobús bus *18*

el autor author *20*

    avanzado, -a advanced *16*

el ave fowl *21*

la avenida avenue *8*

la aventura adventure *20*

el aventurero adventurer *20*

la aviación aviation; airline *15*

el avión airplane *15*

    ¡ay! ay!, alas! *1*

    ¡ay de mí! woe is me!, gosh! *1*

    ayer yesterday *17*

    ayer por la mañana yesterday morning *17*

    ayer por la tarde yesterday afternoon *17*

la ayuda help *LCO*

    ayudar to help *13*

el azafrán saffron *21*

    azul blue *11*

B

    bailar to dance *11*

el baile dance *24*

    bajar to get off, to descend *13*

    bajo, -a short *1*

    balancearse to balance oneself *17*

el balcón balcony *18*

el balón ball (soccer) *12*

el baño bath *14*

    el cuarto de baño bathroom *14*

    el traje de baño bathing suit *17*

    barato, -a cheap *18*

el barquito small boat *17*

el barrio neighborhood *LCO*

la base base, basis *21*

el básquetbol basketball *12*

    bastante rather, somewhat; enough *4*

el bastón ski pole; stick *16*

la batería battery *19*

el baúl trunk (of a car) *19*

el bebé baby *9*

    beber to drink *8*

el béisbol baseball *12*

    besar to kiss *17*

el beso kiss *LCO*

la bestia beast *LCO*

    bien well *A*

    bien cocido well done *22*

    pasarlo bien to have a good time *LCO*

la bienvenida welcome *15*

    bienvenido, -a welcome *15*

el bife beef *LCO*

el biftec steak *21*

el billete ticket *13*

    el billete de ida y vuelta round-trip ticket *13*

    el billete sencillo one-way ticket *13*

la biología biology *F*

    blanco, -a white *11*

    blando, -a soft *21*

el bloc notebook *23*

la blusa blouse *11*

la boca mouth *10, LCO*

la bocina horn *19*

    tocar la bocina to blow (honk) the horn *19*

la bodega grocery store *23*

la bola ball *16*

    la bola de nieve snowball *16*

la boletería ticket office *16*

el boleto ticket *13*

    el boleto de ida y vuelta round-trip ticket *13*

    el boleto sencillo one-way ticket *13*

    bonito, -a pretty *7*

el borde edge *LCO*

    al borde de on the edge of *LCO*

el bosque forest *14*

la **bota** boot *16*
la **botella** bottle *7*
el **boxeo** boxing *12*
el **brazo** arm *10*
bronceado, -a tanned *17*
  la **crema bronceadora** suntan lotion or cream *17*
bucear to go snorkeling *17*
bueno, -a good *A*
  ¡buena suerte! good luck! *16*
  buenas noches good night *A*
  buenas tardes good afternoon *A*
  buenos días good morning *A*
la **bujía** spark plug *19*
el **burrito** rolled flour tortilla stuffed with chunks of beef *D*
buscar to look for, to search for *LCO*
la **butaca** orchestra or box seat (in a theater) *18*

C

el **caballero** gentleman *11*
  el **caballero andante** knight-errant *20*
  la **tienda de ropa para caballeros** men's clothing store *11*
el **caballo** horse *20*
la **cabeza** head *10*
  el **dolor de cabeza** headache *10*
el **cacahuate** peanut *LCO, 23*
el **cacahuete** peanut *23*
el **cacharro** piece of junk, jalopy, old wreck *19*
cada each *12*
  cada uno a su gusto to each his (her) own (taste) *17*
caerse to fall *16*
el **café** café; coffee *6*
la **cafetería** cafeteria *8*
la **caja** cash register; box *7*
los **calcetines** socks *11*
el **cálculo** calculus *5*
la **calidad** quality *7*
caliente hot *19*

el **calor** heat *G*
  hacer calor to be hot (weather) *G*
los **calzoncillos** undershorts *13*
la **calle** street *8*
la **cama** bed *10*
el **camarón** shrimp *21*
cambiar to change *9*
caminar to walk *14*
el **camino** road, way *20*
el **camión** bus *23*
la **camisa** shirt *11*
la **camiseta** undershirt *13*
la **campaña** countryside *14*
  la **tienda de campaña** camping tent *14*
el **camper** camper *14*
el **camping** camping *14*
  la **excursión de camping** camping trip *14*
el **campo** field; country *8*
  el **campo de fútbol** soccer field *12*
canadiense Canadian *10*
la **canasta** basket *LCO*
la **cancha** court; field *16*
  la **cancha de esquí** ski resort *16*
cantar to sing *5*
la **cantidad** quantity *8*
el **cañón** cannon *LCO*
la **capacidad** capacity *8*
la **capital** capital *3*
el **capó** hood (of a car) *19*
la **cara** face *14*
el **carburador** carburetor *19*
la **cárcel** jail *LCO*
el **cariño** affection *4*
la **carne** meat *7*
  la **carne de res** beef *21*
la **carnicería** butcher shop, meat market *7*
caro, -a expensive *7*
la **carta** letter *8*
la **carrera** career *22*
el **carro** car *17*
la **casa** home, house *6*
  a casa (to) home *6*
  en casa at home *6*
casarse to get married *LCO*
casi almost *7*
castaño, -a brown *11*
el **catarro** cold *10*

la **catedral** cathedral *13*
la **categoría** category, class *20*
catorce fourteen *C*
causar to cause *LCO*
la **celebración** celebration *LCO*
la **cena** dinner *8*
cenar to have dinner *8*
el **centro** center *LCO*
cepillar to brush *14*
cerca (de) near *LCO*
el **cerdo** pig *7*
  la **chuleta de cerdo** pork chop *7*
cero zero *12*
cerrado, -a closed *LCO*
la **cesta** basket *LCO*
el **ciclismo** bicycle racing *12*
el, la **ciego, -a** blind person *LCO*
el **cielo** sky *LCO*
cien, ciento one hundred *C*
la **ciencia** science *5*
  las **ciencias domésticas** home economics *5*
cierto, -a certain *LCO*
cinco five *C*
cincuenta fifty *C*
el **cine** movie theater *18*
la **ciudad** city *8*
el, la **ciudadano, -a** citizen *10*
cívico, -a civic *5*
  la **educación cívica** civics *5*
la **civilización** civilization *LCO*
¡claro! of course! *5*
  ¡claro que sí! of course! *5*
la **clase** class *F, 5*
clásico, -a classical *6*
el, la **cliente** customer, client *6*
el **club** club *24*
la **cocina** kitchen *6*
cocinar to cook *21*
el **cocinero** cook *22*
el **coctel** cocktail *22*
  el **coctel de camarones** shrimp cocktail *22*
el **coche** car *14*
  en coche by car *14*
coger to catch *18*

la coincidencia   coincidence
  LCO
    por coincidencia
      coincidentally   *LCO*
la cola   tail   *15*
    hacer cola   to form a
      line   *15*
el colegio   high school   *1*
la colina   hill   *LCO*
    colombiano, -a   Colombian
      2
el color   color   *11*
el collar   necklace   *11*
el, la comandante   pilot,
      commander   *15*
el comedor   dining room   *8*
    comenzar (ie)   to begin
      12
    comer   to eat   *8*
la comida   meal   *8*
    como   like, as; since   *5*
    ¿cómo?   how?   *1*
    ¡cómo no!   of course!   *5*
el, la compañero, -a   companion
      20
la compañía   company   *15*
    completar   to complete
      LCO
la composición   composition
      8
la compra   purchase   *7*
    ir de compras   to go
      shopping   *7*
el comprador   buyer   *19*
    comprar   to buy   *7*
    comprender   to
      understand   *8*
    común   common   *10*
    con   with   *4*
    con destino a   bound for
      15
    con frecuencia
      frequently   *LCO*
el concierto   concert   *18*
la concha   shell   *21*
el conde   count   *13*
la condición   condition   *19*
    condimentado, -a
      seasoned   *21*
el condimento   condiment,
      seasoning   *21*
    conducir   to drive   *19*
    **el permiso de
      conducir**   driver's
      license   *19*
el conductor   driver   *19*

la confianza   trust   *LCO*
    tener confianza   to trust
      LCO
    conmigo   with me   *LCO*
    conocer   to know (be
      acquainted with)   *15*
    conocido, -a   famous   *20*
la conquista   conquest   *LCO*
    conquistar   to conquer   *20*
el consejo   advice   *20*
    considerar   to consider
      LCO
la consulta   office   *10*
    **la consulta del
      médico**   doctor's office
      10
    contar (ue)   to count   *LCO*
    contento, -a   happy   *10*
    contestar   to answer   *17*
el continente   continent
      LCO
    continuar   to continue   *16*
    contra   against   *LCO*
el contrario   contrary,
      opposite   *8, LCO*
    al contrario   on the
      contrary   *8*
el control   control   *15*
    **el control de
      seguridad**   security
      check   *15*
el convento   convent   *LCO*
la conversación   conversation
      LCO
    convertir (ie)   to convert,
      to change   *20*
la corbata   tie   *11*
el cordero   lamb   *21*
la cortesía   courtesy   *D*
    corto, -a   short   *11*
    correr   to run   *18*
la corrida   bullfight   *LCO*
    corriente   current; common
      10
la cosa   thing   *14*
la cosita   little thing   *LCO*
la costa   coast   *17*
    costar (ue)   to cost   *7*
la costumbre   custom,
      tradition   *11*
    de costumbre   as
      customary, as usual   *11*
    crecer   to grow   *LCO*
    creer   to believe, to think
      16
la crema   cream   *17*

la crema
    bronceadora   suntan
      lotion or cream   *17*
    criollo, -a   Creole   *17*
el cruce   intersection   *19*
    crudo, -a   raw   *22*
    cruel   cruel   *LCO*
    cruzar   to cross   *LCO*
el cuaderno   notebook   *5*
el cuadro   painting, picture,
      portrait   *13*
    ¿cuál?   which?   *E*
    cuando   when   *G*
    ¿cuándo?   when?   *G*
    ¿cuánto?   how much?   *D*
    cuarenta   forty   *C*
    cuarto, -a   fourth   *8*
el cuarto   room   *14*
    **el cuarto de
      baño**   bathroom   *14*
    **el cuarto (de
      dormir)**   bedroom   *23*
    cuatro   four   *C*
    cuatrocientos   four
      hundred   *C*
    cubano, -a   Cuban   *2*
    cubierto, -a   covered   *16*
    cubrir   to cover   *LCO*
la cuenta   bill, check   *22*
el cuerpo   body   *LCO, 10*
la cuestión   question   *LCO*
la cueva   cave   *LCO*
el cuidado   care   *1*
    ¡pero, cuidado!   but be
      careful!   *1*
    cuidar (de)   to care for, to
      take care of   *19, LCO*
la cultura   culture   *10*
el cumpleaños   birthday   *11*
    cumplir   to fulfill   *11*
    cumplir . . . años   to
      turn . . . years old   *11*
el curso   course   *5*

CH

la chaqueta   jacket   *11*
el chato   glass of wine   *LCO*
la chica   young girl   *LCO*
el chico   young boy   *LCO*
    chileno, -a   of or from
      Chile, Chilean   *15*
el chiste   joke   *LCO*
    chocar (con)   to crash
      (into)   *19*
la chuleta   chop   *7*

la chuleta de cerdo pork chop 7
el churrasco barbecued beef 21

D

la dama lady 20
dañar to harm, to hurt, to damage 19
el daño damage 19
dar to give 7
  dar palmadas to clap hands LCO
  dar un paseo to take a walk LCO
datar (de) to date from LCO
de from; of 2
  de acuerdo OK, agreed 16
  de buen humor in a good mood 10
  de costumbre as customary, as usual 11
  de la mañana A.M. F
  de la tarde P.M. F
  de mal humor in a bad mood 10
  de nada you're welcome D
  de nuevo again 16
  ¿de quién? whose? 4
  de repente suddenly LCO
  de tacón alto high-heeled 11
  de vacaciones on vacation 13
deber ought to, should LCO
débil weak 3
decidir to decide 20
decir to say, to tell 16
declarar to declare 16
el dedo finger 10
la definición definition 21
dejar to leave 18
delante (de) in front of LCO
delicioso, -a delicious 21
dentro within 15
  dentro de poco in a little while 15
el departamento apartment LCO
el deporte sport 3

deportivo, -a related to sports 24
la derecha right 19
  doblar a la derecha to turn right 19
derecho, -a right; straight 8
desaparecer to disappear LCO
el desayuno breakfast 8
descansar to rest LCO
el descubrimiento discovery E
desde since 10
desear to want LCO
desgraciadamente unfortunately 18
despacio slowly LCO
la despedida farewell 17
despegar to take off 15
despertarse (ie) to awaken 14
después (de) after 6
el destino destination 15
  con destino a bound for 15
el día day A
  algún día someday LCO
  buenos días good morning A
  todo el día all day 6
  todos los días every day 7
diario, -a daily 5
el dibujo drawing, picture 9
diciembre December E
diecinueve nineteen C
dieciocho eighteen C
dieciséis sixteen C
diecisiete seventeen C
el diente tooth 14
diez ten C
la diferencia difference 18
difícil difficult 4
la dificultad difficulty 18
el dinero money 7
las direccionales (directional) signal lights 19
  poner las direccionales to put on the (directional) signals 19
el, la director, -ra director LCO
dirigirse to go; to head for; to direct oneself LCO

el disco record 6
discutir to discuss LCO
disfrutar to enjoy 17
distinto, -a different LCO, 21
divertido, -a fun, amusing 2
divertirse (ie) to enjoy oneself 14
doblado, -a dubbed 18
doblar to bend, to fold; to turn 19
  doblar a la derecha to turn right 19
  doblar a la izquierda to turn left 19
doce twelve C
el, la doctor, -ra doctor LCO
el dólar dollar 19
el dolor pain, ache 10
  el dolor de cabeza headache 10
doméstico, -a domestic 5
  las ciencias domésticas home economics 5
domingo Sunday E
dominicano, -a Dominican, of or from the Dominican Republic 10
¿dónde? where? 4
dormir (ue) to sleep 12
  el saco de dormir sleeping bag 14
el dormitorio bedroom 23
dos two C
doscientos two hundred C
la duda doubt 24
  sin duda without a doubt 24
el, la dueño, -a owner 19
durante during 11
duro, -a hard 6

E

económico, -a economical, inexpensive 15
la edad age 9
el edificio building 8
la educación education F
  la educación cívica civics 5
  la educación física physical education 5

el **efecto** effect *LCO*
el **ejemplo** example *6*
  por ejemplo for example *6*
el **ejote** string bean *23*
  el the *1*
  él he *1*
  elegante elegant *LCO*
  ella she *1*
  ellas they *3*
  ellos they *3*
el **embarque** boarding; loading *15*
  la tarjeta de embarque boarding pass *15*
el **embrague** clutch *19*
  empatar to tie *12*
  empezar (ie) to begin *12*
el, la **empleado, –a** employee *7*
  en in *1*
  en busca de in search of *20*
  en casa at home *6*
  en cuanto as soon as *LCO*
  en fila on line *15*
  en fin in brief; finally *9*
  en orden in order *15*
  en seguida at once, immediately *14*
  en tren by train *14*
el **encanto** enchantment *17*
  encender (ie) to light *LCO*
  encima (de) on top (of) *21*
  encontrar (ue) to find *17*
la **enchilada** enchilada (filled tortilla) *D, 21*
el **enemigo** enemy *20*
  enero January *E*
  enfermo, -a sick *7*
  enfrente (de) in front of *13*
  enlatado, -a canned *7*
  los alimentos enlatados canned foods *7*
  enorme enormous *19*
  enrollarse to roll up *21*
la **ensalada** salad *8*
  enseñar to teach *5*
  entero, -a whole, entire *LCO, 20*

  enterrado, -a buried *LCO*
el **entierro** burial *13*
  entonces then; so *3*
la **entrada** admission ticket *18*
  entrar to enter *12*
  entre between *18*
el **entremés** appetizer *LCO, 22*
el **episodio** episode *20*
el **equipaje** luggage *13*
el **equipo** team *12*
la **escala** stopping point *15*
  sin escala non-stop *15*
el **escaparate** display window *11*
  escoger to choose *18*
  escolar (pertaining to) school *24*
  el sistema escolar school system *24*
  escribir to write *8*
  escuchar to listen to *6*
el **escudero** squire *20*
la **escuela** school *1*
  ese, -a that *15*
  español, -a of or from Spain *4*
el **español** Spanish *4*
  especial special *11*
la **especialidad** specialty *21*
  especializado, -a specialized *7*
el, la **espectador, -ra** spectator *12*
el **espejo** mirror *14*
  esperar to wait; to hope *LCO, 24*
  espléndido, -a splendid *16*
el **esquí** ski *12*
  la cancha de esquí ski resort *16*
  el esquí acuático water skiing *12*
el, la **esquiador, -ra** skier *16*
  esquiar to ski *16*
la **esquina** corner *LCO, 18*
la **estación** station *13*
  la estación de ferrocarril railroad station *13*
el **estadio** stadium *12*
el **estado** state *19*
  estar to be *7*
la **estatura** stature *LCO*

el **este** east *10*
  este, -a this *15*
el **estilo** style *21*
  estimado, -a esteemed *20*
  estos, -as these *15*
la **estrella** star *LCO*
el, la **estudiante** student *LCO, 24*
  estudiar to study *5*
  estupendo, -a stupendous *15*
  europeo, -a European *LCO*
el **examen** test, examination *19*
  excelente excellent *7*
la **excepción** exception *12*
la **excursión** trip *14*
  la excursión de camping camping trip *14*
  existir to exist *18*
el **éxito** success *LCO*
  tener éxito to be successful *LCO*
la **expedición** expedition *20*
  experto, -a expert *16*
  explicar to explain *LCO*
la **expresión** expression *LCO*
  extender (ie) to extend *LCO*
  extenso, -a extensive *21*
  extraño, -a strange *LCO*

F

la **fábrica** factory *19*
  fabuloso, -a fabulous *16*
  fácil easy *4*
  facturar to check (baggage) *15*
la **facultad** school (of a university) *8*
la **falda** skirt *11*
la **falta** lack *LCO*
la **familia** family *8*
  famoso, -a famous *LCO*
el **fanfarrón** braggart *16*
  fantástico, -a fantastic *2*
el **farol** street light, lamp light *LCO*
el **favor** favor *D*
  favor de please, kindly *19*
  por favor please *D*

favorito, -a favorite *5*
febrero February *E*
la fecha date *E*
feliz happy *LCO*
el fenómeno phenomenon *LCO, 23*
feo, -a ugly *2*
el ferrocarril railroad *13*
   la estación de ferrocarril railroad station *13*
ficticio, -a fictitious *LCO*
la fiebre fever *10*
fiel faithful *20*
la fiesta party *11*
fijo, -a fixed *LCO*
la fila line; row *15*
   en fila on line *15*
el fin end *9*
   en fin in brief; finally *9*
   el fin de semana weekend *14*
la finca ranch, farm *LCO*
la física physics *5*
   la educación física physical education *5*
flaco, -a thin *20*
el flamenco flamenco *LCO*
la formalidad formality *16*
francés, -esa French *5*
la frazada blanket *23*
la frecuencia frequency *LCO, 19*
   con frecuencia frequently *LCO, 19*
frecuentemente frequently *21*
freír to fry *21*
el freno brake *19*
   poner los frenos to brake, to step on the brakes *19*
la fresa strawberry *7*
fresco, -a cool *G*
   hacer fresco to be cool (weather) *G*
el frijol bean *17*
el frío cold *G*
   hacer frío to be cold *G*
la frisa blanket *23*
frito, -a fried *22*
   las papas fritas fried potatoes *22*
la fruta fruit *7*
la frutería fruit store, fruit market *7*

fuerte strong *3*
fumar to smoke *15*
   la sección de no fumar no-smoking section *15*
la furia fury *20*
el fútbol soccer *12*
   el campo de fútbol soccer field *12*

G

el ganado cattle *21*
ganar to win; to earn *12*
el garaje garage *19*
la garúa fog, mist *LCO*
la gasolina gasoline *19*
   el tanque de gasolina gas tank *19*
la gasolinera gas station *6*
gastar to spend *22*
el, la gato, -a cat *9*
la generalidad generality *8*
generalmente generally *21*
generoso, -a generous *4*
la gente people *7*
la geografía geography *5*
la geometría geometry *5*
el gesto gesture *22*
el gigante giant *20*
el gimnasio gymnasium *12*
el gol goal *12*
   meter (marcar) un gol to score a goal *12*
el golf golf *12*
gordo, -a fat *20*
gracias thank you *D*
la gramática grammar *9*
grande large, big *3*
la gripe cold, grippe *10*
gris gray *11*
gritar to shout *16*
el grito shout *LCO*
el grupo group *10*
la guagua bus *23*
la guantera glove compartment *19*
guapo, -a handsome, good-looking *2*
guardar to guard *12*
guatemalteco, -a Guatemalan, of or from Guatemala *10*

la guerra war *LCO, 20*
el, la guía (tour) guide *LCO*
   la guía telefónica telephone book (directory) *LCO*
el guisante pea *21*
la guitarra guitar *5*
gustar to be pleasing, to like *21*
el gusto taste; liking *17*
   cada uno a su gusto to each his (her) own (taste) *17*

H

la habichuela bean *7*
   la habichuela tierna string bean *23*
hablar to talk *5*
hacer to do; to make *G*
   hacer buen tiempo to be nice (weather) *G*
   hacer calor to be hot (weather) *G*
   hacer caso a to pay attention to *20*
   hacer cola to form a line *15*
   hacer fresco to be cool (weather) *G*
   hacer frío to be cold (weather) *G*
   hacer la maleta to pack (the suitcase) *13*
   hacer mal tiempo to be bad (weather) *G*
   hacer sol to be sunny *G*
   hacer un viaje to take a trip *LCO*
   hacer una visita to pay a visit *13*
   hacer viento to be windy *G*
hacia toward *20*
la hamaca hammock *14*
el hambre hunger *LCO*
   pasar hambre to feel hungry *LCO*

tener hambre to be hungry *14*

hasta until; even *B*

hasta la vista so long, good-bye *B*

hasta luego so long, see you later *B*

hasta pronto see you soon *B*

hay there is, there are *7*

no hay de qué you're welcome *D*

hecho done, made *22*

bien hecho well done *22*

el hecho fact *24*

el helado ice cream *8*

el hemisferio hemisphere *15*

herido, -a wounded, hurt *20*

la hermana sister *3*

el hermano brother *3*

hervir (ie) to boil *21*

higiénico, -a hygienic *7*

el papel higiénico toilet paper *7*

la hija daughter *9*

el hijo son *9*

los hijos children *9*

hispánico, -a Hispanic *6*

hispano, -a Hispanic *9*

hispanoamericano, -a Spanish-American *10*

la historia history *F*

hola hello *2*

el hombre man *B*

el honor honor *11*

la hora hour; time *F*

¿a qué hora? at what time? *F*

¿qué hora es? what time is it? *F*

el hornillo burner *14*

el horno oven *21*

el hospital hospital *10*

el hotel hotel *13*

hoy today *E*

el, la huérfano, -a orphan *LCO*

humilde humble *LCO*

el humor humor, wit; mood *10*

de buen humor in a good mood *10*

de mal humor in a bad mood *10*

I

la idea idea *LCO*

el ideal ideal *20*

el, la idealista idealist *20*

el idioma language *10*

el ídolo idol *LCO*

la ilusión illusion *LCO*

imaginado, -a imagined *20*

imaginar to imagine *19*

importado, -a imported *19*

la importancia importance *9*

importante important *8*

importar to be important *16;* to import *19*

no importa it doesn't matter *16*

imposible impossible *LCO*

impresionado, -a impressed *13*

el impuesto tax, duty *19*

el, la inca Inca *LCO*

incaico, -a Inca, Incan *LCO*

inclinar to bend (over) *LCO*

incluido included *18*

increíble incredible *24*

la independencia independence *E*

el indicador indicator *12*

el tablero indicador scoreboard *12*

indicar to indicate *12*

el, la indio, -a Indian *LCO*

la influencia influence *10*

el, la ingeniero, -a engineer *LCO*

inglés, -esa English *F*

inmediato, -a immediate *15*

la inmigración immigration *15*

insistir to insist *LCO*

el instante instant *20*

inteligente intelligent *2*

el interés interest *LCO*

interesante interesting *2*

intermedio, -a intermediate *15*

internacional international *10*

la invasión invasion *LCO*

el invierno winter *G*

el, la invitado, -a guest *11*

invitar to invite *11*

ir to go *7*

ir a to be going to *11*

ir de compras to go shopping *7*

ir de pesca to go fishing *14*

irlandés, -esa Irish *10*

la isla island *17*

italiano, -a Italian *10*

izquierda left *19*

doblar a la izquierda to turn left *19*

J

el jabón soap *7*

el jabón en polvo soap powder, powdered soap *7*

jamás ever *20*

el jamón ham *LCO*

joven young *6*

la judía verde string bean *23*

jueves Thursday *E*

el, la jugador, -ra player *12*

jugar (ue) to play *12*

el jugo juice *23*

el jugo de china orange juice *23*

el jugo de naranja orange juice *23*

julio July *E*

junio June *E*

K

el kilo(gramo) kilogram *7*

el kilómetro kilometer *15*

L

la the *1;* you, it; her *16*

ladrar to bark *LCO*

el lago lake *LCO*

la langosta lobster *21*

la lanza sword *20*

lanzar to throw *12*

el lápiz pencil *LCO*
    largo, -a long *11*
    las the *3;* you, them *16*
la lástima pity, shame *10*
    ¡qué lastima! what a
        pity!, what a shame! *10*
la lata tin can *7*
el latín Latin *5*
    latinoamericano, -a Latin
        American *LCO*
    lavarse to wash oneself
        14
    le him, to him, for him;
        her, to her, for her; you, to
        you, for you *18*
la lección lesson *17*
la lectura reading *20*
la leche milk *7*
la lechería dairy *7*
el lechón suckling pig *17*
    el lechón asado roast
        suckling pig *17*
la lechuga lettuce *7*
    leer to read *8*
la legumbre vegetable *7*
    lejos far *LCO*
    a lo lejos far, in the
        distance *LCO*
la lengua language *LCO*
    les them, to them, for
        them; you, to you, for you
        (plural) *18*
    levantarse to get up *14*
el libro book *8*
    ligero, -a light *8*
    limeño, -a of or from Lima,
        Perú *LCO*
la limonada lemonade *D*
el limpiabotas bootblack
    LCO
el limpiaparabrisas
    windshield wiper *19*
    limpiar to clean *19*
la línea line *15*
    la línea aérea airline
        15
    listo, -a ready; smart *1*
la literatura literature *LCO*
    lo it; him *16*
    loco, -a crazy *20*
    los the *3;* them *16*
    luego then *6*
    hasta luego so long, see
        you later *B*
el lugar place *20*
    lunes Monday *E*
la luz light *19*

LL

llamarse to be named
    (called), to call oneself *14*
la llegada arrival *10*
    llegar to arrive *6*
    llenar to fill *19*
    llevar to carry; to
        wear *LCO;* to take *19*
    llorar to cry *LCO*
la llovizna drizzle *LCO*

M

la madre mother *9*
    madrileño, -a of or from
        Madrid *8*
    magnífico, -a magnificent
        LCO
el maíz corn *LCO, 21*
el mal evil *20*
la maleta suitcase *13*
    hacer la maleta to pack
        the suitcase *13*
    malo, -a bad *5*
la mamá mother, mom *LCO*
la manera way *21*
la manga sleeve *11*
el maní peanut *23*
la mano hand *10*
la manta blanket *23*
    mantener to keep *9*
la mañana morning *7;* **el**
    mañana tomorrow *23*
    ayer por la
        mañana yesterday
        morning *17*
    de la mañana A.M. *F*
    mañana por la
        mañana tomorrow
        morning *23*
    mañana por la
        noche tomorrow night
        23
    por la mañana in the
        morning *23*
las mañanitas short musical
    piece (Mexican song
    usually sung at birthday
    celebrations) *LCO*
el mar sea *17*
la maravilla wonder, marvel
    LCO
    maravilloso, -a marvelous
        23
    marcar to score *12*

    marcar un tanto to
        score a point *12*
el marido husband *9*
el marisco shellfish *21*
la marisquería shellfish
    market *21*
    martes Tuesday *E*
    marzo March *E*
    marrón, -ona brown *11*
    más more *7*
    lo más pronto
        posible as soon as
        possible *17*
    más de more than *10*
la máscara mask *LCO*
    la máscara de
        oxígeno oxygen mask
        LCO
el matador bullfighter *LCO*
el mate maté (tea, plant)
    LCO
las matemáticas mathematics
    5
el matrimonio marriage *9*
    mayo May *E*
la mayoría majority *8*
    me me, to me, for me *17*
el mecánico mechanic *19*
las medias stockings *11*
la medicina medicine *LCO*
el, la médico, -a doctor *10*
    la consulta del
        médico doctor's office
        10
    medio, -a half, medium,
        middle *7*
    término medio medium
        (cooked) *22*
el mediodía noon *6*
    al mediodía at noon *6*
el mejillón mussel *21*
    melancólico, -a
        melancholic, sad *LCO*
la memoria memory *24*
    saber de memoria to
        know by heart *24*
    menor younger; youngest
        LCO
el menú menu *D, 18*
el mercado market *7*
    el mercado al aire
        libre open-air
        (outdoor) market *LCO*
la merced mercy *20*
    Vuestra Merced Your
        Grace (Mercy) *20*

la merienda light afternoon meal, snack; picnic *6*

la merluza hake (cod) *21*

el mes month *LCO*

la mesa table *14*

la mesera waitress *18*

el mesero waiter *LCO, 18*

el mesón pub, inn *LCO*

el mestizo mestizo, person of Spanish and Indian origin *LCO*

meter to put, to place *12*

meter (marcar) un gol to score a goal *12*

meterse la pata to put one's foot in it *18*

el metro meter *15*

mexicano, -a Mexican *1*

mi my *9*

mí me *1*

¡ay de mí! woe is me!, gosh! *1*

el, la miembro, -a member *9*

mientras while *LCO*

miércoles Wednesday *E*

la miga crumb *LCO*

mil one thousand *C*

el millón million *10*

el, la millonario, -a millionaire *LCO*

la mina mine *LCO*

mineral mineral *7*

el agua mineral mineral water *7*

el minuto minute *12*

mirar to look at, to watch *6*

mismo, -a same *7*

el misterio mystery *20*

misterioso, -a mysterious *20*

la mochila knapsack *14*

el modelo model, example *10*

moderno, -a modern *LCO*

el molino mill *20*

el molino de viento windmill *20*

el momento moment *15*

la moneda coin *LCO*

la monja nun *LCO*

el monstruo monster *10*

la montaña mountain *LCO*

montar to mount *17;* to ride *20*

moreno, -a dark-haired; brown, brunette *1*

morir (ue) to die *LCO*

el mostrador counter *15*

mostrar (ue) to show *15*

el motor motor *19*

el mozo young man; bellhop, porter *13*

la muchacha girl *1*

el muchacho boy *1*

mucho a lot, much *5*

muerto, -a dead *LCO*

la mujer woman; wife *9*

el mundo world *LCO*

la música music *F*

muy very *2*

N

nacer to be born *LCO*

el nacimiento birth *LCO*

la nación nation *LCO*

la nacionalidad nationality *4*

nada nothing *16*

de nada you're welcome *D*

nadar to swim *17*

nadie no one, nobody *16*

la naranja orange *11*

el jugo de naranja orange juice *23*

el zumo de naranja orange juice *23*

la nariz nose *10*

la natación swimming *12*

la náusea nausea *LCO*

la Navidad Christmas *24*

necesario, -a necessary *19*

necesitar to need *7*

negro, -a black *11*

nervioso, -a nervous *10*

el neumático tire *19*

nevar (ie) to snow *16*

ni . . . ni neither . . . nor *LCO*

el, la nicaragüense Nicaraguan, of or from Nicaragua *10*

la nieta granddaughter *9*

el nieto grandson *9*

la nieve snow *16*

la bola de nieve snowball *16*

el, la niño, -a child *LCO*

los niños children *LCO*

no no; not *1*

¡cómo no! of course! *5*

no hay de qué you're welcome *D*

noble noble *20*

la noche night *F*

buenas noches good night *A*

de la noche P.M. *16*

esta noche tonight *17*

mañana por la noche tomorrow night *23*

el nombre name *9*

el nordeste northeast *10*

el norte north *10*

norteamericano, -a of or from North America *10*

nos us, to us, for us *17*

nosotros, -as we *4*

la nota (class) grade, mark *5*

notar to (take) note *LCO*

novecientos nine hundred *C*

la novela novel *20*

noventa ninety *C*

noviembre November *E*

el novio fiancé *1*

la novia fiancée *1*

nuestro, -a our *9*

nueve nine *C*

nuevo, -a new *10*

de nuevo again *16*

el número number, (shoe) size *11*

el numero de asiento seat number *15*

el número del vuelo flight number *15*

nunca never *16*

la nutrición nutrition *LCO*

O

la obra work *LCO*

observar to observe *17*

obstinado, -a stubborn *20*

el océano ocean *LCO*

octubre October *E*

ochenta eighty *C*

ocho eight *C*

ochocientos eight hundred *C*

el **oeste**   west   *10*

oír   to hear   *23*

el **ojo**   eye   *10*

la **ola**   wave   *17*

la **oliva**   olive   *21*

   el aceite de oliva   olive
   oil   *21*

olvidar   to forget   *LCO*

la **olla**   pot   *21*

once   eleven   *C*

la **operación**   operation   *LCO*

operar   to operate   *LCO*

opinar   to think   *LCO*

la **opinión**   opinion   *24*

la **oportunidad**   opportunity
   8

la **oración**   sentence   *10*

el **orden**   order   *15*

   en orden   in order   *15*

la **oreja**   ear   *10*

organizar   to organize   *17*

orgulloso, -a   proud   *10*

el **origen**   origin   *10*

el **otoño**   autumn   *G*

otro, -a   other, another   *7*

   otra vez   again   *LCO*

el **oxígeno**   oxygen   *LCO*

   **la máscara de
   oxígeno**   oxygen mask
   LCO

¡oye!   hey!, listen!   *2*

P

el **padre**   father   *9*

   los padres   parents   *9*

el **padrino**   godfather   *9*

   los padrinos   godparents
   9

la **paella**   saffron-flavored dish
   of rice with seafood,
   chicken, and vegetables
   21

pagar   to pay (for)   *7*

el **país**   country   *8*

la **paja**   straw   *LCO*

la **palabra**   word   *10*

el **palacio**   palace   *13*

la **palanca**   gearshift lever
   19

la **palmada**   clapping, slap
   22

   dar palmadas   to clap
   hands   *LCO*

la **pampa**   plain   *LCO, 21*

el **pan**   bread   *7*

la **panadería**   bakery   *7*

el **panadero**   baker   *7*

el **panecillo**   bread roll   *LCO*

el **panqueque**   pancake   *21*

los **pantalones**   pants, trousers
   11

la **pantalla**   (movie) screen
   18

la **papa**   potato   *8*

   las papas fritas   fried
   potatoes   *22*

el **papá**   father, daddy   *LCO*

el **papel**   paper   *7*

   el papel higiénico   toilet
   paper   *7*

el **par**   pair   *14*

   sin par   without equal,
   unmatched   *20*

   para   for; in order to   *4*

el **parabrisas**   windshield   *19*

el **parachoques**   fender   *19*

   parar   to stop   *12*

   pardo, –a   brown   *11*

el **pariente**   relative   *9*

el **parque**   park   *LCO*

la **parte**   part   *10*

   **por todas
   partes**   everywhere
   16

   particular   private,
   particular   *8*

   la casa particular
   private house   *8*

el **partido**   game (sports)   *12*

la **parrilla**   grill, broiler   *21*

   asar a la parrilla   to
   broil, to barbecue   *21*

   pasado, -a   past   *17*

   el año pasado   last year
   17

   la semana pasada   last
   week   *17*

el, la **pasajero, -a**   passenger   *15*

el **pasaporte**   passport   *14*

   pasar   to spend, to pass
   (time)   *LCO*; to happen, to
   occur   *19*

   pasar hambre   to feel
   hungry   *LCO*

   pasar por   to go through
   15

   pasarlo bien   to have a
   good time   *17*

   ¿qué te pasa?   what's
   the matter (with you)?
   18

el **paseo**   walk, stroll   *8*

   dar un paseo   to take a
   walk, to stroll   *LCO*

el **pastel**   pastry   *7*

la **pastelería**   pastry shop   *7*

la **pata**   foot (of an animal)
   18

   meterse la pata   to put
   one's foot in it   *18*

   paterno, -a   paternal   *9*

el **patio**   patio   *12;* orchestra
   (section of a theater)   *18*

el **peatón**   pedestrian   *LCO*

el **pedacito**   small piece
   LCO

el **pedazo**   piece   *20*

   pedir (i)   to ask for   *22*

   peinarse   to comb one's
   hair   *14*

la **película**   film   *8*

el **pelo**   hair   *10*

   **tomarle el pelo (a
   uno)**   to pull someone's
   leg   *18*

la **pena**   pain, grief   *10*

   ¡qué pena!   what a pity!
   10

la **península**   peninsula   *21*

el **pensamiento**   thought
   20

   pensar (ie)   to think   *LCO*

   pequeño, -a   small   *3*

   perder (ie)   to lose   *12*

   perdón   pardon, excuse me
   7

el **periódico**   newspaper   *8*

la **perla**   pearl   *11*

el **permiso**   permission   *19*

   **el permiso de
   conducir**   driver's
   license   *19*

   pero   but   *1*

   ¡pero, cuidado!   but be
   careful!   *1*

la **persona**   person   *2*

el **personaje**   character (in a
   book)   *20*

el **perrito**   little dog, puppy
   9

el **perro**   dog   *9*

la **pesca**   fishing, catch   *14*

   ir de pesca   to go fishing
   14

la **pescadería**   fish store, fish
   market   *7*

el **pescado**   fish   *7*

   pescar   to fish, to catch   *14*

la **peseta** peseta, monetary unit of Spain *LCO*
el **peso** peso, monetary unit of several Latin American countries *7*
picante spicy *21*
el **pícaro** rogue *LCO*
el **pico** peak *LCO*
el **pie** foot *10*
  a pie on foot *LCO*
  al pie de at the foot of *LCO*
la **piedra** stone *LCO*
la **pierna** leg *10*
el, la **piloto, -a** pilot *15*
la **pimienta** pepper (spice) *21*
el **pimiento** pepper *21*
el, la **pintor, -ra** painter *13*
el **piso** floor, story (of a building), apartment *8*
la **pista** runway *15;* slope *16*
la **plancha** board, plank *17*
  la plancha de deslizamiento surfboard *17*
  la plancha de vela sailboard *17*
la **planta** floor *8*
  la planta baja ground floor *8*
el **plátano** banana *21*
el **platillo** small plate *LCO*
el **plato** plate, dish *21*
la **playa** beach *17*
la **plaza** public square *LCO*
  la plaza de toros bullring *LCO*
plegable folding *14*
  la silla plegable folding chair *14*
pobre poor *10*
la **pobreza** poverty *LCO*
poco little, few *LCO*
  dentro de poco in a little while *15*
poder (ue) to be able *12*
la **poesía** poetry *20*
la **policía** police force *LCO*
político, -a political *LCO*
el **polvo** powder; dust *7*
  el jabón en polvo soap powder, powdered soap *7*
el **pollo** chicken *21*
poner to put, to place *13*

poner en marcha to start *19*
poner las direccionales to put on the directional signals *19*
poner los frenos to put on the brakes *19*
ponerse to put on (oneself) *14*
popular popular *2*
poquito a little bit *18*
por for *6*
  por coincidencia coincidentally *LCO*
  por consiguiente consequently *8*
  por ejemplo for example *6*
  por favor please *D*
  por la mañana in the morning *7*
  por lo general generally *8*
  ¿por qué? why? *7*
  ¡por supuesto! of course! *5*
  por teléfono on the phone *6*
  por todas partes everywhere *16*
porque because *LCO*
porteño, -a of or from Buenos Aires *LCO*
la **portería** gate, goal area *12*
el, la **portero, -a** goalie *12*
portugués, -esa Portuguese *10*
posible possible *5*
  lo más pronto posible as soon as possible *17*
postal postal *4*
  la tarjeta postal postcard *4*
el **precio** price *7*
preferir (ie) to prefer *12*
la **pregunta** question *24*
preguntar to ask a question *LCO*
preparar to prepare *6*
presentar to present *18*
la **primaria** elementary school *6*
primario, -a primary, elementary *2*

la **primavera** spring *G*
primero, -a first *E*
  el primer tiempo first half (sports) *12*
el, la **primo, -a** cousin *9*
principal main *22*
el, la **principiante** beginner, novice *16*
la **prisa** rush *20*
  a toda prisa at full speed, very quickly *20*
la **prisión** prison *LCO*
privado, -a private *2*
probablemente probably *10*
el **problema** problem *LCO*
producir to produce *LCO, 15*
el **producto** product *7*
el, la **profesor, -ra** teacher, professor *5*
la **promesa** promise *LCO*
prometer to promise *LCO*
pronto soon *LCO, 17*
  hasta pronto see you soon *B*
  lo más pronto posible as soon as possible *17*
la **propina** tip *18*
el **propósito** purpose *15*
  a propósito by the way *15*
el, la **protagonista** protagonist *20*
próximo, -a next *13*
público, -a public *2*
el **pueblo** town *8*
el **puente** bridge *LCO*
la **puerta** door, gate *15*
  la puerta de salida departure-gate *15*
puertorriqueño, -a Puerto Rican *10*
pues well . . . then *3*
el **puesto** stand, stall (market) *LCO*
puro, -a pure *LCO*

Q

¡qué! what!; how! *1*
  no hay de qué you're welcome *D*

¡qué lástima! what a pity! *10*

¡qué pena! what a shame! *10*

¡qué suerte! what luck! *1*

¿qué? what? *4*

¿qué tal? how are things? *A*

¿qué tiempo hace? what is the weather? *G*

quedar to remain *12*

querer (ie) to want *12*

querido, -a dear *4*

el queso cheese *LCO, 21*

¿quién? who? *1*

¿de quién? whose? *4*

la química chemistry *5*

quince fifteen *C*

la quinceañera the fifteen-year old (girl) *11*

quinientos five hundred *C*

quitar to remove, to take away *14*

R

el racimo branch *LCO*

el radiador radiator *19*

rápido quickly, fast *16*

raro, -a rare, unusual *22*

el rato while, short time *LCO*

la raya stripe, line *11*

la razón reason *19*

tener razón to be right *LCO*

el, la realista realist *20*

la recámara bedroom *23*

recibir to receive *8*

recién recently, newly *10*

recién llegado newcomer *10*

recomendar (ie) to recommend *LCO*

el redondel bullring *LCO*

reflejar to reflect *9*

el refresco refreshment *LCO*

el refugio refuge, asylum *LCO*

el regalo gift *11*

regatear to bargain *LCO*

el regateo bargaining *LCO*

la región region *LCO*

la regla rule *22*

rellenar to fill *21*

remar to row *LCO*

remoto, -a remote *LCO*

reparar to repair *19*

repetir (i) to repeat *22*

representar to represent *LCO*

la res head of cattle *21*

la carne de res beef *21*

respirar to breathe *LCO*

la respuesta answer *24*

el restaurante restaurant *D*

el resultado result *LCO*

resultar to result, to prove to be *18*

la reunión meeting *24*

revisar to check *19*

revisar el aceite to check the oil *19*

la revista magazine *8*

revolver (ue) to turn, to move around *20*

rico, -a rich *LCO*

el rincón corner (of a room) *LCO*

el río river *LCO*

robar to rob, to steal *LCO*

rodar (ue) to shoot film *LCO;* to roll *16*

rodar (por) to roll over (around), to tumble down *16*

la rodilla knee *10*

rojo, -a red *11*

el rollo roll *7*

romper to break *LCO, 16*

la ropa clothing, clothes *11*

la tienda de ropa para caballeros men's clothing store *11*

rubio, -a blond(e) *1*

el ruido noise *LCO, 22*

la ruina ruin *LCO*

la ruta route *15*

la ruta aérea airline route *15*

S

sábado Saturday *E*

saber to know (a fact) *15*

saber de memoria to know by heart *24*

sabio, -a wise *20*

sacar to get (a grade); to pull out, to take out *5*

el saco sack, bag *14*

el saco de dormir sleeping bag *14*

la sal salt *21*

la sala living room *6*

la sala de espera waiting room *13*

la salchicha sausage *21*

la salida departure *15*

la puerta de salida departure gate *15*

salir to leave *24*

salir el sol to rise (sun) *13*

la salsa sauce *21*

la salud health *7*

saludar to greet *17*

el saludo greeting *A*

salvadoreño, -a Salvadoran, of or from El Salvador *10*

la sangre blood *LCO*

el, la santo, -a saint *LCO*

la sardina sardine *LCO*

la sartén frying pan *21*

se himself, herself, themselves, yourself, yourselves *14*

la sección section *15*

la sección de no fumar no-smoking section *15*

el secreto secret *24*

secundario, -a secondary *1*

la sed thirst *14*

tener sed to be thirsty *14*

seguir (i) to follow *20*

segundo, -a second *8*

el segundo tiempo second half (sports) *12*

la seguridad safety, security *15*

el control de seguridad security check *15*

seis six *C*

seiscientos six hundred *C*

el semáforo traffic light *19*

la semana week *14*

el fin de semana weekend *14*

la semana pasada last week *17*

el semestre semester *5*

sencillo, -a simple *13*

el billete sencillo one-way ticket *13*

sentarse (ie) to sit down *14*

el señor sir, Mr., gentleman *A*

la señora Ms., Mrs., madam *A*

la señorita Miss, Ms. *A*

separado, -a separate *22*

septiembre September *E*

ser to be *2*

la serenata serenade *LCO*

serio, -a serious *2*

el servicio service *18*

servir (i) to serve *22*

sesenta sixty *C*

setecientos seven hundred *C*

setenta seventy *C*

sí yes *1*

¡claro que sí! of course! *5*

siempre always *LCO*

siete seven *C*

el siglo century *LCO*

siguiente following *LCO*

la silla chair *14*

la silla plegable folding chair *14*

simpático, -a nice *2*

simple simple *20*

sin without *LCO*

sin duda without a doubt *24*

sin escala non-stop *15*

sin par without equal, unmatched *20*

la sinagoga synagogue *13*

sincero, -a sincere *2*

el sistema system *24*

el sistema escolar school system *24*

situar to be situated, to be located *LCO*

sobre on, above *9*

sobre todo especially, above all *9*

la sobrina niece *9*

el sobrino nephew *9*

social social *LCO, 24*

la sociedad society *9*

socorrer to help *20*

el socorro aid, help *20*

el sofá sofa *LCO*

el sol sun *G*

los anteojos de sol sunglasses *17*

hacer sol to be sunny (weather) *G*

salir el sol to rise (sun) *13*

solamente only *9*

solemne solemn *LCO*

soler (ue) to be in the habit of, to be accustomed to *18*

solo, -a alone *18*

el sombrero hat *11*

la sombrilla parasol, beach umbrella *17*

la sonrisa smile *LCO*

la sopa soup *8*

el soroche altitude sickness *LCO*

sorprender to surprise *19*

la sorpresa surprise *15*

su his, her, their, your *9*

subir (a) to get on, to board *13*; to climb, to go up *16*

el subsuelo basement *LCO*

subterráneo, -a underground *LCO*

el suburbio suburb *8*

el sucursal branch office *LCO*

sudamericano, -a South American *LCO*

el sudoeste southwest *10*

el suelo ground, floor *LCO, 20*

el sueño sleep *14*

tener sueño to be sleepy *14*

la suerte luck *1*

¡buena suerte! good luck! *16*

¡qué suerte! what luck! *16*

tener suerte to be lucky *LCO*

el suéter sweater *11*

sufrir to suffer *LCO*

el supermercado supermarket *7*

el sur south *10*

T

la taberna tavern *LCO*

el tablero board *12*

el tablero indicador scoreboard *12*

el taco taco (filled and fried tortilla) *D, 21*

el tacón heel *11*

de tacón alto high-heeled *11*

tal such *A*

¿qué tal? how are things? *A*

el talón check, ticket *15*

la talla size (clothing) *11*

también also *1*

tampoco either *16*

tan so *LCO*

el tanque tank *19*

el tanque de gasolina gasoline tank *19*

tanto, -a so much *LCO*

el tanto score *12*

meter (marcar) un tanto to score *12*

la tapa hors d'oeuvre *LCO*

la taquilla ticket window *18*

tarde late *6*

más tarde later *13*

la tarde afternoon *F*

ayer por la tarde yesterday afternoon *17*

buenas tardes good afternoon *A*

de la tarde P.M. *F*

por la tarde in the afternoon *15*

la tarea work, task *24*

la tarjeta card *4*

la tarjeta de embarque boarding pass (card) *15*

la tarjeta postal postcard *4*

el taxi taxi *13*

el, la taxista taxi driver *LCO*

te you, to you, for you *17*

el té tea *LCO*

el teatro theater *18*

el techo roof *LCO*

el teléfono telephone *6*

el telesquí ski lift *16*

la televisión television *6*

temprano early *LCO*

English-Spanish Vocabulary

A

a un, uno, -a *1*
able: to be able poder (ue) *12*
about a eso de *8*
above sobre *9*
  above all sobre todo *9*
to accelerate acelerar *19*
accelerator el acelerador *19*
to accept aceptar *24*
accident el accidente *LCO*
to accompany acompañar *LCO*
accustomed: to be
  accustomed to soler (ue)
  18
ache el dolor *10*
  headache el dolor de
  cabeza *10*
to add añadir *21*
to admit admitir *LCO*
adorable adorable *9*
adventure la aventura *20*
adventurer el aventurero *20*
advice el consejo *20*
affection el cariño *4*
after después (de) *6*
afternoon la tarde *6*
  good afternoon buenas
  tardes *A*
  in the afternoon por la
  tarde *15*
again otra vez *LCO*; de
  nuevo *16*
age la edad *9*
aid el socorro *20*
air el aire *LCO, 19*
airline la línea aérea *15*
  airline route la ruta aérea
  15
algebra el álgebra *F*
all todo, -a *5*
  all day todo el día *6*
  above all sobre todo *9*
almost casi *7*
alone solo, -a *18*
already ya *12*
also también *1*
always siempre *LCO*
American americano, -a *1*
amusing divertido, -a *2*
ancient antiguo, -a *LCO, 13*
and y *A*

Andalucía (of or from)
  andaluz, -za *LCO*
animal el animal *LCO*
anonymous anónimo, -a
  LCO
another otro, -a *7*
answer la respuesta *24*
apartment el apartamento *8*
appetizer el entremés *LCO,
  22*
to approach acercarse *LCO*
April abril *E*
Arabic árabe *13*
architecture la arquitectura
  10
Argentinean argentino, -a *5*
aristocratic aristocrático, -a
  LCO
arrival la llegada *10*
to arrive llegar *6*
art el arte *5*
artichoke la alcachofa *21*
as como *5*
  as soon as en cuanto *LCO*
to ask (a question) preguntar
  LCO
  to ask for pedir (i) *22*
ass el asno *20*
asylum el refugio *LCO*
at a *7*
  at full speed a toda prisa
  20
  at home en casa *8*
athletic atlético, -a *3*
attack el ataque *20*
to attack atacar *20*
to attend asistir *8*
attention la atención *22*
August agosto *E*
aunt la tía *9*
author el autor *20*
autumn el otoño *G*
avenue la avenida *8*
to awaken despertar (ie) *LCO*

B

baby el bebé *9*
bad malo, -a *5*
  to be bad weather hacer
  mal tiempo *G*
bag el saco *14*
  sleeping bag el saco de
  dormir *14*

baker el panadero *7*
bakery la panadería *7*
ball el balón, la pelota *12*
banana el plátano *21*
  fried banana el tostón *17*
bandage la venda *LCO*
to barbecue asar a la parrilla
  21
to bargain regatear *LCO*
bargaining el regateo *LCO*
to bark ladrar *LCO*
baseball el béisbol *12*
basement el subsuelo *LCO*
basis la base *21*
basket la cesta *LCO*; la
  canasta *LCO*
bath el baño *14*
bathroom el cuarto de baño
  14
battery la batería *19*
to be ser *2*; estar *7*
  to be able poder (ue) *12*
  to be accustomed to
  soler (ue) *18*
  to be bad weather hacer
  mal tiempo *G*
  to be born nacer *LCO*
  to be cold (weather) hacer
  frío *G*
  to be cool (weather) hacer
  fresco *G*
  to be hot (weather) hacer
  calor *G*
  to be lucky tener suerte
  LCO
  to be nice (weather) hacer
  buen tiempo *G*
  to be successful tener
  éxito *LCO*
  to be sunny (weather)
  hacer sol *G*
  to be windy hacer viento
  G
  to be ... years old tener
  ... años *9*
beach la playa *17*
  beach umbrella la
  sombrilla *17*
bean el frijol *21*
  kidney bean la habichuela
  7
  string bean el ejote, la
  habichuela tierna, la judía
  verde *23*

beast la bestia *LCO*
because porque *13*
bed la cama *10*
  to go to bed acostarse *14*
bedroom el cuarto de dormir, el dormitorio, la recámara *23*
beef el bife *LCO*; la carne de res *21*
  barbecued beef el churrasco *21*
before antes (de) *10*
to begin comenzar (ie) *12*; empezar (ie) *12*
beginner el, la principiante *16*
bellhop el mozo *13*
to bend doblar *19*
  to bend (over) inclinar *LCO*
besides además *3*
between entre *24*
big grande *3*
bill la cuenta *22*
biology la biología *F*
birth el nacimiento *LCO*
birthday el cumpleaños *11*
black negro, -a *11*
blanket la frisa, la manta, la frazada *23*
blind person el, la ciego, -a *LCO*
blond(e) rubio, -a *1*
blood la sangre *LCO*
blouse la blusa *11*
to blow (the horn) tocar la bocina *19*
blue azul *11*
board la plancha *17*; el tablero *12*
  sailboard la plancha de vela *17*
  scoreboard el tablero indicador *12*
  surfboard la plancha de deslizamiento *17*
to board subir a *13*
boarding pass la tarjeta de embarque *15*
boat (small) el barquito *LCO*
body el cuerpo *LCO*
to boil hervir (ie) *21*
book el libro *8*
bootblack el limpiabotas *LCO*

boring aburrido, -a *2*
born: to be born nacer *LCO*
bottle la botella *7*
box la caja *7*
boy el chico *LCO*; el muchacho *1*
brake el freno *19*
brake: to put on the brakes poner los frenos *19*
branch el racimo *LCO*
  branch office el sucursal *LCO*
bread el pan *7*
  bread roll el panecillo *LCO*
to break romper *16, LCO*
breakfast el desayuno *8*
to breathe respirar *LCO*
bridge el puente *LCO*
to bring traer *13*
to broil asar a la parrilla *21*
broiler la parrilla *21*
brook el arroyo *14*
brother el hermano *3*
brown castaño, -a; de color café; marrón, -ona; moreno, -a; pardo, -a *11*
brunet(te) moreno, -a *1*
to brush cepillar *14*
building el edificio *8*
bullfight la corrida *LCO*
bullfighter el matador *LCO*; el torero *LCO*
bullring la plaza de toros *LCO*; el redondel *LCO*
burial el entierro *13*
buried enterrado, -a *LCO*
bus la guagua, el autobús, el camión *23*
but pero *1*
  but be careful! ¡pero, cuidado! *1*
butcher shop la carnicería *7*
to buy comprar *7*
buyer el, la comprador, -ra *19*

C

café el café *8*
cafeteria la cafetería *8*
calculus el cálculo *5*
to call llamar *14*
  to call oneself llamarse *14*
camper el camper *14*

camping el camping *14*
  camping tent la tienda de campaña *14*
  camping trip la excursión de camping *14*
can la lata *7*
Canadian canadiense *10*
canned enlatado, -a *7*
  canned foods alimentos enlatados *7*
capacity la capacidad *8*
capital la capital *8, LCO*
car el carro *23;* el coche *14*
  by car en coche *14*
carburetor el carburador *19*
card la tarjeta *4*
  postcard la tarjeta postal *4*
care: to take care of cuidar de *LCO, 19*
career la carrera *22*
to carry llevar *LCO, 19*
  cash register la caja *7*
cat el, la gato, -a *9*
category la categoría *20*
cathedral la catedral *13*
cattle el ganado *21*
cave la cueva *LCO*
celebration la celebración *LCO*
center el centro *LCO*
century el siglo *LCO*
certain cierto, -a *LCO*
chair la silla *14*
  folding chair la silla plegable *14*
to change cambiar *9*
character (in a book) el personaje *20*
check la cuenta *22*
to check revisar *19*
  to check the oil revisar el aceite *19*
cheese el queso *LCO, 21*
chemistry la química *5*
chicken el pollo *21*
child el, la niño, -a *LCO*
  children los niños *LCO*
chop la chuleta *7*
  pork chop la chuleta de cerdo *7*
Christmas la Navidad *24*
citizen el, la ciudadano, -a *10*
city la ciudad *8*
civic cívico, -a *5*

to **earn** ganar *12*
east el este *10*
easy fácil *4*
to **eat** comer *8*
economical económico, -a *22*
education la educación *F*
  physical education la
    educación física *5*
eight ocho *C*
  eight hundred ochocientos
    C
eighteen dieciocho *C*
eighty ochenta *C*
either tampoco *16*
elegant elegante *LCO*
eleven once *C*
employee el, la empleado, -a
  7
enchilada la enchilada *D,*
  21
end el fin *9*
to **end** terminar *6, 24*
to **end up** resultar *18*
enemy el, la enemigo, -a *20*
engineer el, la ingeniero, -a
  LCO
English el inglés *F*
to **enjoy oneself** divertirse (ie)
  14
enormous enorme *19*
enough bastante *4*
to **enter** entrar *12*
entire entero, -a *20*
environs las afueras *8*
episode el episodio *20*
especially sobre todo *9*
esteemed estimado, -a *20*
even hasta *B*
ever jamás *20*
everyone todos, -as *2*
everything todo, -a *5*
everywhere por todas partes
  16
evil el mal *20*
examination el examen *19*
example el ejemplo *6;* el
  modelo *10*
  for example por ejemplo *6*
excellent excelente *7*
exception la excepción *12*
excuse me perdón *7*
expedition la expedición *20*
expensive caro, -a *7*
to **explain** explicar *LCO*
expression la expresión
  LCO
to **extend** extender (ie) *LCO*

extensive extenso, -a *21*
eye el ojo *LCO, 10*

F

face la cara *LCO*
facility la facilidad *8*
fact el hecho *24*
factory la fábrica *19*
faculty la facultad *8*
faithful fiel *20*
to **fall** caer, caerse *LCO*
family la familia *8*
famous conocido, -a *20;*
  famoso, -a *LCO*
fantastic fantástico, -a *2*
far lejos *LCO, 21*
farewell la despedida *B*
farm la finca *LCO*
fast rápido, -a *LCO, 16*
fat gordo, -a *20*
father el padre *9*
favor el favor *D*
favorite favorito, -a *5*
February febrero *E*
fender el parachoques *19*
fever la fiebre *10*
few poco, -a *LCO*
fiancé el novio *1*
fiancée la novia *1*
fictitious ficticio, -a *LCO*
field el campo *8*
  soccer field el campo de
    fútbol *12*
fifteen quince *C*
  fifteen-year old (girl) la
    quinceañera *11*
fifty cincuenta *C*
to **fight bulls** torear *LCO*
to **fill** llenar *19;* rellenar *21*
film la película *8*
to **film** rodar (ue) *LCO*
finally en fin *9*
to **finish** acabarse *LCO*
first primero, -a *E*
  first half (of a game) el
    primer tiempo *12*
fish el pescado *7*
  fish store (market) la
    pescadería *7*
to **fish** pescar *14*
fishing la pesca *14*
  to go fishing ir de pesca
    14
five cinco *C*

five hundred quinientos
  C
fixed fijo, -a *LCO*
flamenco el flamenco *LCO*
flight el vuelo *15*
  flight attendant el, la
    asistente, -a de vuelo *15*
floor (of a building) el piso
  8; la planta *8;* **(of a room)**
  el suelo *LCO*
  ground floor la planta baja
    8
to **fly** volar (ue) *15*
fog la llovizna *LCO*
to **fold** doblar *19*
folding plegable *14*
  folding chair la silla
    plegable *14*
to **follow** seguir (i) *20*
following siguiente *LCO*
fond (of) aficionado, -a (a) *3*
food el alimento *7*
  canned foods los alimentos
    enlatados *7*
foolish tonto, -a *1*
foolishness la tontería *20*
foot el pie (*human*) *12;* la
  pata (*animal*) *18*
  at the foot of al pie de
    LCO
  on foot a pie *LCO*
  to put one's foot in one's
    mouth meterse la pata
    18
for por *6;* para *4*
  for example por ejemplo *6*
  for that reason por eso *10*
forest el bosque *14*
to **forget** olvidar *LCO*
fortress el alcázar *13*
forty cuarenta *C*
four cuatro *C*
  four hundred cuatrocientos
    C
fourteen catorce *C*
fowl el ave *21*
French francés, -esa *5*
frequency la frecuencia
  LCO, 19
frequently con frecuencia
  LCO, 19; frecuentemente *21*
Friday viernes *E*
fried frito, -a *22*
  fried banana el tostón *17*
  fried potatoes las papas
    fritas *22*
friend el, la amigo, -a *B*

from de *2*
front: in front of delante de *LCO;* enfrente de *13*
fruit la fruta *7*
   fruit store la frutería *7*
to fry freír *21*
   frying pan la sartén *21*
to fulfill cumplir *11*
funny divertido, -a *2*
fury la furia *20*

G

game el partido *12*
garage el garaje *19*
garlic el ajo *21*
gasoline la gasolina *19*
   gas station la gasolinera *6*
   gas tank el tanque de gasolina *19*
gate la puerta *15*
   departure gate la puerta de salida *15*
gearshift lever la palanca *19*
generality la generalidad *8*
generally generalmente *21;* por lo general *8*
generous generoso, -a *4, LCO*
gentleman el señor *A;* el caballero *11*
geometry la geometría *5*
German alemán, -ana *10*
gesture el gesto *22*
get: to get a grade sacar una nota *5*
   to get married casarse con *LCO*
   to get off bajar de *13*
   to get on subir a *13*
   to get up levantarse *14*
giant el, la gigante *20*
gift el regalo *11*
girl la chica *1;* la muchacha *1*
to give dar *7*
   glass el vaso *14*
      glass of wine el chato *LCO*
   glasses (eye) los anteojos *17*
      sunglasses los anteojos de sol *17*
   glove compartment la guantera *19*
to go ir *7;* dirigirse *LCO*

to be going to ir a *11*
to go around andar por *19*
to go fishing ir de pesca *14*
to go shopping ir de compras *7*
to go snorkeling bucear *17*
to go through pasar por *15*
to go to bed acostarse *14*
to go up subir *16*
to go windsurfing montar la plancha de vela *17*
goal el gol *12*
   goal area la portería *12*
goalie el, la portero, -a *12*
goddaughter la ahijada *11*
godfather el padrino *9*
godparents los padrinos *9*
godson el ahijado *11*
good bueno, -a *A*
   good afternoon buenas tardes *A*
   good luck! ¡buena suerte! *16*
   good morning buenos días *A*
   good night buenas noches *A*
good-bye hasta la vista, adiós *B*
grammar la gramática *9*
granddaughter la nieta *9*
grandfather el abuelo *9*
grandmother la abuela *9*
grandparents los abuelos *9*
grandson el nieto *9*
grape la uva *LCO*
gray gris *11*
green verde *11*
to greet saludar *17*
greeting el saludo *A*
grief la pena *10*
grill la parrilla *21*
grippe la gripe *10*
grocery store la bodega, la tienda de abarrotes, la tienda de ultramarinos *23*
ground el suelo *LCO, 20*
group el grupo *10*
to grow crecer *LCO*
guardrail el antepecho *24*
Guatemalan guatemalteco, -a *10*
guest el, la invitado, -a *11*

guitar la guitarra *5*
gymnasium el gimnasio *12*

H

hair el pelo *18*
hake la merluza *21*
half medio, -a *7*
   first half (sports) el primer tiempo *12*
   second half el segundo tiempo *12*
ham el jamón *LCO*
hammock la hamaca *14*
hand la mano *12*
handsome guapo, -a *2*
to happen pasar *19*
happiness la alegría *LCO*
happy contento *10;* feliz *LCO*
hard duro, -a *6*
to harm dañar *19*
hat el sombrero *11*
to have tener (ie) *9*
   to have a good time divertirse *14;* pasarlo bien *LCO*
   to have to tener que *9*
he él *1*
head la cabeza *10*
   headache el dolor de cabeza *10*
to head for dirigirse a *LCO*
health la salud *7*
to hear oír *23*
heat el calor *G*
heel el tacón *11*
   high-heeled de tacón alto *11*
hello hola, buenos días *A*
help la ayuda *LCO;* el socorro *20*
to help socorrer *20*
her la *16;* le *18;* su *14*
here aquí *9*
herself se *14*
high alto, -a *1*
   high-heeled de tacón alto *11*
high school el colegio *1*
hill la colina *LCO*
him le *18;* lo *16*
himself se *14*
his su *9*
Hispanic hispánico, -a *6;* hispano, -a *10*
history la historia *F*

home la casa *6*
  at home a casa *6*; en casa *8*
honk (the horn) tocar la bocina *19*
honor el honor *11*
hood (of a car) el capó *19*
hope esperar *LCO*
horn la bocina *19*
hors d'oeuvre la tapa *LCO*
horse el caballo *20*
hospital el hospital *10, LCO*
hot caliente *19*
  to be hot (weather) hacer calor *G*
hotel el hotel *LCO, 13*
hour la hora *F*
house la casa *6*
  private house la casa particular *8*
how? ¿cómo? *1*
  how are things? ¿qué tal? *A*
  how much? ¿cuánto? *D*
humble humilde *LCO*
humor el humor *10*
hundred cien, ciento *C*
hunger el hambre *LCO*
hungry: to be hungry tener hambre *14*
  to feel hungry pasar hambre *LCO*
hurt herido, -a *20*
to hurt dañar *19*
husband el marido *9*

I

I yo *2*
ice cream el helado *8*
idea la idea *LCO*
ideal el ideal *20*
idealist el, la idealista *20*
idol el ídolo *LCO*
illusion la ilusión *LCO*
imagine imaginar *19*
imagined imaginado, -a *20*
immediate inmediato, -a *15*
immediately en seguida *14*
immigration la inmigración *15*
import importar *19*
importance la importancia *9*
important importante *8, LCO*
imported importado, -a *19*

impossible imposible *LCO*
impressed impresionado, -a *13*
in en *1*
  in a little while dentro de poco *15*
  in-between intermedio, -a *15*
  in front of delante de, enfrente de *13*
  in order en orden *15*
  in order to para *4*
  in the afternoon por la tarde *15*
Inca el, la inca *LCO*
Incan incaico, -a *LCO*
included incluído, -a *18*
incredible increíble *24*
independence la independencia *E*
Indian el, la indio, -a *LCO*
to indicate indicar *12*
influence la influencia *10*
inn el mesón *LCO*; la venta *LCO*
to insist insistir *LCO*
instant el instante *20*
intelligent inteligente *2*
interest el interés *LCO*
interesting interesante *2*
international internacional *10*
intersection el cruce *19*
invasion la invasión *LCO*
to invite invitar *11*
Irish irlandés, -esa *10*
island la isla *17*
it la, lo *16*
Italian italiano, -a *10*

J

jacket la chaqueta *11*
jail la cárcel *LCO*
jalopy el cacharro *19*
January enero *E*
jar el jarro *LCO*
juice el jugo, el zumo *23*
  orange juice el jugo de china, el jugo de naranja, el zumo de naranja *23*
July julio *E*

K

to keep mantener *9*
kilogram el kilo(gramo) *7*
kilometer el kilómetro *15*

kindly favor de *19*
kiss el beso *LCO*
to kiss besar *17*
kitchen la cocina *6*
knapsack la mochila *14*
knight-errant el caballero andante *20*
to know (a fact) saber *15*, **(to be acquainted with)** conocer *15*
  to know by heart saber de memoria *24*

L

lack la falta *LCO*
lady la dama *20*; la señora *A*
lake el lago *LCO*
lamb el cordero *21*
lamplight el farol *LCO*
language el idioma *10*; la lengua *LCO*
large grande *3*
last último, -a *12*
  last year el año pasado *17*
  last name el apellido *9*
late tarde *6*
later más tarde *13*
Latin el latín *5*
Latin American latinoamericano, -a *LCO*
to learn aprender *8*
to leave dejar *20*; salir *13*
left la izquierda *19*
leg la pierna *16*
lemonade la limonada *D*
lesson la lección *17*
letter la carta *8*
lettuce la lechuga *7*
license: driver's license el permiso de conducir *19*
life la vida *11*
light la luz *19*
light (not heavy) ligero, -a *8*
to light encender (ie) *LCO*
like como *5*
to like gustar(le) (a uno) *21*
line la línea *15*
  to form a line hacer cola *15*
to listen to escuchar *6*
  listen! ¡oye! *2*
literature la literatura *LCO*
little poco *LCO*
  a little bit un poquito *18*
  in a little while dentro de poco *15*

to live vivir *8*
  living room la sala *6*
  lobster la langosta *21*
  located: to be located situar *LCO*
long largo, -a *11*
to look at mirar *6*
to look for buscar *LCO*
to lose perder (ie) *12*
  luck la suerte *1*
    good luck! ¡buena suerte! *1*
    what luck! ¡qué suerte! *1*
  lucky: to be lucky tener suerte *LCO*
  luggage el equipaje *13*
  lunch el almuerzo *8*

M

Madrid (of or from) madrileño, -a *LCO*
magazine la revista *8*
magnificent magnífico, -a *LCO*
main principal *22*
majority la mayoría *8*
to make hacer *G*
  to make (films) rodar (ue) *LCO*
March marzo *E*
mark (school) la nota *5*
market el mercado *7*
  outdoor market el mercado al aire libre *LCO*
marriage el matrimonio *9*
to marry casar *LCO*
  to get married casarse con *LCO*
marvel la maravilla *LCO*
marvelous maravilloso, -a *23*
mask la máscara *LCO*
  oxygen mask la máscara de oxígeno *LCO*
maté el mate *LCO*
mathematics las matemáticas *5*
to matter importar *16*
  it doesn't matter no importa *16*
  what's the matter? ¿qué te pasa? *18*
May mayo *E*
me me *17;* mí *1*
meal la comida *8*

meat la carne *7*
  meat market la carnicería *7*
mechanic el mecánico *19*
medicine la medicina *LCO*
medium medio, -a *7*
  medium (cooked) término medio *22*
meeting la reunión *24*
melancholic melancólico, -a *LCO*
member el, la miembro, -a *9*
menu el menú *D, 22*
mercy la merced *20*
  Your Mercy (Grace) Vuestra Merced *20*
mestizo el mestizo *LCO*
meter el metro *15*
Mexican mexicano, -a *1*
middle medio, -a *7*
milk la leche *7*
mill el molino *20*
  windmill el molino de viento *20*
million el millón *10*
millionaire el, la millonario, -a *LCO*
mine la mina *LCO*
mineral mineral *7*
  mineral water el agua mineral *7*
minstrel el tuno *LCO*
minute el minuto *12*
mirror el espejo *14*
Miss la señorita *A*
mist la llovizna *LCO*
model el modelo *10*
modern moderno, -a *LCO*
mom la mamá *LCO*
moment el momento *15*
Monday lunes *E*
money el dinero *7*
monster el monstruo *20*
month el mes *LCO*
mood el humor *10*
  in a bad mood de mal humor *10*
  in a good mood de buen humor *10*
more más *7*
  more than más de *10*
moreover además *3*
morning la mañana *7*
  good morning (day) buenos días *A*

in the morning por la mañana *7*
  tomorrow morning mañana por la mañana *23*
mother la madre *9*
motor el motor *19*
to mount montar (a) *20*
mountain la montaña *LCO*
mouth la boca *LCO, 10*
Mr. el señor *A*
Mrs. la señora *A*
Ms. la señora, la señorita *A*
much mucho *5*
music la música *F*
mussel el mejillón *21*
my mi *9*
mysterious misterioso, -a *20*
mystery el misterio *20*

N

name el nombre *9*
  last name el apellido *9*
nation la nación *LCO*
nationality la nacionalidad *4*
nausea la náusea *LCO*
near cerca (de) *LCO*
necessary necesario, -a *19*
necklace el collar *11*
to need necesitar *7*
neighbor el, la vecino, -a *20*
neighborhood el barrio *LCO*
neither ... nor ni ... ni *LCO*
nephew el sobrino *9*
nervous nervioso, -a *10*
never nunca *16*
new nuevo, -a *10*
newcomer el, la recién llegado, -a *10*
newspaper el periódico *8*
next próximo, -a *13*
Nicaraguan nicaragüense *10*
nice simpático, -a *2*
  to be nice (weather) hacer buen tiempo *G*
night la noche *F*
  good night buenas noches *A*
  tomorrow night mañana por la noche *23*
  tonight esta noche *17*

nine nueve *C*
  nine hundred novecientos *C*
nineteen diecinueve *C*
ninety noventa *C*
no no *1*
noble noble *20*
nobody nadie *16*
noise el ruido *LCO, 22*
noon el mediodía *6*
  at noon al mediodía *6*
no one nadie *16*
north el norte *10*
North American norteamericano, -a *10*
northeast el nordeste *10*
not no *1*
note el apunte *5*
to **note** notar *LCO*
  notebook el cuaderno *5;* el bloc *23*
nothing nada *16*
novel la novela *20*
November noviembre *E*
novice el, la principiante *16*
now ahora *LCO;* ya *12*
number el número *11*
  flight number el número de vuelo *15*
  seat number el número del asiento *15*
nun la monja *LCO*

O

to **observe** observar *17*
to **occur** pasar *19*
  ocean el océano *LCO*
October octubre *E*
of de *2*
  of course! ¡claro!, ¡claro que sí!, ¡cómo no!, ¡por supuesto! *5*
office la consulta *10*
  doctor's office la consulta del médico *10*
oil el aceite *LCO, 19*
  olive oil el aceite de oliva *21*
  to check the oil revisar el aceite *19*
old antiguo, -a *LCO, 13;* viejo, -a *19*
olive la aceituna, la oliva *21*
  olive oil el aceite de oliva *21*

on sobre *9*
  on top of encima (de) *21*
one uno, -a *C*
  one hundred cien, ciento *C*
only solamente *9*
open abierto, -a *LCO*
to **operate** operar *LCO*
  operation la operación *LCO*
opinion la opinión *24*
opportunity la oportunidad *8*
opposite contrario, -a *LCO*
orange anaranjado, -a *11;* la naranja *23*
  orange juice el jugo de china, el jugo de naranja, el zumo de naranja *23*
orchestra (theater section) el patio *18*
order el orden *15*
  in order en orden *15*
  in order to para *4*
to **organize** organizar *17*
origin el origen *LCO, 10*
orphan el, la huérfano, -a *LCO*
other otro, -a *7*
our nuestro, -a, -os, -as *9*
outdoor al aire libre *LCO*
  outdoor market el mercado al aire libre *LCO*
outside afuera *8*
outskirts las afueras *8*
oven el horno *21*
owner el, la dueño, -a *19*
oxygen el oxígeno *LCO*
  oxygen mask la máscara de oxígeno *LCO*

P

to **pack (a suitcase)** hacer la maleta *13*
paella la paella *21*
pain el dolor *10*
painter el, la pintor, -ra *13*
painting el cuadro *13*
pair el par *14*
palace el palacio *13*
pancake el panqueque *21*
pants los pantalones *11*
paper el papel *7*
  toilet paper el papel higiénico *7*

parasol la sombrilla *17*
pardon perdón *7*
parents los padres *9*
park el parque *LCO*
part la parte *10*
party la fiesta *11*
passenger el, la pasajero, -a *13*
passport el pasaporte *15*
past pasado, -a *17*
pastry el pastel *7*
  pastry shop la pastelería *7*
paternal paterno *9*
patio el patio *18*
to **pay (for)** pagar *7*
to **pay attention (to)** hacer caso a *20*
pea el guisante *21*
peaceful tranquilo, -a *10*
peak el pico *LCO*
peanut el cacahuate, *23, LCO;* el cacahuete, el maní *23*
pearl la perla *11*
pedestrian el peatón *LCO*
pencil el lápiz *LCO*
peninsula la península *21*
people la gente *8*
pepper (vegetable) el pimiento *21;* **(spice)** la pimienta *21*
person la persona *2*
phenomenon el fenómeno *23*
physical education la educación física *5*
physics la física *5*
picture el cuadro *13;* el dibujo *9*
piece el pedazo *20*
  small piece el pedacito *LCO*
pig el cerdo *7;* el lechón *17*
  roast suckling pig el lechón asado *17*
pillow la almohada *LCO*
pilot el, la piloto, -a *15*
pity la lástima *10*
  what a pity! ¡qué lástima!; ¡qué pena! *10*
place el lugar *20*
to **place** meter *12;* poner *13*
plain (land) la pampa *LCO, 21*

plate el plato *21*
  small plate (saucer) el
    platillo *LCO*
platform el andén *13*
to play jugar (ue) *12*
  **to play (a musical
    instrument)** tocar *5*
player el, la jugador, -ra *12*
plaza la plaza *LCO*
pleasant agradable *14*
please favor de *19*; por favor
  D
pleasing: to be pleasing
  gustar *21*
poetry la poesía *20*
police (force) la policía *LCO*
political político -a *LCO*
poor pobre *10*
popular popular *2*
pork el cerdo *7*
  pork chops las chuletas de
    cerdo *7*
porter el, la mozo, -a *13*
portrait el cuadro *13*
Portuguese portugués, -esa
  10
possible posible *5*
  as soon as possible lo más
    pronto posible *17*
postal postal *4*
postcard la tarjeta postal *4*
pot la olla *21*
potato la papa *8*
  fried potatoes las papas
    fritas *22*
poverty la pobreza *LCO*
powder el polvo *7*
  soap powder el jabón en
    polvo *7*
to prefer preferir (ie) *12*
to prepare preparar *6*
to present presentar *18*
pretty bonito, -a *7*
price el precio *7*
primary primario, -a *2*
prison prisión *LCO*
private particular *8*;
  privado, -a *2*
  private house la casa
    particular *8*
probably probablemente *10*
problem el problema *LCO*
to produce producir *LCO, 19*
product el producto *7*
professor el, la profesor, -ra
  5
promenade el paseo *8*

promise la promesa *LCO*
to promise prometer *LCO*
protagonist el, la
  protagonista *20*
proud orgulloso, -a *10*
pub el mesón *LCO*
public público, -a *2*
Puerto Rican puertorriqueño,
  -a *10*
**pull: to pull someone's
  leg** tomarle el pelo (a uno)
  18
puppy el perrito *9*
pure puro, -a *LCO*
purple violeta *11*
purpose el propósito *15*
to put meter *12*; poner *13*
  to put on (clothing)
    ponerse *14*
  to put on the brakes poner
    los frenos *19*
  **to put on the directional
    signals** poner las
    direccionales *19*
  **to put one's foot in one's
    mouth** meterse la pata
    18

Q

quality la calidad *7*
quantity la cantidad *8*
question la cuestión *LCO*; la
  pregunta *24*
quickly rápido *16*

R

radiator el radiador *19*
railroad el ferrocarril *13*
  railroad station la estación
    de ferrocarril *13*
ranch la finca *LCO*
rare raro, -a *22*
rather bastante *4*
raw crudo, -a *22*
to read leer *8*
reading la lectura *20*
ready listo, -a *1*
real verdadero, -a *21*
realist el, la realista *20*
reason la razón *LCO, 19*
to receive recibir *8*
recently recién *10*
to recommend recomendar (ie)
  LCO
record el disco *6*

red rojo, -a *11*
to reflect reflejar *9*
refreshment el refresco
  LCO
refuge el refugio *LCO*
region la región *LCO*
relative el, la pariente *9*
to remain quedar *12*
remote remoto, -a *LCO*
to remove quitar *14*
to rent alquilar *LCO*
to repair reparar *19*
to repeat repetir (i) *22*
to represent representar *LCO*
to rest descansar *LCO*
  restaurant el restaurante *22*
  result el resultado *LCO*
to result in resultar *18*
to return volver (ue) *LCO, 12*
  rice el arroz *21*
  rich rico, -a *LCO*
to ride montar *20*
  right derecho *8, 19*
  right: to be right tener razón
    LCO
to rise (sun) salir el sol *13*
  river el río *LCO*
  road el camino *20, LCO*
to roast asar *21*
  roast suckling pig el
    lechón asado *17*
to rob robar *LCO*
  rogue el pícaro *LCO*
  roll el rollo *7*
to roll over (around) rodar (ue)
  por *16*
to roll up enrollarse *21*
  roof el techo *LCO*
  room el cuarto *14*
    bathroom el cuarto de baño
      14
    bedroom el cuarto de
      dormir, el dormitorio, la
      recámara *23*
    dining room el comedor *8*
    living room la sala *6*
    waiting room la sala de
      espera *13*
  route la ruta *15*
    airline route la ruta aérea
      15
to row remar *LCO*
  royal palace el alcázar *13*
  ruin la ruina *LCO*
  rule la regla *22*
  runway la pista *15*
  rush la prisa *20*

S

sack el saco *14*
sad triste *10*
safety la seguridad *15*
saffron el azafrán *21*
sail la vela *17*
  sailboard la plancha de
    vela *17*
saint el, la santo, -a *LCO*
salad la ensalada *8*
salt la sal *21*
**Salvadoran (of or from El
  Salvador)** salvadoreño, -a
  10
same mismo, -a *7*
sardine la sardina *LCO*
Saturday sábado *E*
sauce la salsa *21*
sausage la salchicha *21*
school la escuela *1*
  elementary school la
    primaria *6*
  school system el sistema
    escolar *24*
  secondary school el
    colegio *1*
science la ciencia *5*
score el tanto *12*
to score marcar, meter *12*
  to score a goal marcar
    (meter) un gol *12*
  to score a point marcar un
    tanto *12*
scoreboard el tablero
  indicador *12*
screen (movie) la pantalla
  18
sea el mar *17*
to search buscar *LCO*
seasoned condimentado, -a
  21
seasoning el condimento *21*
seat el asiento *15*
second segundo, -a *8*
  second half (of a game) el
    segundo tiempo *12*
secondary secundario, -a *1*
  secondary school el
    colegio *1*
secret el secreto *24*
section la sección *15*
  no-smoking section la
    sección de no fumar *15*
security la seguridad *15*
  security check el control
    de seguridad *15*

to see ver *8*
  see you later hasta luego
    B
  see you soon hasta pronto
    B
to sell vender *LCO*
semester el semestre *5*
sentence la oración *10*
separate separado, -a *22*
September septiembre *E*
serenade la serenata *LCO*
serious serio, -a *2*
to serve servir (i) *22*
service el servicio *18*
seven siete *C*
  seven hundred setecientos
    C
seventeen diecisiete *C*
seventy setenta *C*
shame la lástima *10*
  what a shame! ¡qué
    lástima! *10*
she ella *1*
shell la concha *21*
shellfish el marisco *21*
  shellfish market la
    marisquería *21*
shirt la camisa *11*
shoe el zapato *11*
  tennis shoes los zapatos de
    tenis *14*
to shop ir de compras *7*
short bajo, -a *1*; corto, -a *11*
shout el grito *LCO*
to shout gritar *LCO*
to show mostrar (ue) *15*
shrimp el camarón *21*
  shrimp cocktail el coctel
    de camarones *22*
sick enfermo, -a *7*
sight la vista *LCO*
simple sencillo, -a *13*; simple
  20
since desde *10*
sincere sincero, -a *2*
to sing cantar *5*
sir el señor *A*
sister la hermana *3*
to sit (down) sentarse (ie) *14*
  situate: to be situated situar
    LCO
six seis *C*
  six hundred seiscientos *C*
sixteen dieciséis *C*
sixty sesenta *C*

size (shoe) el número *11*;
  (clothing) la talla *11*
to ski esquiar *16*
ski el esquí *12*
  ski lift el telesquí *16*
skirt la falda *11*
sky el cielo *LCO*
sleep el sueño *14*
to sleep dormir (ue) *12*
  sleeping bag el saco de
    dormir *14*
  sleepy: to be sleepy tener
    sueño *14*
sleeve la manga *11*
slope (ski) la pista *16*
slowly despacio *LCO*
small pequeño, -a *3*
smart listo, -a *1*
smile la sonrisa *LCO*
to smoke fumar *15*
  no-smoking section la
    sección de no fumar *15*
snow la nieve *16*
  snowball la bola de nieve
    16
to snow nevar (ie) *16*
so así *A*
  so then entonces *3*
so tan *LCO*
so long hasta la vista *B*;
  hasta luego *B*
so much tanto, -a *LCO*
soap el jabón *7*
  soap powder el jabón en
    polvo *7*
soccer el fútbol *12*
  soccer field el campo de
    fútbol *12*
social social *LCO, 24*
society la sociedad *9*
socks los calcetines *11*
sofa el sofá *LCO*
soft blando, -a *21*
solemn solemne *LCO*
some algunos, -as *10*;
  unos, -as *LCO*
something algo *7*
somewhat bastante *4*
son el hijo *9*
soon pronto *LCO, 17*
  as soon as en cuanto *LCO*
  as soon as possible lo más
    pronto posible *17*
soup la sopa *8*
south el sur *10*

South American
sudamericano, -a *LCO*
southwest el sudoeste *10*
Spain (of or from) español, -la
4
Spanish el español *F*
Spanish-American
hispanoamericano, -a *10*
spark plug la bujía *19*
special especial *11*
specialized especializado, -a
7
specialty la especialidad *21*
spectator el, la espectador, -ra
12
speed la velocidad *15*
  at full speed a toda prisa
  20
speedometer el velocímetro
19
to spend gastar *22*
  to spend (time) pasar
  LCO
spicy picante *21*
sport el deporte *3*
sports(related to) deportivo,-a
24
spring la primavera *G*
square la plaza *LCO*
squire el escudero *20*
stadium el estadio *12*
stand (market) el puesto
LCO
star la estrella *LCO*
to start (a car) poner en
marcha, arrancar *19*
state el estado *19*
station la estación *13*
  gas station la gasolinera
  6
  railroad station la estación
  de ferrocarril *13*
stature la estatura *LCO*
steak el biftec *21*
to steal robar *LCO*
steering wheel el volante
19
still todavía *LCO, 19*
stockings las medias *11*
stone la piedra *LCO*
to stop dejar de *20;* parar *12*
store la tienda *6*
  clothing store la tienda de
  ropa *11*
  grocery store la bodega, la
  tienda de abarrotes, la
  tienda de ultramarinos *23*

men's clothing store la
tienda de ropa para
caballeros *11*
women's clothing store la
tienda de ropa para señoras
11
story (of a building) el piso
8
stove el hornillo *14;* el horno
21
straight derecho *8*
straw la paja *LCO*
strawberry la fresa *7*
street la calle *8*
  street light el farol *LCO*
string bean el ejote, la
habichuela tierna, la judía
verde *23*
stripe la raya *11*
strong fuerte *3*
stubborn obstinado, -a *20*
student el, la alumno, -a *1;*
el, la estudiante *24, LCO*
to study estudiar *5*
stupidity la tontería *LCO,
20*
style el estilo *21*
subject la asignatura *5*
suburb el suburbio *8*
success el éxito *LCO*
successful: to be
successful tener éxito
LCO
such tal *A*
suddenly de repente *LCO*
to suffer sufrir *LCO*
suit el traje *11*
  bathing suit el traje de
  baño *17*
suitcase la maleta *13*
  to pack the suitcase hacer
  la maleta *13*
summer el verano *G*
sun el sol *G*
Sunday domingo *F*
sunglasses los anteojos de sol
17
sunny: to be sunny
(weather) hacer sol *G*
supermarket el
supermercado *7*
surfboard la plancha de
deslizamiento *17*
surname el apellido *9*
surprise la sorpresa *19*
to surprise sorprender *19*
sweater el suéter *11*

to swim nadar *17*
sword la lanza *20*
synagogue la sinagoga *13*
system el sistema *24*
  school system el sistema
  escolar *24*

T

table la mesa *14*
taco (filled and fried
tortilla) el taco *D, 21*
to take tomar *5*
  to take a trip hacer un
  viaje *13*
  to take a walk dar un
  paseo *LCO*
  to take care of cuidar de
  LCO
  to take out sacar *5*
to talk hablar *5*
tall alto, -a *1*
tank el tanque *19*
  gas tank el tanque de
  gasolina *19*
task la tarea *24*
tavern la taberna *LCO*
tax el impuesto *19*
taxi el taxi *13*
  taxi driver el, la taxista
  LCO
tea el té *LCO*
to teach enseñar *5*
team el equipo *12*
telephone el teléfono *6*
television la televisión *6*
ten diez *C*
tender tierno, -a *23*
tennis el tenis *12*
  tennis shoes los zapatos de
  tenis *14*
tent la tienda *6*
  camping tent la tienda de
  campaña *14*
  to pitch a tent armar una
  tienda *14*
terrible terrible *20*
test el examen *19*
thank you gracias *D*
to thank agradecer *11*
that ese, -a *15*
the la, el *1;* las, los *3*
theater el teatro *18*
their su *9*
them les *18;* los, las *16*
themselves se *14*

then entonces 3; luego 6
  well . . . then pues 3
there allí 15
  over there allá 15
there: there is, there are hay
  7
therefore por eso 10
they ellas, ellos 3
thin flaco, -a 20
thing la cosa 14
  little thing la cosita LCO
to think opinar LCO; pensar (ie)
  LCO
third tercero, -a 8
thirst la sed 14
thirsty: to be thirsty tener
  sed 14
thirteen trece C
thirty treinta C
thought el pensamiento 20
thousand mil C
three tres C
  three hundred trescientos
  C
to throw lanzar 12
Thursday jueves E
ticket el billete, el boleto 13;
  el ticket 16
  one-way ticket el billete
  (boleto) sencillo 13
  round-trip ticket el billete
  (boleto) de ida y vuelta 13
  ticket (check) el talón 15
  ticket window la taquilla
  18
tie la corbata 11
to tie (score) empatar 12
time la hora F; la vez LCO
  at times a veces 6
  at what time? ¿a qué hora?
  F
  short time el rato LCO
  to have a good
  time pasarlo bien 17;
  divertirse (ie) 14
  what time is it? ¿qué hora
  es? F
tin can la lata 7
tip la propina 18
tire el neumático 19
tired cansado, -a 10
to a 7
today hoy E
tomato el tomate 21
tomb la tumba LCO
tomorrow el mañana 7

tomorrow morning
  mañana por la mañana 23
tomorrow night mañana
  por la noche 23
tooth el diente 14
to touch tocar 12
tourism (pertaining
  to) turístico, -a 18
tourist el, la turista LCO
toward hacia 20
town el pueblo 8
track (sport) el atletismo 12
tradition la costumbre 11; la
  tradición 10
traffic el tráfico 19
traffic light el semáforo 19
tragedy la tragedia LCO
train el tren 13
  by train en tren 14
tranquil tranquilo, -a 10
transportation el transporte
  19
to treat tratar LCO
tree el árbol LCO
tremendous tremendo, -a
  LCO
trigonometry la
  trigonometría 5
trip la excursión 14; el viaje
  13
  camping trip la excursión
  de camping 14
  to take a trip hacer un
  viaje 13
tropical tropical 17
trousers los pantalones 11
trout la trucha 14
trunk (of a car) el baúl 19
trust la confianza LCO
to trust tener confianza LCO
truth la verdad 2
to try tratar (de) 16
Tuesday martes E
to tumble tumbarse 17
to turn doblar 19
  to turn around
  revolver (ue) 20
  to turn left doblar a la
  izquierda 19
  to turn right doblar a la
  derecha 19
twelve doce C
twenty veinte C
twenty-eight veintiocho C
twenty-five veinticinco C
twenty-four veinticuatro C

twenty-nine veintinueve C
twenty-one veintiuno C
twenty-seven veintisiete C
twenty-six veintiséis C
twenty-three veintitrés C
twenty-two veintidós C
two dos C
  two hundred doscientos C
type el tipo 13
typical típico, -a LCO, 21

U

ugly feo, -a 2
umbrella (beach) la
  sombrilla 17
uncle el tío 9
underground subterráneo, -a
  LCO
undershirt la camiseta 13
undershorts los calzoncillos
  13
to understand comprender 8
unfortunately
  desgraciadamente LCO
uniform el uniforme 24
unique único, -a 24, LCO
universal universal LCO
university la universidad 8
  university student el, la
  universitario, -a LCO
unmatched sin par 20
until hasta B
up: to go up subir (a) 7
to use usar 12
used: to be used to
  (accustomed to) soler (ue)
  18

V

vacation las vacaciones 13
  on vacation de vacaciones
  13
Valencia (of or from)
  valenciano, -a 21
vane (of a windmill) el aspa
  20
varied variado, -a 21
various varios, -as 9
to vary variar 21
vegetable la legumbre 7
velocity la velocidad 15
verb el verbo 22
very muy 2
view la vista LCO, 16
visa el visado 15
visit la visita LCO

to visit   hacer una visita   *LCO*;
    visitar   *LCO*
voice   la voz   *LCO*

W

to wait (for)   esperar   *LCO, 24*
    waiting room   la sala de
        espera   *13*
    waiter   el mesero   *LCO, 22*
    waitress   la mesera   *22*
    walk   el paseo   *LCO*
        to take a walk   dar un
            paseo   *LCO*
to walk   caminar   *14*
to want   querer (ie)   *12*
    war   la guerra   *LCO, 20*
to wash   lavar   *14*
    to wash oneself   lavarse
        14
to watch   mirar   *6*
    water   el agua   *7*
    wave   la ola   *17*
    way   la manera   *21*
    we   nosotros, -as   *4*
    weak   débil   *LCO, 3*
to wear   llevar   *11*
    weather   el tiempo   *G*
        to be bad weather   hacer
            mal tiempo   *G*
        to be cold weather   hacer
            frío   *G*
        to be cool weather   hacer
            fresco   *G*
        to be hot weather   hacer
            calor   *G*
        to be nice weather   hacer
            buen tiempo   *G*
        to be sunny (weather)
            hacer sol   *G*
        to be windy (weather)
            hacer viento   *G*
        **what is the weather
            like?**   ¿qué tiempo hace?   *G*

Wednesday   miércoles   *E*
week   la semana   *14*
    last week   la semana
        pasada   *17*
weekend   el fin de semana
    14
well   bien   *A*
    well done   bien cocido   *22*
west   el oeste   *10*
what!   ¡qué!   *1*
    what a pity!   ¡qué pena!   *10*
    what a shame!   ¡qué
        lástima!   *10*
    what luck!   ¡qué suerte!   *1*
what?   ¿qué?   *4*
when   cuando   *G*
when?   ¿cuándo?   *G*
where?   ¿dónde?   *4*; ¿adónde?
    7
which?   ¿cuál?   *E*
while   mientras   *LCO*; el rato
    LCO
white   blanco, -a   *11*
who?   ¿quién?   *1*
whose?   ¿de quién?   *4*
why?   ¿por qué?   *7*
widow   la viuda   *9, LCO*
widower   el viudo   *9, LCO*
wife   la mujer, la esposa   *9*
to win   ganar   *12*
wind   el viento   *G*
windmill   el molino de viento
    20
window   la ventana   *LCO*
    cashier's window   la
        ventanilla   *13*
    display window   el
        escaparate, la vitrina   *11*
    small window   la ventanilla
        13
windshield   el parabrisas   *19*
    windshield wiper   el
        limpiaparabrisas   *19*
windy: to be windy   hacer
    viento   *G*

wine   el vino   *LCO*
    glass of wine   el chato   *LCO*
wise   sabio, -a   *20*
with   con   *4*
    with me   conmigo   *LCO*
without   sin   *LCO, 20*
    without a doubt   sin duda
        9
woman   la mujer   *9*
wonder   la maravilla   *LCO*
word   la palabra   *10*
work   la obra   *LCO*; la tarea
    24; el trabajo   *LCO*
to work   trabajar   *6*
world   el mundo   *LCO*
wounded   herido, -a   *20*
to write   escribir   *8*

Y

year   el año   *9*
    last year   el año pasado   *17*
    to be ... years old   tener
        ... años   *9*
    to turn ... years old
        cumplir ... años   *11*
yellow   amarillo, -a   *11*
yes   sí   *1*
yet   todavía   *LCO*
you   tú   *2*; Ud.   *5*; Uds.   *4*; te
    17; la, le, les   *18*
young   joven   *6*
younger   menor   *LCO*
youngest   el, la menor   *LCO*
your   tu, su, vuestro, -a   *9*
you're welcome   de nada, no
    hay de qué   *D*
yourself   se   *14*
    yourselves   se   *14*

Z

zero   cero   *12*
zone   la zona   *LCO*

Index